我從童年開始,就迷上了讀書。
十四、五歲的時候,更是瘋狂般的愛上了書本,
曾經利用整個暑假,到師大圖書館去看書,
每天從圖書館開門,看到圖書館關門。
直到如今,我仍然離不開書本。
我覺得,人的生存條件,
有空氣、陽光、食物、水。
對我而言,書本就是我精神上的
空氣、陽光、食物和水。

瓊瑤◎著

還珠格格

第三部 三之二

天上人間

24

這是慈寧宮裡最隱密的一個房間，嚴格說起來，就是慈寧宮裡的監牢。整個房間都是石壁，只有在高牆的上方，有幾個鳥都飛不進來的小孔，透著一點兒天光。厚重的鐵門，用重重的門閂和鐵鍊鎖著，在門的上方，有一個可以從外面開啓的小窗，以便監視門裡犯人的舉動，和送飯茶之用。在宮裡，這種密室都是用來禁閉侍衛，懲罰太監用的，幾乎每個宮裡都有幾間。因為許多侍衛，都身懷絕技，這種房間，幾經改建，也越建越牢。在慈寧宮，這個密室早已廢棄不用，太后頂多只用到偏院的暗室。但是，這次，為了小燕子等六個人，這間房間又派上用處了。

房裡靜悄悄的，地上，橫七豎八的躺著六個人，小燕子、紫薇、晴兒躺在一邊。另一邊，是爾康、永琪、和簫劍，六個人都在沉睡。室內有簡單的桌椅，桌上，有盞油燈，兀自冒著火焰。四壁蕭然，房裡充滿了詭異和肅殺的氣氛。

慢慢的，大家逐漸從沉睡中醒來，翻身的翻身，伸手伸腳的伸手伸腳。

第一個醒來的是小燕子，她呻吟了一聲，睜開了眼睛。一時之間，不知置身何處，迷糊的問：

『我怎麼睡著了？哎，好硬的床……』她一翻身，撞到旁邊的紫薇，一驚，這才驀然醒覺：『這是什麼地方？』

她飛快的坐起身子，四面一看，發現自己坐在地上，身邊躺著紫薇和晴兒，再過去，爾康、蕭劍、永琪都躺在地上。她驚愕而困惑，還沒想起是怎麼回事。趕緊去推紫薇和晴兒，喊著：

『紫薇！晴兒！趕快醒一醒，我們為什麼睡在這裡？我們不是在和老佛爺喝酒嗎……』她驚愕的住口，腦子裡，許多畫面浮了起來。喝酒乾杯、老佛爺翻臉、蕭劍的話、殺父之仇、身世之謎、打架……她想起來了！

這時眾人紛紛醒轉。爾康跳起了身子，急喊：

『紫薇！小燕子！晴兒！妳們怎樣了？』

紫薇迷糊的看了爾康一眼，立刻坐起來，只覺得頭昏腦脹，思想混沌。

『我們怎麼睡了一地？這是……』

爾康扶住紫薇，著急的說：

『我們被老佛爺下了藥……妳趕快起來活動一下，看看有沒有頭暈眼花什麼的？』四面一看，抽了一口冷氣：『這是慈寧宮的密室，我們被囚禁了！』

晴兒坐起身，揉著眼睛說：

『我是醉了吧？全身都沒力氣？』她看著眾人，頓時醒悟，抬頭看房間，驚呼著：『密室，我們在密室裡！』她急切的喊：『紫薇，爾康，蕭劍，小燕子，五阿哥……大家都在嗎？都活著嗎？』

永琪迷迷糊糊的驚跳起身，以為自己還在慈寧宮裡打架，嘴裡大嚷：

『高庸！你敢讓人打還珠格格，我跟你們拚命！』身子一晃：『頭暈！』

爾康跳過來，一把扶住，永琪看也沒看清楚，掄拳就打。爾康毫無防備，被打了個正著，慌忙抓住永琪的雙臂，搖著。

『別打別打！是我呀！清醒一下，睜大眼睛看看！』

永琪睜大眼睛，醒了，不敢相信的看著眾人，陷進思索裡。

簫劍也搖搖晃晃的站起來了。環視眾人問：

『大家都好嗎？有沒有人受傷？』

永琪看看這個，看看那個……

『我想起來了，老佛爺要我們來喝酒……難道……老佛爺把我們關起來了？』

爾康點頭，沉痛的說：

『是！老佛爺把我們通通關起來了。還好，那個酒裡，只有迷藥，沒有毒藥。否則，我們這麼不小心，這麼沒心眼，應該全部都沒命了！看樣子，真要我們幾個死，也簡單得很！』

大家面面相覷，不敢相信，卻不能不信，思前想後，各有各的震撼。

紫薇見小燕子直著眼睛，呼吸越來越急促，就急忙拉著她的手，說：

『我們不要慌，往好處想，老佛爺雖然查明了真相，她還是顧念著我們的，她沒有對我們下毒手！』

沒有人敢附和紫薇這句話，大家都沉默著。簫劍已經察看了一下環境，看到四壁厚厚的石牆，看到那厚重的鐵門，知道門外牆外，必然還有重重侍衛守著。他明白，這次是插翅難飛了，更加沉默不語。

小燕子一直在回想整個的經過，想簫劍說的話……『妳的皇阿瑪，就是我們的殺父仇人！』她的心，陡然一抽，抽得渾身都痛楚起來。她再也控制不住自己，發出一聲撕裂般的痛喊……

『不要……我不要……我不要……怎麼會這樣？我不要……』她一面喊著，一面衝向簫劍，撲在他身上，她用拳頭瘋狂的打著他，搖著他，不停的喊……『你為什麼要編故事？你為什麼要那樣說？我們的

爹，到底是誰？是怎麼死的？怎麼死的？」

蕭劍痛楚的看著小燕子，難過極了。

「小燕子，事到如今，我不能不說實話了，我們的爹，確實是浙江巡撫方之航！二十四年前的文字獄，他被斬首示眾……」

小燕子一聽，就瘋狂的搖頭，大喊：

「我一個字也不相信，我不要相信！這全是謊言，是天大的謊言！皇阿瑪不是我的殺父仇人，他不會殺我爹，他不會砍我爹的腦袋！不會，不會……我沒有嫁給仇人的兒子，我不要……不要……不要……」

小燕子邊喊邊打，眼淚滴滴答答向下掉。蕭劍試圖抓住她的手，沉痛的說：

「小燕子……對不起……對不起……」

小燕子繼續猛烈的揮拳，激動得一塌糊塗，哭著喊：

「我不要你的「對不起」！我恨你，恨你，恨你……如果你說的是真的，為什麼讓我回宮？為什麼當初不告訴我？為什麼在南陽的時候，不把我帶走？為什麼不拆散我和永琪？為什麼讓我把仇人當成爹……」她越說越明白，真相就是這樣了，再也逃不開，賴不掉了，就哭倒在蕭劍肩上。

蕭劍一把就擁住了她，跟著落淚了。

「是！我一錯再錯！當初，應該在會賓樓認出妳以後，就死咬住這個祕密，到了南陽，也不該認妳，應該飄然遠去，更不該跟你們回宮，再招惹上晴兒……我的不忍，我的捨不得，造成今天的局面，我害了你們每一個人，害了我唯一的親人……我確實該打，該死！」

晴兒聽到這兒，早已淚落如雨了，就奔過來，扶著小燕子，也哭著說：

『是我不好！都是我的錯！在杭州，假若我不冒雨追蕭劍，他已經走了。那麼，老佛爺就不會調查這一切，所有的祕密，都可以保全了！小燕子，請妳原諒我，是我這麼殘忍，這麼自私，讓妳必須面對這份「眞實」！』

小燕子一聽『眞實』二字，更是心碎腸斷，痛不欲生了。激烈的喊：

『不是「眞實」，絕對不是「眞實」！皇阿瑪對我那麼好，他知道我是冒牌格格，還是留住我，他寵我，照顧我，教育我，不在乎我的出身，不在乎我沒學問，答應永琪娶我……』想到乾隆的好，她泣不成聲……『他還給我免死金牌，追到南陽接我回家……他是我的皇阿瑪呀……他比親爹也不差呀……我不要……我不要……』

小燕子這一番痛斷肝腸的話，讓房裡的其他五個人都濕了眼眶。不止他們五個，在密室的門外，那扇小鐵窗虛掩著，太后和知畫二人，正悄悄注視著室內的一切。兩個人也跟室內其他的人一樣，深受震撼。太后聽著知畫，聽到小燕子訴說乾隆的好，字字句句，都掏自肺腑，不禁落下淚來。知畫拿著小手絹，為太后拭淚，眼中也是濕濕的。

密室裡，人人動容，個個傷心，只有永琪，還陷在巨大的震撼中，半信半疑。

紫薇走上前去，摟住小燕子，含淚說：

『小燕子，事實眞相已經揭穿了，再也隱瞞不住了。妳也接受這個事實吧！我和爾康，在南陽就知道了眞相，是我們兩個，說服了簫劍，要他忘記仇恨，把眞相瞞住，為了成全妳和五阿哥的感情！』

爾康接口：『假若妳知道了眞相，怎麼可能嫁給永琪呢？我們也是一番好意，沒料到還是逃不掉今天這個局面！如果有錯，我和紫薇也是罪魁禍首。』

小燕子就哭著轉向紫薇，投進她的懷裡，抽泣著說：

『紫薇！妳知道的，那個皇阿瑪……我……我……我愛他呀……』

紫薇拚命點頭，跟著落淚：

『是！是！我知道，我知道！我也愛他呀，他是我的親爹呀！我也有我的自私，這麼久以來，我害怕妳知道真相，因為，我比誰都明白！我不要妳恨他，不要妳仇視他！他是我和永琪的親爹呀！』

永琪一直在看，一直在聽，越來越心驚膽戰。對他來說，這個真相的揭穿，他比小燕子的親爹，是以『謀逆罪』伏法，這意味著，他娶了一個在全國最不該娶的女人！也意味著，為了皇室和乾隆，他必須大義滅親，犧牲小燕子！想到這點，他不但不寒而慄，他的心也粉碎粉碎，他的世界根本天崩地裂了！他搖頭，不行！不能這樣！不行！不可以這樣！他衝上前來，抓住了簫劍，喊著：

『簫劍！你憑什麼說皇阿瑪是你們的「殺父仇人」？我覺得太奇怪了！小燕子不要相信，我也不要相信！』他轉向小燕子：『小燕子，聽我說，這個「殺父之仇」的認定標準絕對有問題，妳不要傷心，說不定全是誤會！皇阿瑪如果下令斬首，一定因為案情重大，我們必須把案子調出來，才知道有沒有隱情，有沒有冤枉……何況，妳從小流浪，到底是不是簫劍的親妹妹，恐怕也有問題……我早就懷疑他認錯了妹妹……』他一面說，一面去扳她的肩膀。

小燕子情緒激動，一唬的摔開永琪，崩潰的大喊：

『你不要碰我！你爹殺了我爹，你還敢碰我？你是我仇人的兒子……你走開走開，我不要再見到你，你害我沒臉見天上的親爹，你還要讓我不認親哥哥嗎？你太壞了，你敢這樣說，我恨你恨你恨你恨你恨你……』

永琪一退，臉色大變，神態慘然。他大受打擊，痛楚的說：

『小燕子，我們經過了多少風風雨雨才到今天，我對妳的心，天知地知！妳爹的事，我也被蒙在鼓裡，我也沒有選擇的機會！如果我早知道妳的身分……』

小燕子早就神志不清，心碎腸斷。聽到永琪這樣一說，更是句句刺耳，她尖聲喊著打斷：

『你早知道，早就把我甩了，是不是？』

永琪怔了怔，悲哀的看著她，這個他用整個生命來愛著的女人，這個一顰一笑都讓他失魂落魄的女人！他誠實的、惻然的說：

『不是，我早就想帶妳去大理了！不會讓妳面對今天的局面……』

小燕子一楞，『哇』的一聲，放聲痛哭，撲進永琪的懷裡，一疊連聲的喊：

『永琪永琪，我要怎麼辦？我們要怎麼辦？我沒有恨你沒有恨你，我……我……我那麼喜歡你，我……我不要你成為我的敵人……我不要』

我……我……我不要你成為我的敵人……我不要……』

永琪含淚點頭，抱緊她，也一疊連聲的回答：

『我知道，妳不用說，我都知道！』

門外的知畫，看到這兒，淚珠從眼中墜落。太后也是一臉的震撼和不忍。

密室內，爾康看到大家情緒激動，往前一邁步，大聲說：

『大家都冷靜一點，不要哭哭啼啼了！聽我說，關於小燕子的身世，現在是真相大白，小燕子和五阿哥，你們除了勇敢的接受這個事實，已經沒有退路。不過，五阿哥說得對，這個案子，確實有調查的必要！但是，我們現在的問題，不是調查當初的案子，不是再去追究事實，而是目前，我們被老佛爺囚禁在這兒，眼看，皇阿瑪也會知道真相！等到皇阿瑪知道了，我們還有生路嗎？我看，不管我們有理沒理，這次，恐怕十面金牌也救不了我們的命！我們要怎麼辦？』他看著大家，在這個紛亂的時刻，他那

種領袖般的氣質就凸顯出來了，他對大家招招手：『來來來！我們大家圍在一起，把眼淚擦乾，坐下來好好的討論一下！』

門外的太后，拉了知畫一把。爾康他們要好好討論，太后也需要好好討論。弄成這個局面，下一步，到底該怎麼走？

『現在，我都明白了！』太后回到臥室，摒退了閒雜人等，只留下了知畫，說：『簫劍和小燕子，確實是方之航的兒女！』她情不自禁的打了一個寒戰：『皇帝把仇家的兒女，養在身邊，太可怕了！但是，小燕子和永琪，是眞的不知情，爾康和紫薇，是早就知道了！』

『晴格格和簫劍私奔，也是爲了這個！』知畫深深看著太后，眼裡帶著求情的意味：『老佛爺，我想，簫劍並沒有要報仇的意思！』

太后傾聽著。知畫再誠摯的，認眞的分析：

『您聽到紫薇格格的話，他們說服了簫劍，放下了仇恨。我想，簫劍肯跟大家回宮，肯讓小燕子嫁進皇室，不是爲了報仇，是因爲了手足之情，戰勝了仇恨之心！』

太后沉思，眼神深邃濕潤。

『妳說的有理！我看到小燕子哭得那麼傷心，一句句話，都打進我心坎裡，我也不能不感動……那孩子，好像對皇帝眞有愛心，我是不是做錯了？如果不揭穿他們，或者大家也能糊裡糊塗過一輩子吧？』

『老佛爺明察秋毫，已經知道的事，怎麼能不揭穿呢？簫劍和還珠格格，當初逃過一劫，已經是奇蹟了！逃過一劫又雙雙進宮，就是奇蹟中的奇蹟，難怪老佛爺要疑惑，任何人都會不安心吧！』

知畫的話，給了太后極大的安慰。激動的說：

『就是這句話！叫我怎麼能「安心」呢？這樣一個有殺父之仇的格格，生活在皇帝的身邊，我想起來就發抖了！還有那個蕭劍，身手那麼好，武功那麼強，他要有個什麼居心，眞是防不勝防呀！』

太后在室內兜著圈子，煩亂著，思考著。一跺腳下了決心：

『不能不忍心，不能婆婆媽媽！這種事，一向都是「永絕後患」的！我還是告訴皇帝去，把他們通通交給皇帝！讓他去發落！』

太后說著，轉身就往門外走。知畫一驚，著急的抓住了太后的手，說：

『不行不行！請老佛爺三思！如果皇上知道了，就算心裡有幾千幾萬個捨不得，也只能做一個處置，蕭劍和還珠格格必死無疑！五阿哥、爾康大概會貶爲庶人，晴格格會逐出宮門……』她那明亮的雙眸，緊盯著太后，眼裡全是懇求，語氣鄭重：『老佛爺，您捨得五阿哥和晴格格嗎？您最介意的，不就是晴格格的婚事？如果能夠打散這場婚事，收回晴格格的心，又示好於爾康和紫薇，您不是就達到目的了？爲什麼一定要鬧到皇上面前去？弄得天崩地裂呢？』

太后被提醒了，捨得永琪嗎？她最捨不得的，就是永琪呀！萬一永琪和小燕子站在一條陣線，怎麼辦？她和乾隆，對這個阿哥，都『失去不起』呀！她震動的站住了，凝視知畫，點頭說：

『是呀……妳說的對呀！』她抬頭看虛空：『不止五阿哥，還有福家，三代忠臣啊！紫薇又是皇帝的骨肉，我不能把他們夫妻一直關著……』她越想越煩躁，弄成這樣，反而不知如何善後了。『現在，眞相我是明白了，下一步可就難了！』

『或者，您可以和他們談條件，或者……您可以把他們分開，一個一個談……現在這個局面，他們比您慌！我想，您提出任何條件，他們爲了脫困和救人，都會同意的！』知畫積極的說。

『就算他們同意，我怎麼能包庇小燕子和蕭劍呢？我怎能保證皇帝的安全呢？』

太后說著，不禁凝視知畫，見她明眸皓齒，聰慧絕倫，眼神逐漸堅定起來。她伸手握住知畫的手，鄭重的說：

『知畫，妳能不能幫我？』

知畫拚命點頭：

『就怕我沒有什麼力量，幫不上忙！』

『妳有妳有！』太后一字一字的問：『告訴我，妳可有幾分喜歡五阿哥？』

知畫大震，面紅耳赤，驚喊：

『老佛爺！』

太后深深看知畫，眼裡，有著數十年的經驗和智慧。她清清嗓子，鎖定了自己那煩亂矛盾的心，有條有理的說：

『妳知道，妳是漢人，在滿清皇室，滿漢不通婚的規矩還在！雖然先皇和當今皇帝，都有好多的嬪妃是漢人，卻沒有一個能夠當上「皇后」！所以，妳再好，充其量也只是一個妃子或貴人！這，還得嫁給一個「太子」才算數！妳，想不想當未來的「皇后」呢？』

知畫震動的聽著，凝視太后。

『知畫從來沒有非分之想……就算五阿哥已經內定為太子，他也先有了還珠格格，他們夫妻情深，我……不想攪和進去……』

『妳對自己沒有信心嗎？男人，誰不是三妻四妾？現在的恩愛，能夠持續多久？沒有妳，五阿哥遲早會有別人！妳是最好的皇后人選，妳進了景陽宮，做我的耳目，也可以幫我看著小燕子和永琪！那麼，我或者可以把這個祕密壓下去！』她心中盤算著，豈止要知畫做眼線，她更需要知畫，為永琪生兒

育女，做將來的『國母』。除了知畫，放眼八旗，還沒有任何一個姑娘，有這個才華家世和能幹，來擔當未來『皇后』的重任。

知畫低下頭去，輕聲的說：

『只怕五阿哥不願意！』

『那是我的事了！如果他不願意，我只好告訴皇帝，先處死小燕子！』

『啊？』知畫大驚。

當太后和知畫在商量大計的時候，密室裡的六個『囚犯』，也聚在一起分析當前的局面。爾康嚴重的說：

『不是我要嚇你們，現在這個局面，真是糟透了！當初，方巡撫是「謀逆罪」服刑的，這個罪名太大，是「誅九族」的事。為什麼要「誅九族」？並不是「九族」都有罪，而是不留後患，怕子孫報仇。現在，老佛爺知道真相了，她一定會告訴皇阿瑪，不管皇阿瑪多喜歡小燕子，多喜歡永琪，這個真相太震撼了，他恐怕只有一個選擇，就是「不留後患」！』

大家聽得毛骨悚然。

小燕子依偎在永琪懷裡，她還陷在巨大的震撼裡，腦筋糊糊塗塗，無法分析任何事情。永琪卻在這短短的時間內，已經有過種種最壞的想法，爾康的話，和他的想法是同樣的。他心裡一慘，長長一嘆說：

『照你這麼說，我們這次是死定了！』

『除非……』爾康尋思著。

『除非什麼？』

『除非老佛爺網開一面，守住祕密，不告訴皇阿瑪！除非我們有機會和辦法，說服老佛爺保密！』爾康說。

『我想，不可能吧！這事太大，老佛爺不敢作主！』晴兒苦澀的說。

『誅九族？』永琪激動的接口：『現在，這「九族」怎麼算？小燕子是我的妻子，我自然在九族之內，皇阿瑪是我的阿瑪，豈不是也在九族之內，老佛爺是我的祖母，當然在九族之內，紫薇是我妹妹，爾康是我妹婿，也是九族之內，宮裡的阿哥格格，都是我的兄弟姐妹，個個都在九族之內……這樣一個推一個，難道把皇室全部殺光，以絕後患嗎？』

『你不要說氣話，當然是可殺的殺，該留的留！』爾康搖頭說。

大家都知道爾康的分析有理，全部安靜下來，哀愁沉重的籠罩著室內。片刻後，紫薇看看高高的透氣孔，有曙色透了進來。她想著東兒，想著學士府，悲哀的說：

『天亮了！我們一夜沒回家，阿瑪和額娘一定急壞了！』

『他們知道我們進宮，一定以為大家喝了酒，捨不得分開，留在景陽宮過夜了！他們不會擔心，因為，他們絕對想不到我們會出事！』爾康安慰著她。

『我早已不在乎自己的生死，可是……』紫薇看了看爾康：『可憐的東兒，他才三歲！』

簫劍一直沉默著，這時突然抬頭，一本正經的說：

『小燕子，我想，永琪說得對，妳根本不是我妹妹！當初，我本想去找靜慧師太，求證一下妳的身分，後來，又想「落地為兄弟，何必骨肉親」，認了就認了！現在，越想越不對，妳沒有一個地方像

我，我一定認錯了！」

爾康眼光一閃，和蕭劍交換了一個視線。只見蕭劍眼神裡，透著堅決和祈求的神情。爾康立刻瞭解了他的意思，只要證明這個『認妹妹』是個誤會，就保住了小燕子和永琪！現在這個時刻，救一個是一個！他點點頭，立即心領神會的說：

『對！我也一直懷疑這件事！除非把靜慧師太找來，把當初師太收容的幾個姑娘，全部找到，再核對一下，才能弄明白！』

小燕子抬頭看著蕭劍和爾康，她的腦筋再糊塗，也明白蕭劍要救她的心念。她從地上跳起身子，對蕭劍漲紅了臉，激動的喊：

『好呀！你不想認我了，是不是？你以為我是貪生怕死的小人，是不是？你想一個人擔負罪名，送掉腦袋，來保護我，是不是？你敢再說我不是你妹妹，我就和你拚命！』

『如果我認錯了呢？本來就有問題！我一定一定認錯了！』蕭劍大聲說。

小燕子撲過去，對蕭劍又打又端。

『你這個混帳！你這個偽君子，你這個員小人，你這個臭大俠……』

『不要叫！不要這樣！』他看蕭劍：『蕭劍，這個主意不好！事實就是事實，我都明白了，所有前因後果，也都想起來了！不要狡賴，小燕子早就說過，要頭一顆，要命一條！大家都認了吧！』

永琪跳了起來，拉住小燕子…

晴兒悲切的看眾人，心裡已經有了主張，說：

『大家不要太絕望，老佛爺雖然把我們囚禁在這兒，她沒有綑我們，也沒有把我們分開，我覺得，事情可能還有轉機！讓我們抱著希望等待吧！』

『晴兒說得是!』紫薇接口:『說不定峰迴路轉,柳暗花明……』

正說著,一聲門響,大家都跳起身子。只見高庸帶著幾個侍衛走進門來,高庸甩袖行禮,態度依然恭謹:

『額駙大人,紫薇格格,老佛爺有請!』

『只有我們兩個嗎?』紫薇不安的問。

晴兒急忙上前,請求的說:

『高公公,請您告訴老佛爺一聲,晴兒請求跟老佛爺談談!』

高庸同情的看了晴兒一眼:

『喳!奴才知道了!額駙大人,請走吧!』

永琪心裡一動,急忙對爾康說:

『爾康!救一個是一個!好漢不吃眼前虧,出去就別再進來了,知道嗎?別談什麼義氣,要為東兒著想呀!』

『爾康!跟老佛爺分析清楚,知道嗎?』簫劍話中有話,叮囑著。

爾康和紫薇,就在大家的叮囑聲中,跟著高庸、侍衛出門去了。

到了太后房裡,兩人抬眼一看,房裡只有太后,什麼人都沒有。兩人心裡有數,太后並沒有立即聲張這件事,顯然還有轉機,就雙雙對著太后一跪。

『紫薇/爾康叩見老佛爺!』

『起來說話!』

兩人站起身，看著太后。太后沉聲問：

『你們夫婦，這樣包庇小燕子和簫劍，事到如今，還有什麼話要說？』

『老佛爺，爾康以自己的生命，家父的生命，和我兒子東兒的生命起誓，簫劍和小燕子不會害皇阿瑪！我們在南陽知道真相之後，一直在化解這份仇恨。簫劍一路跟著我們，早已被皇阿瑪的仁慈正直所感動，已經把仇恨拋在九霄雲外了！如果老佛爺不追究出真相，這個祕密永遠不會揭穿的！』爾康誠懇的說。

『如果他把仇恨拋在九霄雲外，為什麼不肯做官？要帶著晴兒逃跑？』

『簫劍真要報仇，早就下手了！還需要等到今天嗎？』爾康回答。

『那可說不定，可能以前沒機會……』

『如果以前沒機會，他就該接受皇阿瑪的官職，留在北京等機會！』紫薇再也忍不住，激動而真摯的說：『他就是不想報仇，才要帶著晴兒遠走高飛呀！老佛爺，皇阿瑪是我的親爹，我好不容易，翻山越嶺到北京，經過千辛萬苦才認了爹！當初，為了擋刺客，我曾經挨過一刀！我這麼愛我爹，您認為，我會讓我爹生活在危險裡面嗎？如果真有危險，我會拚命拚命阻擋呀！怎麼可能視而不見呢？一定是分析過了，有絕對的把握，才敢讓簫劍跟我們在一起！』

太后看看二人，用力的點了點頭。

『你們很有說服力！但是，不管他們有沒有報復的念頭，現在祕密已經揭穿了，我只有告訴皇帝去！簫劍和小燕子，我會請求皇帝，留個全屍……至於永琪和晴兒兩個，你們能保證他們不生二心嗎？』

紫薇一聽，心中大痛，就撲跪在太后面前，緊緊的拉住太后的手，哀聲喊著……

『不要不要！老佛爺，求求您發發慈悲，不要告訴皇阿瑪！您想，皇阿瑪那麼喜歡小燕子，那麼重視五阿哥！您怎麼忍心打破他的幸福，帶走他的快樂呢？何況，為了盈盈姑娘，皇阿瑪已經夠傷心了，這個祕密，會把皇阿瑪整個打倒的！我不能想像，如果小燕子必須處死，皇阿瑪怎麼辦？您不看在小燕子面上，不看在我面上，不看在五阿哥面上，也要看在皇阿瑪面上呀！』

太后一唬的站起身來，摔開紫薇的手。

『這麼嚴重的事，我怎麼可能隱瞞皇帝！』

爾康就一步上前，攔著太后說：

『能能能！只要老佛爺不說，知畫姑娘不說，我想，就沒有人會說！老佛爺，您不明白，小燕子和五阿哥情深義重，如果失去了小燕子，五阿哥一定會生不如死，那麼，您也就同時失去五阿哥了！至於晴兒，大概會跟著蕭劍同生共死，您既然要處死蕭劍，就不必考慮晴兒的「二心」問題，她不會再有「二心」，她有不起「二心」，到時候，她一個心都沒有了！』

太后大震，抬頭怒喊：

『你們兩個在威脅我嗎？』

紫薇哀懇的看著她。說：

『您不要生氣，如果您不顧慮皇阿瑪，我也不信！您確實有許多顧慮，不是嗎？或者，我們可以想一個面面俱到的辦法！』

『什麼面面俱到？現在這種局面，怎麼面面俱到？』

爾康試探的提議：『讓他們永遠不許回北京，這樣，等於判了蕭劍的流刑！至於小燕子，就留在宮裡，我、紫薇、和五阿哥，會把她看得緊緊的！不會允許她出問題

『讓蕭劍帶著晴兒遠走高飛吧！』

的！』

『就這樣，好不好？』紫薇期盼的說：『老佛爺，您開恩吧！要不然，您和小燕子談一談，您會發現她真的崇拜皇阿瑪，像個親生女兒一樣愛著皇阿瑪！』

『那兒有這麼好的事？讓簫劍帶走晴兒？還留下小燕子？不行不行！晴兒不許走，小燕子也不能留！』太后神情堅決。

爾康一抬頭，有力的說：

『小燕子根本不是簫劍的妹妹！』

『什麼？』太后驚問。

爾康定定的注視著太后，面不改色的說：

『當初從南陽回到北京，我就去訪問了靜慧師太，師太親口告訴我，這是一個誤會！如果您不相信，儘管找靜慧師太來對質！因為小燕子認了這個哥哥，快樂得不得了，我才沒有揭穿，讓他們將錯就錯！』

紫薇驚看爾康，只見他抬頭挺胸，滿臉坦蕩，說得煞有其事。

太后震動的睜大了眼睛。心裡其實是明白的，爾康在千方百計救小燕子和永琪！她又何嘗不想救永琪呢？她沉思著，忽然有了主張，抬眼看爾康：

『如果小燕子不是簫劍的妹妹，或者可以救小燕子一命！我放掉你們兩個，你們回家去，在你們父母面前，一個字也不要提！爾康，你趕快去找那個靜慧師太，我要把事情弄明白！』

『是！』爾康趕緊回答。

太后盯著二人：

『假若我保守祕密，放掉小燕子和簫劍，你們兩個，願意跟我合作嗎？』

爾康和紫薇交換了一個視線，爾康就急忙點頭說：

『是！只要您保密，放掉他們，任何條件我們都接受！』

太后就對兩人堅定的說：

『你們要說服小燕子和永琪，讓永琪娶知畫！』

紫薇和爾康大震，雙雙驚跳起來。

『啊？娶知畫？』

密室裡的四個人，形容憔悴的坐在牆角，緊張的等待著。爾康和紫薇，去了很久都沒有回來。永琪看了看門口，滿懷希望的說：

『他們已經去了兩個時辰了，我想，這是一個好兆頭，他們離開得越久，表示他們越安全。老佛爺總要顧慮福家的關係吧！』

簫劍不語，神色凝重，晴兒痴痴的看著他，心神恍惚。小燕子已經冷靜下來了，坐在那兒，思前想後，淚眼汪汪的看著簫劍。忽然說：

『哥！告訴我爹和娘的事！爹到底為什麼會被處死？他犯了什麼錯？』

簫劍看了小燕子一眼，不說話。

『你還不說嗎？眼看我們的死期也快要到了，你預備讓我到死都糊裡糊塗嗎？』

簫劍神情一痛，晴兒嘆了口氣說：

『簫劍，我也很想知道，現在，已經沒有保密的必要了！』

『是的，沒有保密的必要了！』簫劍抬眼看著小燕子，說不定，大家都死到臨頭，再不說，以後就

沒有機會說了。他說了⋯『其實，我斷斷續續，差不多把爹娘的事，都告訴妳了。上次我們去的觀音廟，就是當初的方家。當時，爹在做官，常常和二三好友，聚在一起吟詩作對，都告訴妳了。上次我們去的觀音打油詩，詩的內容是「聞道頭需剃，人皆剃其頭，有頭終需剃，不剃不成頭。剃自由他剃，頭還是我頭，請看剃頭者，人亦剃其頭！」那時，滿人剃頭、漢人不剃頭的風波早就過去了，爹被捕，頭還是我上，說「剃自由他剃，頭還是我頭，請看剃頭者，人亦剃其頭！」幾句話，有反抗意識，是叛國，是謀逆！』

永琪不禁脫口驚呼⋯

『這首「剃頭詩」，在民間傳播得非常廣，人人會背，原來是你爹作的！』

『就是！我想，爹當初也得罪了不少人，有人要置他於死地。爹被捕下獄，我們的娘，開始到處奔走，花了無數的銀子，希望能夠營救。娘做錯了，那些貪官，收了娘的銀子，還告娘一狀，說她到處賄賂，家財萬貫，養了整個叛黨！官司越演越烈，像滾雪球一樣越滾越大，最後，消息傳來，爹被判斬首，抄家，還連累了幫過忙的親朋好友，都紛紛下獄⋯⋯』

小燕子痴痴的仰頭看著蕭劍，聽得入神。蕭劍繼續說⋯

『我娘得到消息，立刻把我們兩個，分頭送走⋯⋯據說，直到行刑那天，娘還希望有皇上的特赦令，最後，特赦令沒到，在官兵的「殺無赦」聲中，娘親眼看著爹的人頭落地！她給爹收屍之後，就放了一把火，把我們方家的房子，燒成平地⋯⋯據說，她穿著一身縞素的衣裳，站在烈火之中，喊著爹的名字，用方家祖傳的劍，自刎而死。據說，那晚，方家的大火，燒得整個天空，都像血一般的紅！」

蕭劍一口氣說完了，眼神深邃悲哀。小燕子目不轉晴的看著他，聽得痴了。永琪、晴兒都聽得驚心動魄。

蕭劍沉默片刻，看向小燕子…

『後來，有一個家人，把娘自刎的那把劍，送到大理來，交給了我的義父。多年以後，我的義父再把它交給了我！』

小燕子震動已極，驚呼…

『原來，你平常隨身帶著的那把劍，就是我娘自刎的劍！劍呢？劍呢？』

『那把劍不能帶進宮，現在留在爾康家。小燕子，如果妳順利出去了，記得收好那把劍，上面，沾著娘的血！』

小燕子驚悚的看著蕭劍，眼神裡，是無比的痛楚和震動。

『我好像看到那些畫面，我娘，站在斷頭台前，等著最後的赦免令，赦免令沒有等到，是行刑官傳來的「殺無赦」！就像我們要被砍頭時一樣！然後，是……是……我爹的頭落了地……』她用手蒙住臉，渾身發抖。

永琪痛楚的抬頭，責備的說…

『蕭劍！你一定要說得這麼詳細嗎？你不能少說幾句嗎？那些事情，你也沒有親身經歷，道聽途說，怎麼能夠當眞？』

蕭劍一嘆，起身走開…

『是！不能當眞！我也不該說……我只怕不說，以後再也沒有機會說了！』

蕭劍說完，就站在桌前，從懷中，掏出那把簫，開始吹著。簫聲綿綿裊裊的響起，居然是那首紫薇作曲作詞的〈你是風兒我是沙〉。簫聲在空洞的石室裡迴響，有種濃濃的，化不開的哀愁。

永琪聽到這樣的故事，看到小燕子悲極的臉孔，再聽到這樣的簫聲，想著那歌詞…『你是風兒我是

沙，纏纏綿綿繞天涯……』他心裡一陣激動，就一把抓住小燕子的胳臂，把她的身子撐了起來，痛楚而狂熱的說：

『小燕子！我要告訴妳幾句話，自從昨晚到現在，我好像從高山上，一下子掉進懸崖下，說不出我心裡的感覺。聽了簫劍的故事，我覺得驚心動魄，匪夷所思……我知道，是我爹的命令，奪走了妳爹的生命，我很抱歉很遺憾，我不懂為什麼會發生這些？但是，我必需告訴妳，那些事情，都是我們無法控制的事，也無法改變的事！請妳，也不要因為這個，改變了妳自己！我要那個快樂的，無憂無慮的小燕子！』

小燕子怔怔的看著永琪，哽咽著說了一句：

『那個快樂的小燕子，已經死掉了！』

『不可以！不要死掉，不許死掉！我們要用生命來記錄新的故事，這些故事裡，再也沒有仇恨，我們的故事裡，不能再有仇恨……』

晴兒眼裡濕漉漉。

這時，一聲門響，高庸帶著侍衛進門來。

『晴格格！話幫您帶到了，老佛爺要妳馬上過去！』

晴兒眼睛一亮，跳起身子，就撲奔到簫劍面前。急促的說：

『簫劍！我去和老佛爺談，我相信蒼天有眼，人間有情！我相信真理，相信正義，相信世間一切美好的東西……簫劍，請你也同樣相信！我先去了！』

晴兒說完，掉頭，跟著高庸離去。

簫劍一直在吹著簫，這時，驀然停止，抬頭大喊：

『晴兒！』

晴兒已走到門口，一震回頭。

『世間最美好的東西，就是我們這一段！我永不後悔！』簫劍微笑的說。

晴兒含淚一笑，跟著高庸出門去。

晴兒隨著高庸到了太后的房裡，太后正站在窗前，看著窗外。

『晴格格到！』

太后一個轉身。高庸甩袖行禮，退出房間。

晴兒哀傷的注視太后，奔上前去，撲跪在她身前，不等她開口，就一口氣說了出來：

『老佛爺！請您放了簫劍，讓他走得遠遠的，再也不能踏進宮門一步！我不會跟他繼續糾纏不清了，從今以後，我跟他一刀兩斷，回到以前的日子，跟在您身邊，做那個心如止水的晴兒！我說到做到，這一生，再也不讓您失望，再也不讓您傷心！我會是您永遠的晴兒，聽話的晴兒，貼心的晴兒……我再也不敢了！』

『是嗎？』太后深刻的看著她：『妳想再騙我一次，等到我放了簫劍，妳也就跟著失蹤了吧？妳以為我還會再相信妳？』

『怎樣您才能相信我呢？您說！您要我做任何事，我都做！只要您放了簫劍，放了五阿哥和小燕子！』晴兒攀著太后的手臂，抬頭哀求的看她：『五阿哥回宮之後，天天都上朝，今天沒去，皇上一定會著急的，如果皇上追究起來怎麼辦？老佛爺！這事如果給皇上知道，是牽一髮而動全身，整個宮廷，

會被這件事弄得灰頭土臉！一趟南巡，已經發生了不少的事，皇上斷情、皇后削髮、額駙被囚……大臣和老百姓都在議論紛紛……老佛爺，宮裡，還禁得起更大的醜聞嗎？皇上還禁得起更大的風浪嗎？」

太后悚然而驚，晴兒還是晴兒，冰雪聰明，說得字字是真，太后冷汗涔涔了。

「妳說，從今以後，妳什麼話都聽我？」

「是！」晴兒一咬牙，發下這一生最毒最毒的誓……「我用簫劍的生命起誓，如果我不聽您，簫劍會被五馬分屍！」

太后一震，這麼『毒』的誓，她都發了，讓人不能不信。

「我信妳了！」她一拍手，對外喊：『高庸！去把五阿哥和還珠格格帶來！』

「喳！奴才遵命！」

高庸立刻到了密室，要帶走小燕子和永琪，小燕子本能的一退……

「老佛爺要我和永琪去？沒有我哥嗎？我哥不去，我也不去！」她拚命推永琪……『永琪，你去跟老佛爺說，我和我哥哥，在這兒等死！我絕不丟下我哥，一個人逃命！但是，你走吧！你是阿哥，沒有人敢動你！」

「永琪一把抓住她，著急的說：

「妳不要傻了，妳留下，也救不了簫劍！出去或者還有辦法！」

簫劍走了過來，對著小燕子笑。

「永琪說得對！妳先出去，再幫我說情。放心，我的命大得很，要死，也沒有那麼容易！去吧去吧！

我們待會兒見！」

小燕子不放心的看著簫劍，遲疑不定。

『格格，老佛爺還在等著呢！』高庸催促著。

小燕子猶豫了一下，就對簫劍急促的說：

『哥！我去和老佛爺談……只要我活著，我就不讓你死！我們……待會兒見！』

簫劍深深的看了永琪一眼，眼裡，是託付，是請求。

『永琪，保護好她！』

永琪也給了簫劍深深的一瞥，眼裡，是保證，是承諾，是對小燕子無盡的愛。

『我知道！』

永琪和小燕子就跟著高庸到了太后面前。太后眼神銳利的梭巡著二人，晴兒站在太后身後，不住對永琪使眼色，悄悄比手勢，要他什麼都順從太后。

『我已經把紫薇和爾康，放回學士府去了！至於晴兒，我也不準備追究了！他們大家說服了我，這件事不能擴大，也不能讓皇帝知道，我只好咬緊牙關，把所有的責任一肩扛下，你們兩個，要不要和我合作呢？』太后問。

永琪和小燕子大為意外，沒有料到還有生路，兩人都驚喜莫名。永琪急忙答應：

『老佛爺肯把這件事壓下來，就是對我們幾個最大的包容和恩惠。如果您不驚動皇阿瑪，我太感動了，我一定跟您合作！』

『好！永琪，』太后點頭：『我就相信了你，君子一諾千金，你要記住今天的承諾！現在，我也折騰累了，不想再談了！你們回到景陽宮去吧，在皇帝面前，什麼都別說，我想，你們比我更知道厲害關係。你們等我的消息，去吧！』

永琪沒料到這麼容易，就沒事了，驚愕的看著太后，還不敢走。小燕子卻急促的往前一邁，緊張的

問：

『那麼，我哥哥呢？』

太后皺皺眉頭，轉頭看窗外：

『什麼哥哥？』

小燕子大急，往前一衝，氣急敗壞的喊：

『什麼哥哥？我哥哥呀！簫劍呀！妳要把他怎麼樣？』

『我已經問清楚了，簫劍和妳一點關係都沒有，那根本不是妳哥哥！妳壓根兒就沒有哥哥！妳去吧，管自己都來不及了，還管什麼外人？』太后正色的說。

『簫劍不是外人，他是我哥哥，是我親生的哥哥……』小燕子急得跳腳：『老佛爺，妳要把他怎麼樣？如果他死，我也不要活……』

晴兒急得不得了，拚命對永琪打手勢。永琪會意，就一把拉住小燕子，勸解著：

『妳不要這樣激動，老佛爺一定有她的安排，我們就聽老佛爺的話，先回景陽宮去，讓老佛爺休息！』

『不行呀！我們回宮去，哥哥一個人，還在密室關著，誰知道會發生什麼事？如果老佛爺要他死，他還有活路嗎？老佛爺，您會要他的命嗎？您會嗎？』

太后一抬頭，眼神凌厲的盯著小燕子，斬釘斷鐵的說：

『你們想，這個簫劍，是漏網的欽犯，我怎麼會讓他活著？你們一個個留下小命，就不錯了！還敢為簫劍求情！』

晴兒恐懼的看太后，生怕小燕子再刺激太后，做出無法挽回的事。喊著……

『小燕子，妳回去吧！我會和老佛爺談……有結果了，我再去告訴妳！』

永琪拉著小燕子就走，小燕子一步一回頭，不放心的叮嚀…

『晴兒！妳要保護我哥啊！要送點東西去給他吃啊……』

太后忽然喊：

『站住！』

小燕子和永琪站住了，雙雙回頭。

『好吧！我們就把問題一次解決……』太后銳利的看永琪和小燕子，有力的問：『我給簫劍一條活路，你們肯不計代價，什麼都聽我安排嗎？』

小燕子、永琪、晴兒都拚命點頭。

『是是是！老佛爺……只要您開口，只要我們辦得到……』永琪急切的回答。

『你們一定辦得到！』太后就盯著小燕子和永琪，一字一字的說：『小燕子，妳把福晉的位子，讓給知畫！妳當側福晉，她是嫡福晉！永琪！永琪那一天娶知畫，我就那一天放掉簫劍！』

永琪和小燕子，都大驚失色。永琪驚喊：

『什麼？娶知畫？』

小燕子怔住了，臉色慘白如死。

25

小燕子和永琪，終於回到了景陽宮。進了門，明月、彩霞、小鄧子、小卓子都著急的圍了過來，嘰嘰喳喳的詢問怎麼一夜不回？小燕子那兒有心情答覆他們，臉色慘白的往椅子裡一倒，整個人都虛脫了。

永琪憔悴而焦灼的看著小燕子，對太監宮女們揮揮手。

『你們都下去！』

『是！』

明月、彩霞、小鄧子、小卓子不安的退下，把房門也闔上了。

永琪就急步走到小燕子面前，拉起她，伸手撫摸她的臉頰。小燕子抬起哀哀欲泣的眸子，深深的凝視著他。一時之間，兩人都說不出話來，只是彼此凝視著，眼裡，是百轉千回的深情。終於，小燕子崩潰的低喊了一聲，投進他的懷裡。

『永琪！永琪！永琪……』她一連串的低喊著。

永琪啞聲的，低低的說：

『主權在我，我不答應就是！我們先跟老佛爺拖著，等我見到爾康，再商量對策，看有沒有辦法把

簫劍救出來……』

小燕子拚命搖頭。

『沒辦法了!我知道……我哥關在那兒,隨時都可能送命……』她悽楚的看著他:『永琪,我聽了我爹娘的故事,幾乎看到那個慘烈的場面……我哥,他是方家最後的血脈,如果他死了,方家也絕後了!我娘……在臨死前,那麼辛苦的把他送到大理,保留了他的性命,今天,為了我這個混帳妹妹,假冒格格進宮,又糊裡糊塗的愛上你,為了成全我,他犧牲了自己,我爹和我娘,在天上看著我們呢!如果他出了什麼事,他們會恨死我!』

『不要這樣想,妳爹和妳娘,會瞭解我們的苦衷,我們的無可奈何!』

小燕子凝視他,忽然幽幽的問:

『永琪!在你心裡,我到底有多少地位?知畫進了景陽宮,你心裡……還有沒有我?』

永琪一震,義正辭嚴的說:

『我沒說要娶知畫呀!我只是說,讓我想一想!』他重重的一摔頭:『好了,我決定,拒絕就是了!』他抓住小燕子,低聲說:『我去找爾康,我們訂一個計劃,今晚,在宮裡製造一個假刺客,調虎離山,聲東擊西,找機會救出簫劍!』他毅然點頭:『妳不要難過,也不要著急,交給我去辦……』說著,回頭就走。

小燕子一步就攔住了他,緊緊的盯著他。

『不好!這種幼稚的事,我們不能再做!如果事情不成,我哥依然是死,我們幾個冒的風險也太大,還要牽累紫薇和爾康。不行!我們不能這樣做。老佛爺如果沒有萬全的把握,也不會放我們幾個出來!她一定什麼都考慮過了。』

『是！妳說的是！妳分析得比我有條理……那麼，我們要怎麼辦呢？』

小燕子凝視他，突然心碎的，痛楚的，卻有力的說：

『娶知畫！』

永琪大驚，身子一退。反射般接口：

『娶知畫！』

『我不！』

小燕子逼近他，熱切的盯著他。

『娶知畫！只要你心裡有我，我又何必在乎知畫呢？娶知畫！』

永琪節節後退，睜大眼睛，拚命搖頭。

『不！不！我不！我做不到！我不要！』

『你要！你非要不可！只有這樣，我們才能救我哥！這是老佛爺的條件，我們除了接受，沒有第二條路！』

『不行！不行！我不是一個工具，婚姻不能用來做交換條件，我不愛知畫，我不能騙她騙我自己，更不能辜負妳！如果娶了她，我有預感，我會掉進一個萬丈深淵裡，再也沒有回頭的機會……我不！』

小燕子急了，漲紅了臉，對永琪再一衝。她爆發了，激動的大喊：

『都是你！你害死了我！你把我弄到今天這個地步，你的皇阿瑪毀掉了我們全家，現在，你還要毀掉我哥哥嗎？你必須娶知畫，救我哥哥！這是你欠我的，你要還我，還我一個健康的哥哥，還我一個活生生的哥哥！如果我哥哥少了一根寒毛，我都要和你拚命！知畫比我年輕，比我漂亮，琴棋書畫樣樣比我強，還會顏字柳字，她有那一點配不上你？你心裡明明也喜歡，偏偏還要逼著我來求你，你太狠了……』

永琪越聽越驚，也激動起來，跺腳喊：

『妳看妳看，妳說的是些什麼話？妳明明在吃醋，還要逼著我娶知畫……我不掉進這個陷阱裡！說什麼都不行！我不要！』

『你到底要不要？』小燕子尖聲問。

『不要！不要！不要……』永琪一疊連聲喊。

小燕子的眼淚奪眶而出，怒罵：

『你安心要蕭劍死，要晴兒死，要我死！我怎麼會進了這座皇宮？怎麼會認賊作父？我恨死你！恨死那個皇阿瑪……』

『不要叫，隔牆有耳……』永琪阻止著。

『我偏要叫，死在眼前，我還管他隔牆有耳有眼還是有鼻子？你和知畫不是有說有笑嗎？她是你的鴛鴦你的比目魚，你還假正經什麼？』

『妳這麼說，我更不要！』

小燕子早已承受不了這麼多的驚心動魄，快要崩潰了。太多的曲折，太多的打擊，太多的焦慮，太多的痛楚，太多的震驚……她內心的傷痛，堆積到這個時候，已經飽和。看到永琪這也不行，那也不行，就無法控制了，一陣急怒攻心，她衝到桌前，發現自己的鞭子，拿起鞭子，就一鞭子對永琪抽去，嘴裡大嚷：

『都是你害我，你還要這樣矯情！我打死你！』

小燕子這樣一衝一打，茶几翻了，古董架倒了，一陣乒乒乓乓。明月、彩霞、小鄧子、小卓子全部衝了進來。

『哎呀！格格！這是怎麼了？』

『不要不要！格格千萬不要和五阿哥動手呀！』

『不好⋯⋯怎麼打起來了？』

『我們趕快搶下格格的鞭子！』

四人就衝上前去拉架，這個喊，那個叫，鬧得一塌糊塗。小燕子見四人都來拉自己，更是怒發如狂，振臂狂呼⋯

『誰敢搶我的鞭子？你們仗勢欺人嗎？哇⋯⋯』

小燕子飛身而起，一陣揮鞭，外帶拳打腳踢，轉眼間，把四人全部打倒在地。四人哼的哼，叫的叫⋯

『哎喲！哎喲！格格⋯⋯打死我們了！哎喲⋯⋯手斷了，哎喲⋯⋯腿斷了⋯⋯』

永琪再也忍不住，衝上前去搶鞭子，大聲喊⋯

『不要鬧了，我們好好談，鞭子給我⋯⋯』

小燕子那裡肯聽，一面揮鞭亂打，一面紅著眼睛大喊⋯

『我要打架，我要殺人，我跟你拚了！你們愛新覺羅家，沒有一個好東西！』

碰巧，就在這個時候，乾隆來到了景陽宮。早上，永琪沒有上朝，爾康也沒有來值班，乾隆心裡充滿了疑惑，下了朝，就直接來景陽宮。豈料，才走到院子裡，就聽到小燕子的大呼小叫，尤其那一句『你們愛新覺羅家，沒有一個好東西！』刺耳的傳來，把乾隆氣得差點厥過去。

太監們大聲通報⋯

『皇上駕到！』

永琪正在和小燕子搶鞭子，這聲『皇上駕到』，嚇得他魂飛魄散。手下一停，就『叭達』一聲，挨了小燕子一鞭。正好乾隆進房來，看到這樣，更是大驚失色，驚喊：

『小燕子！妳在發什麼瘋？居然敢用鞭子打永琪？妳……妳……』他定睛一看，才看到滿地哼哼著的宮女太監，更加氣上加氣：『妳簡直是個潑婦！怪不得老佛爺不喜歡妳！妳看妳什麼樣子？朕在院子裡就聽到妳的大呼小叫！妳嘴裡說的是什麼話？什麼叫作「你們愛新覺羅家，沒有一個好東西」？這話，是妳能說的嗎？說這種話，妳想砍頭嗎？』

小燕子呆住了，握著鞭子，直著眼睛，橫眉豎目的瞪著乾隆。

永琪收束心神，倉皇行禮：

『皇阿瑪……我們沒事，只是意見不合……』

小燕子直視著乾隆，穿過那張怒氣騰騰的臉，她看到了斷頭台，看到了自己的爹，正在斷頭台上，看到她爹的腦袋滾落地……她的神情大痛，這麼多年，自己居然把殺父仇人當成阿瑪！天啊！她手持鞭子，驟然撲向乾隆。嘴裡怒喊著：

『哇……砍頭？砍頭？你還敢罵我……還想砍我的頭……』

乾隆見小燕子凶神惡煞般撲來，大驚。

永琪一看，嚇得心魂俱裂，已經來不及阻擋。急切中，想也沒想，就順手抓起桌上一個磁花瓶，對著小燕子背後一敲。他只想驚醒她，下手非常輕，誰知小燕子一動，花瓶無巧不巧，打在她的後腦勺上，『哐啷』一聲，花瓶應聲打碎，小燕子身子晃了晃，就暈了過去。永琪嚇壞了，急忙伸手一接，小燕子倒在他的懷裡。

乾隆震驚已極，睜大眼睛看著永琪和小燕子。

明月、彩霞、小鄧子、小卓子心驚膽戰的爬了起來，顫抖的對乾隆跪了下去。四人發抖的喊：

『皇上……吉……吉……吉祥！』

乾隆驚魂未定，一甩袖子：

『朕吉祥什麼？朕家門不幸，才有這樣一個兒媳婦！』

永琪抱著人事不知的小燕子，用手托著她的腦袋，覺得手心濕濕的，低頭一看，只見手裡有血，頓時又驚又怕又急又心痛，連聲急喊：

『小燕子！醒來！醒來！小燕子……』

乾隆伸頭一看，不知道為什麼，這樣莫名其妙的小燕子，仍然牽動著他的心，不禁急聲呼叫：

『大家呆在這兒幹什麼？還不快傳太醫！』

『傳太醫！傳太醫！傳太醫！』太監宮女們一路喊了出去。

永琪顫抖著，急忙把小燕子抱進臥室，放在床上，著急的搓著她的手，喊著她。

太醫火速的趕來。小燕子躺在床上，臉色蒼白，昏昏沉沉。太醫診視了傷口，上了藥，再用布巾包紮起來。永琪目不轉睛的看著。明月、彩霞在一邊侍候，給太醫送上這個，送上那個。太醫包紮妥當，再仔細的把脈，又把明月彩霞叫到一邊細問，神色凝重。永琪緊張起來，心裡充滿了害怕、自責、心痛、和後悔。明明只是輕輕的敲了一下，怎麼會敲到頭？怎麼會這樣嚴重？天啊！自己到底做了什麼？居然砸破她的腦袋？萬一她有個什麼，他也不要活了。他看著太醫：

『怎麼樣？我看血流得不多……但是，腫了好大一個包，人也昏迷不醒，會不會很嚴重？』

乾隆一直沒有離開景陽宮，聽到永琪的詢問，就走了進來，也抬頭看著太醫。

太醫躬身回答：

『回皇上，回五阿哥！還珠格格後腦勺上，只是一點點皮肉傷，幾天就會好，沒有大礙，就怕……就怕肚子裡的孩子，保不住了！』

永琪大驚失色，震動至極。

『什麼？她肚子裡有孩子？』

乾隆也驚呼出聲……

『她有孕在身？』

『大概只有兩個月的身孕，臣……不敢一個人診治，請傳孟大夫過來，一起診治，看是留得住，還是留不住……』

『那還等什麼？快傳呀！快傳！』乾隆急呼。

明月，彩霞就一疊連聲的喊出門去。

『傳孟大夫……傳孟大夫……』

永琪低頭看著小燕子，伸手去握住她的手，心裡，是翻江搗海的痛。

『我不知道……我一點都不知道……妳怎麼不說？怎麼又是這樣？』

小燕子動也不動，閉著眼瞼，了無生氣。

乾隆看到這樣，心灰意冷，一甩袖子，說：

『有了身孕，還在房裡演出全武行！這個小燕子……』他的眼前，又浮起剛才小燕子持鞭揮來的樣子，真讓人不寒而慄。大嘆一聲：『算了算了！氣死朕！』

乾隆就掉頭而去。

永琪顧不得乾隆了，他沒有起身，也沒有送乾隆，只是摧肝斷腸的看著小燕子。心裡在瘋狂般的禱

告著，神啊！讓她好好的，讓她度過所有的磨難！

接著，景陽宮裡有一陣忙亂，幾個太醫，無數宮女，小鄧子小卓子和太監嬤嬤，忙著燒熱水，提熱水進房，穿出穿進的忙了半天，緊急的熬湯熬藥，小燕子的孩子還是失去了。在診治和搶救的過程中，小燕子始終昏昏沉沉，沒有甦醒。或者，這也是上蒼給她的一種保護，讓她不至於在清醒的狀況下失去孩子，避免了立時的傷痛。但是，永琪的傷痛就不是筆墨所能形容的，他把她打傷，眼看她倒地，眼看她流血，眼看她失去孩子，眼看她昏迷……不醒……他的心，整個都痙攣成一團，什麼叫『心痛如絞』，這才深深體會了。看著她那像沉睡般的臉孔，依舊帶著幾分她獨特的稚氣，他更加自責，後悔得快要瘋掉！千不該萬不該，不該拿花瓶打她！

夜，悄悄的來了。室內燃起了燈火，明月、彩霞帶著宮女，不住幫小燕子擦汗，搓著手腳。永琪站在床前，一動也不動的看著。

小燕子終於呻吟一聲，睫毛顫動著。明月驚喊：

『醒了醒了，格格醒了！』

小燕子呻吟著，弓著身子，嘴裡喃喃的說著：

『痛……痛……』

永琪一下子就撲了過來，推開明月彩霞，坐在床沿，俯頭熱切的看著她。

『那裡痛？那裡痛？睜開眼睛，看看我！』他啞聲的喊。

小燕子動了動身子，睜開了眼睛。在模糊的視線中，看到了永琪蒼白的臉。

『哎喲！好痛！』她虛弱的說，伸手去摸腦袋，摸到了包紮的布巾。

『不要碰！』永琪一把抓住她的手。

小燕子凝視永琪，覺得自己不對勁，抽回了手，壓著肚子，咕嚕著……

『怎麼這兒也痛，那兒也痛？外面也痛，裡面也痛？』

『太醫說……休息休息就會好，妳……怎麼不告訴我？』永琪的聲音裡滴著淚。

『告訴你什麼？』她忽然臉色一變，睜大眼睛看他：『我……我……太醫來過了？』

他點點頭，充滿了憐惜和傷痛的看著她。

『對呀，把我折騰了好半天……』小燕子在昏迷中，也曾感到許多太醫把她翻來翻去，原來太醫來過了！她心中猛的一陣跳動，難道難道……自己懷疑的事成真了？她的眼中，驀然閃出希望的光彩來。

她盯著永琪，吶吶的、結舌的、羞澀的問：『我……是不是……是不是有了？』

看到她眼裡的閃光，聽到她聲音裡的希冀，永琪的眼眶，驀然濕潤。

『已經……沒有了！』他痛楚的說。

她怔了怔，疑惑的看著他。他困難的嚥了一口氣，伸手握住了她的雙手。

『原來……妳自己都不知道，妳怎麼總是這樣？有了上一次的經驗，妳怎麼還會不知道？』他輕聲的埋怨，不忍責備。如果自己知道，怎麼也不會和她動手。

『有了？又沒有了？我……』小燕子心中一抽，她明白了：『我……我又失去一個孩子？』

永琪看到她眼中的光彩，立刻暗淡下去，心裡，更是湧上排山倒海般的痛。他吸了口氣，忍住自己的痛，去安慰她：

『沒關係，不要難過，孩子有什麼希奇？我們，再接再厲！嗯？』

她不說話，思前想後，眼裡的痛楚越來越深。半晌，才喃喃的說：

『這次，我是有感覺的，我懷疑了好多天，不敢說！就怕弄錯了，鬧笑話……結果，沒有了！我連

小名都想好了，假若真的有了，就叫「南兒」，紫薇有「東兒」，我們有「南兒」，是「南巡」時候有的……怎麼又沒有了？」

永琪聽她這樣說，心裡更痛，把她的手拉到唇邊，吻著，啞聲低語：

『別說了！』

明月、彩霞在一邊掉眼淚。這時，宮女捧著藥碗過來。明月急忙說：

『五阿哥！讓我先侍候格格吃藥！』

永琪接過藥碗說：

『讓我來！』

小燕子眼裡，逐漸充盈著淚水。她把頭一轉：

『我不想吃！』

『格格不要說傻話了，藥，那有想吃不想吃的呢？一定要吃呀！』彩霞著急說。

『是呀！吃了才有力氣揮鞭子啊！打架啊！練工夫啊！』明月哄著。

揮鞭子？小燕子想起揮鞭子的事了，想起乾隆，想起殺父之仇，想起還困在密室裡的哥哥，想起太后的提議，想起知畫……她都想起來了，她的臉色，隨著回憶越來越沉痛，越來越愁苦。

『不吃不吃不吃！就是不吃！』她轉開頭。

『就看在五阿哥親自幫妳捧著藥碗的面子上，也要吃啊！』彩霞柔聲說。

『不吃不吃！我說不吃就不吃！』她含淚帶恨的說，吃什麼藥？死掉算了！』

永琪痛楚的看著她，把藥碗放在床頭的小几上，對明月彩霞說：

『妳們通通出去！讓我跟她說！』

『是！』

明月、彩霞不放心的看了永琪一眼，帶著宮女們退了出去。

永琪見室內沒人了，就把小燕子的身子拉了起來。

『小燕子！妳看著我！』

小燕子坐起身子，抬起眼睛看著他。永琪非常非常溫柔的說：

『妳跟我生氣沒關係，等妳身子好了，要揮鞭子要打人都隨妳！千萬不要和自己的身子過不去！藥，一定要吃！』他祈求的看著她：『小燕子，我心裡已經像燒火一樣，燒得全身都痛，妳不要再讓我急，我求妳了，吃藥好不好？』

小燕子見他低聲下氣，心裡一陣痙攣，眼淚就湧進眼眶。她可憐兮兮的說：

『不是，我不是跟你生氣，我很傷心呀！我知道……我又闖了大禍，我居然揮著鞭子要打皇阿瑪……我哥還關在密室裡……我又弄掉了孩子……躺在這兒，怎麼去救我哥？』說著，淚珠就滾下面頰，跌碎在棉被上。她用力的看他，好像要看進他的靈魂裡去，她的聲音，充滿了哀求：『你，到底要不要要知畫？』

永琪深深的凝視她，他的眼光，也看進了她的靈魂深處，答非所問的說：

『對不起，打到了妳的頭，當時，已經神志不清了……』

小燕子沒有力氣管自己的頭，現在，痛的不是頭，是她的心！她盯著他，用十分溫柔的聲音，諒解的說：

『幸虧你打昏了我，如果你不打到我的頭，不知道會弄成怎樣？以後……不要打那麼重，打輕一點嘛！』

永琪聽到她這樣溫柔的聲音，這樣體諒的言詞，還有……她還想說笑話，來緩和自己的犯罪感……他心裡真是如火如荼，一股熱浪直往眼裡衝，他想給她一個微笑，不知怎的，笑沒有成型，眼淚卻滾滾而下。

看到永琪的淚，小燕子大震，心臟劇烈的抽搐，說有多痛就有多痛。她伸手摸永琪的臉頰，永琪的淚，驚愕的，震動的說：

『永琪，你哭了？』

他一語不發，把她的身子，拉進了懷裡，用嘴唇去吻她的額，再吻她的眼睛，繼續吻她的鼻尖，又吻她的面頰，再吻她的唇……一面吻她，眼淚一直掉。

看到他這樣，她那兒還忍得住，眼淚也瘋狂的落下。她伸手去攬住他的脖子，在他耳邊哽咽的、心痛的、自責的、慌亂的說：

『不要這樣，你不要哭，你這樣，我……我……我知道我有很多錯，我以後不兇你了，不亂發脾氣了……也不闖禍，不攻擊皇阿瑪……不打架，不弄掉孩子……我吃藥！我馬上吃藥……』

聽到她這麼溫柔而惶急的聲音，感受著她那份真摯的愛。永琪心裡，就燃燒起熊熊的火焰，燒痛了他的五臟六腑。為了火焰裡，都是對她的『熱愛』，這才知道，愛為什麼是熱的？這麼灼熱，燒痛了他的五臟六腑。每一朵火焰，都是對她的『熱愛』，這才知道，愛為什麼是熱的？為了她，刀山油鍋，他都可以下！天堂地獄，他都可以去！他還有什麼可顧慮的呢？他低低的說了幾個字：

『我娶知畫！』

小燕子一怔，沒聽清楚，慌忙問：

『你什麼？』

『我娶知畫！』他噙著淚，清楚的說：『如果這是唯一的解決辦法，如果這樣可以救蕭劍，我娶知

畫!』

小燕子心情一鬆，眼睛一閉，淚珠成串的滾落。她不知道是喜且是悲，只是把永琪緊緊緊緊緊緊的摟著。

心裡，在瘋狂般的吶喊，永琪，我愛你愛你愛你愛你……

室內一燈熒然，兩人就這樣緊擁著，誰都不願放開手。好像彼此不抱緊，就會失去對方一樣。

26

太后知道，要永琪娶知畫，還有一關要過，就是乾隆。她也不明白，為什麼乾隆這麼喜歡小燕子？

他自己有三宮六院，卻為了維護小燕子的專寵，在她生不出兒子的情況下，還沒給永琪再娶幾房福晉，實在是奇哉怪也！

晚上，太后到了乾清宮，乾隆就關心的問。

『小燕子怎樣，孩子保住沒有？』

『孩子已經掉了！孟大夫說，好像是個男胎！』

『唉！可惜！』乾隆跌腳嘆息。

『掉了就算了，也沒什麼可惜，小燕子的孩子，誰知道長大會怎樣？生下來是福是禍，都很難預料！』太后想著小燕子的身世，不寒而慄。

乾隆眼前，就浮起小燕子把宮女太監打了一地，還拿鞭子對他衝來的樣子，他不能不承認，當初太后認為小燕子不學無術，不能娶為媳婦的言論，確實有理。

『皇帝，我不是來報信的，我來和你商量一件事！』

『老佛爺請講！』

太后摒退了左右，這才慎重的開口：

『你是不是已經決定，要立永琪爲太子？』

『怎麼？宮裡有什麼傳言嗎？』乾隆不安的問，這個問題，一直是大忌。

『不是！是我想瞭解一下！』

『是！除了他，還有誰能當此重任？』乾隆證實了太后早有的預測。

『那麼，你認爲小燕子能當未來的國母嗎？你不怕她成爲天下的笑柄嗎？她連一個孩子都保不住，結婚四年，掉了兩個孩子！再說……你對她的身世，一點都不在乎，但是，天下人是不是也能不在乎？如果永琪一直迷戀小燕子，不趕緊再娶一個福晉，只怕這個太子，他也承擔不起！』

『老佛爺的意思是……』乾隆看著太后。

『馬上給永琪再辦一場喜事！知書雖然是個漢人，卻是陳家的女兒，是名門閨秀！知書達禮，才貌雙全，比小燕子強太多了！』

『知書？她願意嗎？永琪和小燕子……同意嗎？』

『知書、永琪、小燕子都是我的事，我去擺平！現在，我需要你點頭！』

『知書確實是個太好的人選。他能不點頭嗎？乾隆眼前，再度浮起小燕子凶神惡煞般撲來的情形，啞然無語，嘆了口氣，點頭了。

『老佛爺怎麼說，就怎麼辦吧！』

太后在積極的安排永琪娶知書，爾康卻在積極的給小燕子找生路。

這天，爾康一大早就出門，到慧心院去找那位靜慧師太。紫薇憂心忡忡，又不敢讓福倫和福晉知道

這事，一整天都坐立不安。一直等到晚上，爾康才匆匆忙忙的回來了，拉著紫薇就進了房，神色悽然。

紫薇一看他的臉色，就緊張起來。

『你找到靜慧師太了嗎？有沒有和她溝通好怎麼說……』

『沒有找到！我去了慧心院，尼姑庵裡的住持說，她去雲遊了，行蹤不明！』

『那怎麼辦？怎麼回復老佛爺？』

『我已經進宮，回復了老佛爺！這事不能拖，免得老佛爺疑心我又在耍花樣！』爾康握住紫薇的手，沉重的說：『進宮才知道，小燕子好慘，昨天差點打了皇阿瑪，被永琪敲破了腦袋……還有，她又流產了！』

『流產？』紫薇大驚：『她幾時懷的孕，怎麼我都不知道？』

『永琪說，誰都不知道！小燕子自己也糊裡糊塗，還一會兒揮鞭子，一會兒打架！再加上旅途勞頓，揭開身世的刺激……總之，孩子就掉了！』

紫薇難過極了，走到床邊去，跌坐在床沿上，說：

『小燕子會心痛死了！你不知道，她外表嘻嘻哈哈，什麼都不在乎，心裡是很在乎的，上次流產，她也難過得要命！』

『還有更慘的事……』爾康重重的嘆口氣：『永琪已經答應娶知畫！』

紫薇驚跳起來，脫口驚呼：

『什麼？永琪答應娶知畫？那……小燕子怎麼說？』

『小燕子還能怎麼說？為了救簫劍，就是要她死，她也義無反顧！』

『但是，永琪娶知畫，比要她死還嚴重，那是生不如死呀！』紫薇將心比心，覺得茲事體大，實在

太嚴重了，著急的問：『那個知畫，也願意嗎？』

『知畫心裡怎麼想的，我眞的不瞭解！』爾康深思的說：『這次，老佛爺從擺鴻門宴，迷昏我們，到放出我們，談條件，各個擊破……簡直是快刀斬亂麻！使我不能不猜想，後面還有軍師！這麼大的事，皇阿瑪那兒，她能沉住氣，消息滴水不漏，好像也不是她的作風！』

『你是說，知畫是那個軍師？不可能！她那麼小，不會那麼厲害！』

『人不可貌相，海水不可斗量！』爾康深思的說，覺得隱憂重重。

紫薇想到小燕子的處境，想到關在密室裡篩劍，想到有情卻不能相守的晴兒，想到驚知眞相，左右爲難的永琪……心裡越來越沉重。她也想到知畫，知畫知畫……她扮演的又是什麼角色？是宮裡的另一個悲劇嗎？她的眼睛頓時一亮。

『這事還有希望，如果知畫不願意，老佛爺也不能勉強。知畫太年輕，她不懂小燕子和永琪的感情，如果她明白，自己嫁過去，會成爲一個傀儡，一個怨婦，一個破壞別人婚姻的人，甚至是個眼中釘……』

『或者，應該有人去和知畫誠懇的分析一下！不過，老佛爺要我們促成這件事，我們反而破壞……』

『顧不了那麼多了，我們不是破壞，只是分析！』紫薇急促的打斷：『我明天就進宮！明月和慈寧宮的綠娥，相處得不錯，讓她傳個話！』

爾康看著紫薇，眼裡燃起希望，她說得有理！

紫薇說做就做，事情十萬火急，不能再耽擱了。現在，所有的希望都在知畫身上。第二天，她就在宮女們的穿針引線下，見到了知畫。明月彩霞把風，她把知畫帶到宮裡一個隱密的小角落，四面花木扶疏，假山重疊。

知畫站定了，四顧無人，就急促的說：

『紫薇格格有話快說，我偷溜出來見妳，只怕老佛爺發現，會以為我和妳串通，在欺騙她，那就慘了！』

『知畫！』紫薇開門見山：『我直話直說，妳要聰明一點，不要嫁給五阿哥！』

知畫抬眼直率的看著紫薇，大大的眼睛裡，一片認命的溫柔，說：

『紫薇格格，我要說的話，我都明白了！坦白告訴妳吧，老佛爺這個決定，我早就體會到了！在海寧的時候，老佛爺和我爹娘，就有了默契，不管有沒有小燕子身世這件事，我想，遲早老佛爺都會跟五阿哥攤牌！至於我，不過是個女人罷了！女人有什麼地位呢？還不是聽爹娘的！有老佛爺作主，我還能說什麼？』

『不對不對！』紫薇急切的說：『中國的女人，就是有妳這種思想，才做了幾千年的奴隸，幾千年男人的附屬品！我們不能太被動，應該爭取自己的主權，應該為自己的幸福著想！妳跟著五阿哥，是不可能幸福的！五阿哥全心全意，都在小燕子身上，妳難道沒有看明白嗎？妳這樣嫁過去，是一種悲哀呀！』

知畫垂下睫毛，無奈的說：

『我也明白啊！但是，老佛爺的命令，不能不聽啊！我也跟老佛爺說了，還珠格格和五阿哥情深意重，我不想攪和進去！可是，老佛爺說，如果我不答應，她就告訴皇阿瑪真相，殺了還珠格格！』

『啊？』紫薇大驚，看著知畫。

知畫拚命點頭，繼續說：

『還有晴格格，她也走投無路了，簫劍還關在密室裡，幾天來，都沒吃什麼東西，事情再拖下去，

恐怕蕭劍也難逃一死！』她懇切的凝視紫薇，眼神裡一片真摯⋯『我不是你們的敵人，我不是還珠格格的破壞者，在海寧和杭州，我目睹了你們幾個做的事情，我也感動啊！假若，嫁進景陽宮，是我的悲劇，為了救小燕子，救蕭劍，救五阿哥，救晴格格⋯⋯我，也義不容辭了！』

知畫一篇話，說得那麼情真意切，紫薇又是震動又是感動，還有深深的慚愧。

『對不起！我誤會了妳⋯⋯』紫薇吶吶的說⋯『這樣，妳的犧牲不是太大了？』

『只要五阿哥和還珠格格瞭解我的苦衷，不要讓我的日子太難過，我也認了！』

『永琪和小燕子都是很心軟的人，不會為難妳的⋯⋯但是，妳的爹娘，願意這樣做嗎？他們不擔心嗎？』

知畫看著紫薇，推心置腹的說⋯

『我想，老佛爺說服了我爹娘⋯⋯我爹和我娘，教我各種學問，栽培我，可惜我只是女兒身！就算力爭上游，也是嫁人當老婆！爹娘最大的希望，就是我能嫁個好人家，生活得有地位！老佛爺到了海寧，讓我爹娘瞭解了，女人最高的地位，活到老年的時候，就像老佛爺那樣吧！』

紫薇睜大眼睛，驚愕的看著知畫。

『難道⋯⋯老佛爺答應妳爹娘，如果妳嫁給了五阿哥，就扶持妳當「皇后」？』

知畫垂下頭去，默認了。

『可是⋯⋯可是⋯⋯皇阿瑪的阿哥那麼多，不一定會立五阿哥作太子呀！』

『那⋯⋯我爹娘就賭輸了！』知畫無奈的笑了笑。

紫薇看著她，越看越驚，不禁抽了一口冷氣。

『原來，妳爹妳娘，一心要妳「當皇后」！』

知畫抬眼看紫薇，眼裡，有委曲求全的痛楚。臉上，帶著嫻靜和柔順，『理所當然』的說：

『我從小是唸四書五經長大的，爹娘生我育我，恩重如山。我無以回報，「孝」字做不到，起碼要做到「順」！我的婚事，長輩們早有計劃，我自己的意願，根本微不足道！我爹娘送我進宮的時候，我就不再考慮自身的幸福了！景陽宮，是冷宮還是熱宮，我也⋯⋯只能聽天由命！這是我們做女兒的，唯一可以安慰父母的事吧！』

知畫說得悲哀，說得誠懇，紫薇瞪著她，這是多麼偉大的一份孝心，多麼『無我』的順從！紫薇在震動和佩服中，啞口無言了。

和知畫見完面，紫薇立刻去了景陽宮。爾康、小燕子、和永琪都在那兒等紫薇的消息。小燕子頭上包著布巾，躺在靠椅裡，身上蓋著薄被，形容憔悴，永琪不比小燕子的情況好，臉色也是蒼白的，眼睛深陷，顯然幾夜都沒睡好。當紫薇把見面經過細述一番之後，永琪猛然跳起身，驚喊：

『原來，陳家以為我一定會當太子，所以要知畫嫁我！這事簡單了，我從來沒有要當太子的念頭，我只要去跟皇阿瑪說明白，讓皇阿瑪放出風聲，不會立我為太子，知畫和老佛爺就會自己撤兵了！』說著，眼睛一亮，向外就走：『小燕子，妳不要急，這事還有轉機，我這就去找皇阿瑪！』

爾康一把拉住了永琪。

『不忙！為了一個知畫，失去太子的地位，未免不值得！』

『有什麼不值得？』永琪著急的問：『你們看我，像是一個當皇帝的人嗎？』

爾康和紫薇，雙雙點頭。

『你仁民愛物，心地寬容，能文能武，又接近百姓，知道民生疾苦⋯⋯確實是個好皇帝的人選！』紫

薇說。

『你不當皇帝，我不爲你可惜，我爲天下的蒼生可惜！』爾康接口。

『謝謝你們兩個的抬舉！』永琪著急的說：『可是，我不想當皇帝，不要當皇帝，行嗎？在宮裡，所有的麻煩，都是「當皇帝」三個字引出來的！我沒有這個野心，也沒有這種壯志！』就看著小燕子問：『小燕子，妳在乎當皇后嗎？』

小燕子怔怔的看著永琪，大惑不解的問：

『怎麼有人把「當皇后」做爲一個「目標」？我們宮裡，就有一個剃光了頭髮，比坐牢還慘的皇后！』

『就是呀！知畫也看到皇后的下場了，不過，這並不是她的意願，她都在爲我們著想！』紫薇嘆了口氣，看永琪：『其實，知畫實在是個好心的姑娘……』

永琪一跺腳，喊：

『所以，嫁給我太委屈了！』

『有什麼難辦？』小燕子眼眶一紅：『我把永琪讓給她就是了！反正我也生不出孩子……反正……我也不想給「愛新覺羅」家生孩子，就讓她去生吧！』

『小燕子！此時此刻，妳還說這種話……』永琪苦惱已極的喊。

『假若知畫這麼善良，爲了救小燕子和簫劍，寧可和小燕子共有一個丈夫……五阿哥，這可是「恩重如山」，你更難辦了！』爾康沉吟著說。

這時，在小鄧子的通報聲中，晴兒氣急敗壞衝進房，一進門就對永琪求救的說：

『五阿哥！老佛爺說，皇上已經同意你娶知畫！事情也不能再拖了……因爲……』她的眼淚掉下來……

『簫劍每天坐在密室裡吹那支簫，除了喝幾口水，幾乎什麼都不吃……老佛爺不許我去看他，我很害

怕……再熬下去，他也撐不住了！老佛爺說，你成親之後，才要放人！」

眾人大驚，小燕子就跳下靠椅，激動的衝到永琪面前，推著他，嚷著：

「你快去告訴皇阿瑪！你明天就成親，不不不！今晚就成親！你快去快去……」一口氣衝到了乾清宮，見到了乾隆，三言兩語說明來意，乾隆驚愕的看著他，大為意外。

永琪怔忡著，無暇細思，急急的衝出門去。

「你要馬上娶知畫，小燕子也贊成，這事，實在有此奇怪！」

「皇阿瑪不要問了，我一定有苦衷……」永琪答得又痛楚又勉強。

乾隆盯著永琪，自以為瞭解了，壓低聲音問：

「你對人家姑娘做了什麼？一時之間，把持不住嗎？聽說，幾天前，你們在慈寧宮喝醉了，是不是你酒後做了什麼？」

「不是不是！不是皇阿瑪想的這樣！」永琪面紅耳赤的說，這是什麼話？

「好吧！不管是怎麼樣，知畫也不會委屈你！要辦，就馬上辦吧！」

永琪吸了一口氣，忽然說：

「皇阿瑪！您能不能宣佈，不會把我列入太子人選！」

乾隆一個震動，立刻抬眼正視著永琪。

「為什麼？」

「我覺得我不適合當太子！六阿哥、八阿哥都不錯！尤其六阿哥，書唸得比我好，他比我強！還有幾個小弟弟，長大了也是人才……」

「永琪！」乾隆凝視著他，重重一嘆：「不瞞你說，自從南巡回來，朕覺得一天比一天老了，體力

精神，都大不如以前了。」

「是不是旅行的疲倦還沒恢復？太醫怎麼說？」永琪立刻著急而關心起來。

「太醫可以『治病』，不能『治老』啊！」乾隆盯著他：「讓朕跟你說兩句知心話，你的幾個哥哥，都幼年夭折，沒有帶大。目前，適合當太子的人選，永瑢已經過繼給慎郡王，沒有繼承皇位的機會了！剩下的幾個小阿哥，都是孩子，不成氣候……你放眼看去，除了你，朕還能選誰？」

永琪這才知道乾隆早已決定了，不禁驚看乾隆，頓時冷汗涔涔。

「皇阿瑪！可是……我從來沒有想過要當太子……」

「那麼，從今天起，你應該想一想了！」

「皇阿瑪……」

乾隆站起身子，再度打斷他，沉重的說：

「你們曾經說服朕，要朕以大局為重，放棄盈盈！但是，你和爾康，卻把感情看得比任何東西都重要！朕也要告訴你，人生有許多責任，是超過感情的！你不能做一個『唯情主義』的人，你沒有資格這樣做！你的生活裡，不止小燕子，還有這個天下的重責大任！如果你成天陷在『小兒女』的私情裡，你怎麼成大事？繼大統？」

永琪越聽越惶恐。

乾隆充滿感情，幾乎有些脆弱的繼續說：

「你，也要為朕想一想呀！朕已經步入老年，假若，你腦子裡，只想著自己，只想著小燕子，甚至想著遠走高飛，你，要朕把這江山百姓，交給誰去？」

永琪震動著，慚愧得無地自容了。

『皇阿瑪，永琪知錯了！』

乾隆走過來，安慰的拍了拍他的肩，誠摯的說：

『哪個皇帝不是三宮六院？就從知畫開始吧！不為了作伴，也要為了皇儲著想！小燕子連個孩子都保不住，說話做事，毫無分寸……老佛爺用心良苦，朕和你，都接受事實吧！』

永琪沉痛的看著乾隆，一句話也說不出來了。

27

一切的努力都宣告失敗，永琪娶知畫，成了定局。剛好三天後就是良辰吉日，太后生怕夜長夢多，立刻宣布這天爲大喜之日。日子定得這麼倉卒，連陳邦直夫婦都趕不及參加。太后未雨綢繆，把知畫改了自己的姓氏『鈕祜祿』，算是過繼給自己的姪兒，這樣，知畫就算是滿人了，更成了太后的姪孫，身分何等尊貴！她將由慈寧宮嫁到景陽宮。頓時間，慈寧宮也好，景陽宮也好，全部成一團。

太后的親信桂嬤嬤，帶了許多太監和宮女，都趕到景陽宮來佈置新房，從院子開始，到處張燈結彩。太監們架著梯子，在門楣上、大樹上、圍牆上、照壁上……凡是可掛宮燈的地方，全部掛上宮燈，可貼囍字的地方，全部貼上囍字。還有那些彩帶彩球，更是掛得琳瑯滿目。

桂嬤嬤站在院子裡，指揮這個，指揮那個，得意洋洋的嚷嚷著：

『門框上的灰，要先擦一擦！先掛彩帶，再掛彩球，中間掛囍字宮燈……太低了！太低了！……高一點……不不不！又太高了，低一點……』回頭一看，大喊：『翠兒！珍兒……妳們麻利一點，圍牆上，樹上……全部要掛滿彩帶，等會兒老佛爺要來看！做得不好，我扒了妳的皮……小鄧子，小卓子，你們倒舒服，就站在一邊看熱鬧，怎麼不動手？』

小鄧子和小卓子，看到這種架式，深爲小燕子叫屈，正在敢怒而不敢言，聽到桂嬤嬤的吆喝，小鄧

子就沒好氣的衝口而出：

『你們那麼多人在忙，我們也插不上手！』

『就是！』小卓子接口：『這麼多彩帶，不怕把人絆個觔斗嗎？又不是第一次辦喜事，這麼誇張幹

什麼……』

小卓子話沒說完，桂嬤嬤走了過來，揚手給了他一巴掌。大罵：

『討打！這話是你說的！我告訴老佛爺去！』

小卓子摀著熱辣辣的臉孔發呆，小鄧子一拉他的衣服：

『幹活去！幹活去……別說話了！掛彩帶……』

小鄧子抓了一堆彩帶，就往小卓子手裡塞。小卓子氣沖沖的，走開去掛彩帶了。

大廳裡，也是張燈結綵，一片喜氣洋洋。無數宮女，在花瓶上、窗子上、擺飾上、牆上……貼著囍

字。

明月、彩霞也在貼著，兩人都氣呼呼的，憤憤不平。明月對彩霞低聲說：

『這是幹什麼？當初還珠格格成親，也沒把房間弄成這樣？聽說，結婚排場比兩位格格成親的時候

還要大，這不是給還珠格格下馬威嗎？』

『就是！』彩霞撇撇嘴：『不管知畫姑娘的家世怎樣，不管老佛爺多喜歡，總之，是娶二房嘛！說

穿了，就是討小老婆嘛……』

桂嬤嬤不知何時，已經站在兩人身後，衝上前來，彩霞也挨了一個耳光。彩霞大驚，抬頭看著桂嬤

嬤，喊：

『妳怎麼打人？』

『妳嘴裡不乾不淨，我代老佛爺教訓妳！』桂嬤嬤盛氣凌人。

『我有什麼不乾不淨？我說的是事實……』

桂嬤嬤一伸手，就扯住彩霞的耳朵，彩霞拚命掙扎……

『哎喲！哎喲……』

明月看到桂嬤嬤欺負彩霞，就撲了過來，去拉桂嬤嬤的手，要搶救彩霞……

『桂嬤嬤！放手！格格說過，不可以打奴才……』

『老佛爺可沒這麼說過！』桂嬤嬤嚷著。

小燕子早已被驚動，站在大廳門口，看到這一幕，氣得臉色發青。她忍無可忍，衝了過來，一把拉開了桂嬤嬤的手，攔在彩霞面前，大叫：

『住手！誰敢打我的人，就等於打我！桂嬤嬤，妳在老佛爺那兒威風就夠了，這兒是景陽宮，妳睜大眼睛看看清楚！』

桂嬤嬤趕緊行禮，堆下滿臉的笑，說：

『還珠格格吉祥！身子還沒好，怎麼不躺在床上休息？這兒的事，有我桂嬤嬤監督著，不勞格格費心！至於教訓彩霞，那是不得已，還珠格格也不希望奴才們，仗著有格格撐腰，就作威作福吧！趕明兒，新福晉就進門了，老佛爺要奴才跟著過來，免得景陽宮的奴才們沒規沒矩，奴才只好先提醒她們！』

小燕子一楞，睜大眼睛問：

『老佛爺要妳一起過來？』

『是啊！以後，這景陽宮的家務事，格格都不用操心了！交給奴才就是！』

小燕子呆住了。這以後，景陽宮還有她的地位嗎？還有好日子過嗎？

桂嬤嬤抬頭一看，宮女們都在傾聽，就揮手大嚷：

『怎麼都站著不動？快幹活！彩球、囍字、宮燈、彩帶都掛起來……』

小燕子滿臉挫敗，臉色蒼白。眼光向裡面看，那兒是知畫和永琪的新房，從家具到擺飾，全部從慈寧宮搬來，件件都是精雕細鑿的。她身不由己，就慢慢的走了過去。

宮女們正在新房裡忙碌著，滿室喜氣。雕花床上，垂著紅色的帳子。珍兒、翠兒是慈寧宮的宮女，這時正忙著鋪床。一條繡著鴛鴦戲水的紅色床單，鋪上了床。然後是一疊錦被，有的繡著比翼雙飛的大雁，有的繡著四季花卉，有的繡著成雙成對的蝴蝶……被兩人摺疊成條形，一條條放在床裡。接著，繡著囍字的枕頭，成雙的放好。然後，是最重要的一件東西，一條白色的、兩端繡囍字的「白喜帕」打橫鋪在紅被單上。看來十分醒目。

珍兒吃吃笑著，低問翠兒：

『這個「見紅」的事，老佛爺也會親自檢查嗎？』

『可不是！萬一沒見紅，那不是丟人嗎？』

『我聽說，老佛爺要檢查，是怕五阿哥不洞房……』珍兒壓低聲音。

『不洞房？那怎麼可能？知畫姑娘那麼漂亮，又是老佛爺和皇上指婚，只怕五阿哥來不及要洞房呢……』

『男人就是男人嘛……』

兩個宮女就悄悄笑著，忽然一抬頭，發現小燕子挺立在門口，不禁吃了一驚，兩人慌忙屈膝行禮：

『還珠格格吉祥！』

小燕子瞪了宮女們一眼，再看看那張床，那些錦被，那對枕頭，那條觸目驚心的白喜帕……一咬牙，出去了。

外面忙得人仰馬翻，永琪卻把自己關在書房裡，背負著手，像困獸般在房裡走來走去。一聲門響，

小燕子衝了進來，關上房門，一下子就站在他面前，痛苦的喊：

『我後悔了！我接受你的提議，你去找爾康，找柳青，找所有能找的人，今晚，我們來一個大鬧皇宮，火燒慈寧宮，救出我哥哥！』

永琪大驚，看到窗外人影綽綽，都是慈寧宮派來的宮女太監和嬤嬤，急忙用手蒙住小燕子的嘴巴，緊張的低聲說：

『噓！妳在胡說什麼？此時此刻，計劃也來不及，行動也來不及！』他盯著小燕子，無奈至極：『我們被困住了，除了遵守承諾，沒有第二條路了！』

小燕子掙脫他，眼眶漲紅了。心裡酸澀到極點，委屈的說：

『我知道我知道，你巴不得娶知畫，巴不得和知畫「洞房」！男人就是男人……當然什麼都來不及了！』

『妳這是什麼話？』永琪臉色慘變，轉身就走：『好！我去慈寧宮，我去見老佛爺，告訴她我變卦了！至於簫劍，他有他的命，看他的造化吧！』

小燕子頓時瓦解了，飛奔過來，攔住他，用帶淚的聲音，悽然的喊：

『不不不！我胡說八道，我腦筋不清，你不要理我！你不要變卦，你娶知畫，娶知畫……娶知畫……』

永琪把她一拉，就拉進了懷裡。他用胳膊緊緊的箍著她，似乎恨不得把她壓進自己的身體裡面，他的嘴唇貼著她的耳朵，痛楚的說：

『小燕子啊！人生有這麼多的無可奈何，我們有了生命，就逃不掉各種責任！昨天，皇阿瑪也跟我有一番懇談，我生在帝王家……未來的生命裡，說不定還有更多的考驗！我們一起去面對吧！不要再逃

避了！妳那天說，幼稚的事，我們不能再做了！妳知道嗎？這句話讓我有多大的震撼，妳終於成熟了！」

小燕子推開他一些，仰頭看著他，眼裡盛滿了感動，可憐兮兮的問：

『是嗎？』

『是！但是……在娶知畫以前，我還是要去一趟慈寧宮，不見簫劍一面，我不放心！也不甘心！』

『我也要去！』小燕子背脊一挺，急忙說。是啊，好幾天沒看到簫劍，不知道他被折磨成什麼樣子，

萬一沒有救出簫劍，再迎娶了知畫，那豈不是冤枉透頂！

『妳到床上去躺著吧！剛剛流產沒有幾天，跑到慈寧宮，老佛爺看到又生氣！何況，妳的身子重要，

聽我的話！』

『我已經好了，沒事了，我一定要去！這次和哥哥分手，誰知道什麼時候才能再見？』小燕子急急

的說，迫不及待了。

太后完全瞭解永琪和小燕子的擔心，為了不要在這緊要關頭再起變化，她很爽氣的答應了兩人，於

是，永琪和小燕子重來密室，見到了簫劍。只見簫劍在室內盤膝而坐，神色憔悴，逕自吹著簫，簫聲在

整個石室中迴響。

鐵門『欽欽哐哐』的打開，永琪和小燕子衝進房，高庸帶著侍衛緊跟在後。

『哥……哥……簫劍……』小燕子痛喊著，好像幾百年沒看到簫劍了。

簫劍看到兩人，一躍而起，驚喜的喊：

『你們來了？』

高庸行禮說：

『五阿哥，還珠格格，你們和簫大俠快快談！奴才告退！』

高庸帶著侍衛出門去，關上了房門。

小燕子立刻衝到簫劍面前，拉著他的手，上看下看，左看右看，又悲又喜。

『哥哥！你怎樣？好不好？聽說你都不肯吃東西！你幹嘛那麼傻？吃東西才有力氣呀！吃東西才能打架呀！你為什麼不吃？餓成猴子頭，還能做什麼？』

『你們怎麼會過來？』簫劍震動已極的看二人：『自從你們出去以後，一點消息都沒有，我急呀！

那裡還有胃口吃東西……』

『你們怎麼會過來？』

『沒辦法呀！這個慈寧宮，都是老佛爺的人，高庸守著，滴水不進，晴兒的宮女，想賄賂太監，一個都動不了……』小燕子有一肚子的話想說。

『小燕子，我們時間不多！說要點吧！』永琪趕緊打斷，看著簫劍，鄭重的說：『簫劍，所有的問題都解決了！老佛爺瞞住了真相，皇阿瑪什麼都不知道。明天晚上戌時，高庸會把你送到神武門，爾康的馬車在那兒等！上了馬車，你就去吧！從此，不要再回北京了！小燕子有我照顧，你儘管放心！』

簫劍神色一凜。

『就這樣？』他問。似乎太簡單，太容易了。

『就這樣！到了馬車上，爾康再跟你細談！』

簫劍輪流看兩人，看到小燕子的憔悴，也看到永琪的憔悴。他咬牙問……

『你們答應了什麼條件？』

『我們答應終身保密，小燕子答應忘掉仇恨！也代你答應……遠走高飛！』永琪說。

『晴兒呢？答應留在老佛爺身邊，侍候老佛爺一輩子？』

永琪怔住，答不出來。小燕子眼神一暗，哀求的看著蕭劍說：

『你先不要急，出去了再說！關在這兒，和晴兒只隔幾步路，還是見不著面！出去了，我們再幫晴兒想辦法，再幫你想辦法！哥……我保證，讓晴兒跟你團圓！』

蕭劍沉吟不語，永琪一巴掌拍在他肩上，義正辭嚴的說：

『蕭劍，來日方長！事在人為！小燕子說得對，出去是第一要事！目前，我們除了妥協，還是妥協！

因為……每個人都在為其他的人犧牲！』

蕭劍看看永琪，看看小燕子，看到兩人都是一股倦容，尤其小燕子更加蒼白消瘦，猜到她已心力交瘁，想到她的處境，毅然點頭。

『我明白了！我聽你們的！明晚戌時……為什麼是戌時呢？』

『因為……』小燕子眼眶濕濕的……『因為那是吉時良辰……』

蕭劍納悶不懂，永琪趕緊接口：

『蕭劍！明晚我們就不送你了！出了宮門，走得越遠越好！』

小燕子一把抓住蕭劍的手，緊緊的握了握，淚珠在眼眶裡打轉，她哽聲說：

『哥！那把劍還在爾康家，我沒時間去學士府，明晚，爾康會帶給你！從今以後，爾康家，會賓樓都不能再住！北京也不能再留，你保重……我們大理見！』

蕭劍驚看小燕子，被她的穩重和訣別似的句子震動了。

這時，門開了，高庸進房來……

『五阿哥！還珠格格！老佛爺要奴才送你們回景陽宮！』

小燕子心中一痛，生怕再也見不到蕭劍，握著他的手不放，心碎的喊……

『哥！哥！哥……你保重……哥……』

簫劍心中已經瞭然，此次一別，再見難期，就把那支簫往小燕子手中一塞。

『小燕子，這支簫妳拿去！我拿劍，妳拿簫，我確信這簫和劍，總有一天，還會合在一起！』

小燕子就緊緊的握著那支簫，痴痴的看著簫劍。

永琪凝視著簫劍，和簫劍的手，緊緊一握。

『珍重！後會有期！』永琪語重心長。

『彼此彼此！』

永琪掉頭，拉著小燕子就走。小燕子淚汪汪，一步一回頭，含淚喊……

『哥！哥……下次見面的時候，我吹簫給你聽！』

『一言爲定！』簫劍答了四個字，就轉過身子，背負著手，不再看兩人。

小燕子被永琪拉走了。一路上，一直喊著……

『哥！哥……你保重，不要記掛我，我會好好的，我會懂事的……你照顧好自己……哥……

哥……哥……』

簫劍聽著她那悽楚的喊聲，覺得心如刀絞。他不敢回頭，饒是身經百戰的英雄人物，此時此刻，也不禁淚盈於眶。小燕子！這深宮高牆，到底是不是妳的天堂？妳到底用什麼條件，來交換了我的自由？

這晚，永琪和小燕子站在窗前，看著窗外的月亮。這是永琪娶知畫的前夕。眞是『今夕知何夕？共此燈燭光！』永琪從她身後，抱著她，他的下巴貼著她的髮鬢。他和她，那麼知心，共度了那麼多恩愛的歲月，她的每一縷心思，他都幾乎都讀得出來。感到她的身子僵硬，看到她目不轉睛的盯著天邊的月

亮，他知道她想的是明晚，他知道她的心在淌血……他攬緊了她，輕聲說：

『不要對著窗子發呆了，身子還沒恢復，去床上躺躺吧！』

『我那有那麼嬌弱？』她咬咬嘴唇：『明晚，你手臂裡抱的，就不是我了！』

『我的手臂裡，只會有妳一個，妳心裡明白的！』他苦澀的說。

『我不明白啊！我害怕啊！』她陡然熱情奔放：『永琪，抱緊我！』

『是！』他用力抱緊了她，吻著她的耳朵和頭髮：『妳要信任我，瞭解我，我的所作所為，就一點意義都沒有！我是為了救簫劍，為了把妳留在身邊，不得不這麼做！但是，妳是無法取代的，知道嗎？』

『我知道！可是……我吃醋呀，我嫉妒呀，只要想到明天晚上，你會和她進洞房，我就難過得要死掉了！這兩天，看著景陽宮張燈結綵，我真想把那些囍字，全部撕得粉碎！怎麼會這樣呢？』

永琪心裡一痛，想到自己即將面對的新娘，心裡更是充滿悔意。

『妳這麼難過……或者，我錯了，不該答應妳的，不該這麼做的，還沒到明天，我已經後悔了……』

或者……

小燕子心裡狂跳，知道不能再變卦，急忙喊著：

『我胡說的！我不吃醋，我不嫉妒！你別後悔，老佛爺說了，知畫的花轎進了景陽宮，我哥就出了神武門！我哥……他困在那個密室裡那麼多天，瘦了那麼多，他嘴裡不說，我也看得出來，他快要瘋了！他能不能獲得自由，就靠你了！永琪，謝謝你……』

『妳還謝我？我怎麼弄成這樣的局面，我到現在還搞不清楚！只有一件事，我是明白的，不管怎樣身不由己，就是對不起妳！』

『別婆婆媽媽了！哇！』她抬眼看天空，故意歡聲的叫：『月亮出來了！你看你看……好圓的月亮！』看著月亮，又失神了……『明晚的月亮，不知道會不會也這麼好？一樣的月光，會照著結婚的隊伍、會照著花轎進門，會照著新房的窗子，會照著你挑喜帕、喝交杯酒……』

『不要再說了！』

永琪把小燕子的身子一轉，讓她面對著自己。她痴痴的看他，痴痴的說：

『明晚，你也會這樣看畫嗎？你的眼睛，也會這樣濕濕的嗎？』她緊咬了一下嘴唇：『在那個喜帳裡，你要和她「得成比目何辭死，願作鴛鴦不羨仙」嗎？你會記住我嗎？會不會慢慢的，就把我忘了……』

『我說，不要說了！』

『可是……』

永琪痛楚的俯下頭去，痛楚的吻住了她的唇，堵住了她的嘴。她什麼話都說不出來了，只是緊緊的攀著他，狂熱而纏綿的響應著他。在這一刻，天地萬物，昨天明天都不存在，他們擁有著彼此，完完全全的，完完整整的，不容分割的，不可分裂的……他們根本就是一體，她是他，他也是她。

28

終於到了這一天，是永琪和知畫大喜的日子。

在慈寧宮，幾乎所有的嬪妃都趕來道喜。知畫在晌午時分，就開始盛裝打扮，穿著一身新娘的紅衣，她端坐在椅子裡，讓一群嬪妃圍著她，給她梳妝穿戴。到了晚上，屋裡的人越來越多，穿流不息的宮女嬪妃們，忙裡忙外，吉祥物，喜帕，蘋果⋯⋯一捧來。

晴兒也在侍候著，卻完全心神不寧，眼神不時飄向屋外。知畫馬上就要嫁進景陽宮了，小燕子最痛楚的時刻也要到了，怎麼太后還沒釋放簫劍呢？太后會不會達到了目的，再向簫劍下手呢？不會吧！太后是宅心仁厚的，是吃齋唸佛的，不會做這麼殘忍的事！她想東想西，坐立不安。

太后在嬪妃簇擁下笑吟吟的走向知畫，打量著她。見她一身火似的紅，像朵盛開的牡丹花，真是顧盼生姿，風華絕代。這樣的一個『可人兒』，放在永琪身邊，就算他是鐵打的，也會動心吧！太后想著，就親手把一條吉祥如意鎖，戴在知畫脖子上，寵愛的說：

『知畫！妳太漂亮了，這樣一打扮，更是美得不得了！這個吉祥如意鎖，是我當年賠嫁的吉祥物，給妳了！預祝妳有一天，也像我這樣，子孫滿堂！』

知畫凝視太后，感動得一塌糊塗，想起身行禮⋯

『謝老佛爺！知畫怎麼擔當得起！』

『別起來別起來！別把衣裳弄亂了！』太后一把按住她，回頭喊：『桂嬤嬤！珍兒！翠兒！』

桂嬤嬤也衣飾光鮮，帶著兩個宮女上前行禮。

『喳！奴婢在！』

『妳們三個，從今晚起，就派給知畫姑娘了⋯⋯』太后嚴重的吩咐：『這以後，可得改稱呼，叫「福晉」！妳們到了景陽宮，好好的侍候知畫姑娘！不要讓她缺這個缺那個，也不要讓她受委屈！知道了嗎？如果她有什麼不如意，我可不饒妳們！』

『奴婢知道了！』桂嬤嬤帶著珍兒翠兒大聲答應。

『晴兒！』太后又喊。

晴兒正在門口張望，魂不守舍，根本沒聽見。

『晴兒！』太后又大喊。

晴兒這才聽見，慌忙上前。

『老佛爺！』

太后見晴兒神色，心知肚明，不太愉快的說：

『妳快把那尊「送子觀音」捧來，讓桂嬤嬤一路捧進新房裡去！』

『是！』晴兒找到送子觀音，捧來，交給桂嬤嬤。

這時，外面傳來太監大聲的通報：

『皇上駕到！』

一屋子的人趕緊肅立，行禮喊道：

『皇上吉祥！』

乾隆已經帶著太監，大步走進大廳，笑著對太后說：

『兒子特地趕來，跟老佛爺道個喜！這知畫成親，好像老佛爺嫁格格一樣！總算讓老佛爺心想事成了，可喜可賀！』

『還不是皇帝的玉成！』太后喜孜孜。

知畫急忙起立，嬪妃們趕緊扶住，知畫就羞澀而謙卑的低聲說：

『皇上！知畫給您磕頭！』說著，就要跪下去。

『扶起來，扶起來！知畫給您磕頭！』

『這個頭遲早是要磕的！拜過堂，就要改口叫皇阿瑪了！』乾隆喊。

『扶起來，扶起來！現在磕什麼頭？到景陽宮再磕吧！』乾隆喊。

宮等著他們行禮，還來回跑！』

『老佛爺還不是得來回跑！邦直來不及趕來，這娘家婆家都是咱們，朕就忙一點吧！』乾隆看著知畫，忽然笑不出來了，對知畫鄭重的說：『知畫是陳家的閨女，知畫達禮，不是一般小家小戶的女兒……到了景陽宮，要知道『和為貴』！小燕子好歹先進門，雖然老佛爺說，妳算正室，但是……妳們也別分什麼大小，妳喊她一聲姐姐吧！她的脾氣強，妳讓著點兒！』

太后這才明白，乾隆特地來一趟，是要在知畫進景陽宮以前，先給她幾句下馬威！這麼千方百計護著小燕子，他如果知道，這個小燕子，根本是個叛黨餘孽，該當如何？太后眼神一暗，心裡十分不快，此時此刻，不便表現。

知畫卻斂眉屏息，誠惶誠恐的回答：

『皇上的教訓，知畫謹記在心！』

『那麼，朕先走一步！景陽宮見！』

乾隆帶著大監們，在大家的恭送聲中，先離開了慈寧宮。這時，院子裡的吹吹打打之聲，喧囂的響起。桂嬤嬤上前，對太后說道：

『老佛爺！吉時快到了！』

『快！帽子霞帔，戴起來！要上花轎了！』

帽子戴上，霞帔蓋下，蘋果握住……一屋子響起恭賀之聲。

『老佛爺大喜了！知畫姑娘大喜了！』

就有十二個喜娘上前，攙扶起知畫。桂嬤嬤捧著送子觀音，珍兒翠兒捧著吉祥物，一行人浩浩蕩蕩出門去。

晴兒眼看知畫已經上了花轎，心裡更急。『可憐的小燕子，可憐的永琪，可憐的簫劍，可憐的我……』她想著。聽著外面鞭炮聲劈哩叭啦的響起，看到院子裡煙霧騰騰，她再也控制不住自己，倉卒的奔向太后。太后正往門口走，被她一撞，差點站不穩，幸好宮女急忙扶住。

『晴兒，妳幹嘛？』太后皺眉問。

『老佛爺……』晴兒急急的，哀求的說：『知畫已經上了花轎，簫劍是不是可以放了？以後，我會跟在老佛爺身邊，永遠孝敬您！可是……現在，能不能允許我送簫劍到神武門？我答應，這是我見他的最後一面！』

『別擋著我，我還要趕去景陽宮！』太后板著臉，知道晴兒要親眼看到簫劍脫險才放心。

『老佛爺！求求您……』晴兒急切的說，什麼教養害羞都顧不得了。

幾個嬤嬤過來，催促太后動身。晴兒不斷哀求：

『老佛爺……老佛爺……求求您！』

『妳會斷得乾乾淨淨嗎？』太后凝視著晴兒，不耐的問。

『我發過重誓了，不是嗎？』晴兒苦澀的，哀懇的看著太后。

太后凝視晴兒，這個從小跟在她身邊，侍候了她許多年的格格！在這一刹那，她心裡湧起一股惻然的情緒，當初，誤了晴兒嫁爾康的機會，才造成今天這許多故事。她心中一嘆，最後一面？料她不敢違誓。以自己的身分，也不能言而無信，那個簫劍，只好放了！放簫劍，是經過她千思萬想後的決定。她知道簫劍把小燕子和晴兒，看得比自己的生命還重。現在，宮裡押著他最在乎的兩個人，為了保護這兩個女子，他再也不敢輕舉妄動了！太后看到晴兒這樣急迫，正好示好給他們，讓小燕子和永琪感恩，給知畫的未來奠下基礎。於是，太后網開一面，簡單的說了：

『去去去！高庸！陪她一起去！』

『喳！奴才遵命！』

晴兒悲喜交集，匆匆屈膝，說了一句：

『謝老佛爺的恩典！』

晴兒就轉身，在高庸和眾多侍衛的押解下，到了密室。

簫劍正肅立在門內，等待著。吹吹打打的聲音傳來，鞭炮不絕於耳。簫劍不知道宮裡有什麼喜慶？他只怕小燕子的消息不正確，怎樣也無法相信，自己已經進了這個牢籠，還有機會脫身？正在心煩意亂，房門一響，只見他朝思暮想的晴兒，衝進了房門，在她身後，高庸帶著侍衛，全副武裝，攔門而立。

「簫劍！」晴兒喊著，淚在眼眶。

簫劍目不轉睛的看著晴兒。她含淚看著高庸…

「給我一點點時間，讓我和簫大俠說兩句話！」

高庸對這位晴格格，是深深敬愛的。她在老佛爺身邊多年，待人寬厚，從來不曾作威作福。他同情的頷首，帶著侍衛退出門外，關上房門。

晴兒心碎腸斷，恨不得把自己全部的愛，都化在這一吻裡。

簫劍看到沒人了，就把晴兒拉進懷中，死死的凝視她。兩人熱烈對看，簫劍就俯頭，炙熱的吻住她。

一吻既終，晴兒抬頭，心痛如絞的看著簫劍，啞聲說…

「老佛爺答應我送你到宮門口，爾康在那兒等你！這個皇宮，銅牆鐵壁，所有的人，勾心鬥角，實在不是你可以適應的地方！從此，你就好好的去吧！不要再記掛我！如果有緣，我想，天上人間，我們都會再相遇的！」

「妳在和我訣別嗎？」簫劍一瞬也不瞬的看著她，在她耳邊飛快的說：「我不管妳答應了什麼條件，到了宮門口，妳跟我一起上車！知道嗎？」

晴兒踉蹌一退。

「不行！你千萬千萬不要冒險！不為了你，也要為小燕子、紫薇、爾康著想！為了讓你脫困，我們每個人都付出了代價，付出最多的，是小燕子！你…不要再讓她為難了！難道，你想害死她嗎？」

簫劍神情一痛，著急的問…

「小燕子付出了什麼代價？」

晴兒驚覺說溜了嘴，搖了搖頭。

『你別管了，五阿哥會好好待她的，我留在宮裡也好，可以照應著她！走吧！這個皇宮，早點脫身

爲妙！』

簫劍的眼光，不捨的看著她，鄭重的，堅決的說：

『晴兒，我長話短說！要我從此放棄妳，那是我根本做不到的事！目前，爲了脫困，我只好什麼都

聽你們的！但是，那絕不表示我同意和妳分手！妳等著我，我去安排，我們一定會在最短的時間裡團

聚！今天，我聽妳，到時候，妳得聽我！』

晴兒拚命點頭，也不分辯。

高庸開門進來，說：

『簫大俠！是時候了！走吧！』

『老佛爺讓我送簫大俠一程！』

高庸不語，帶著侍衛，全副武裝的押著兩人出門去。

簫劍和晴兒走到御花園，就碰到了喜樂的隊伍。只見兩排宮女手持燈籠，迤邐前行。儀仗隊高舉著

各式華蓋，亭亭如傘。樂隊奏著喜樂，帶著宮廷舞蹈隊，跳著『花月良宵』舞，簇擁著花轎向前走，許

多嬪妃命婦，宮女太監，都圍著看熱鬧。

簫劍驚奇的看了看那個隊伍。高庸帶著侍衛，緊跟著簫劍。

『晴格格，簫大俠！我們走這邊！』高庸避開了大婚的隊伍，往另外一條路走。

『宮裡在辦喜事？』簫劍困惑的問。

『咱們快走！』晴兒加快了步子，走進那條花木扶疏的小徑。

簫劍對宮裡的喜事也沒興趣，一心要離開這個皇宮，大踏步走去。

轉眼間，到了宮門口。一輛馬車停在那兒，等候多時的爾康，立刻迎了過來。

『簫劍！』爾康興奮的喊。

簫劍和爾康，兩人的手，重重的一握。高庸急忙對爾康行禮：

『額駙大人，簫大俠交給你了！老佛爺說，剩下的事，額駙知道該怎麼辦，不要讓皇上和福大人為

難！』

『高公公！我知道了！』爾康回答。

『晴格格！』高庸看晴兒：『奴才護送妳回去！』

晴兒看簫劍，依依不捨，柔腸寸斷，就急忙從懷中掏出一張摺疊的小紙箋，塞進了簫劍的手裡，強

忍著淚，匆匆說：

『我不能不回去了！你上車吧！為我，保重你自己！』

簫劍凝視晴兒，一摔頭。

『妳也是！記著我的話！』

晴兒拚命點頭。

簫劍就跟著爾康，跳上了馬車。車夫一拉馬韁，馬車立刻啟動了。簫劍從車窗伸出頭來，依依不捨

的凝視著晴兒。

她佇立在那兒，像一座石像，雙眼定定的看著他，直到那輛馬車，越走越遠，越走越遠，越走越

遠……終於絕塵而去。

看不到晴兒，看不到宮門，看不到那個禁錮著小燕子和晴兒的紫禁城……簫劍收回了視線，坐進馬

車裡。爾康深深看了他一眼，就把長劍往他手中一塞：

『這是你的劍！』再拿起一件件行李說：『這個包袱是紫薇幫你準備的行李，她在宮裡陪著著小燕子，不能送你了！這是一些乾糧，路上吃！這是盤纏，夠你一路用了……』把東西分別往他身上塞的塞，背的背。

蕭劍一抬頭，眼神銳利的看他，問：

『什麼意思？難道，你們要我真的走？』

『什麼意思？』爾康睜大眼睛說：『難道，你還想在北京耗下去？這兒，你還沒待夠？』

『你明明知道，不帶著晴兒走！』

『你不要傻了！』爾康正色的說：『晴兒不是今天明天的事，甚至不是今年明年的事，你能夠逃掉一死，是上蒼有好生之德，你就好好的珍惜這條生命吧！晴兒對你的心，你是知道的！只要她不變，又豈在朝朝暮暮？你先走，等到老佛爺不再戒備了，對小燕子也放心，我負責把晴兒送到你身邊！』

蕭劍瞪著爾康，爾康也瞪著他，壓低聲音再說：

『暫時別去大理！我怕老佛爺明著放人，暗中捉人！去西藏找爾泰，明年，我會去西藏看爾泰，到時候，我帶晴兒來！君子一諾！我欠晴兒很多很多，她的幸福，是我和紫薇的責任！我會幫你照顧她！』

他有力的拍拍他：『信任我！』

『我從來沒有陷在這樣兩難的局面裡，這樣走，我太不甘心！』蕭劍忽然嚴重的問：『小燕子付出了什麼代價？』

爾康凝視他，知道宮裡這樣盛大的辦喜事，北京城總會傳言紛紛，這件事怎樣也瞞不住，就坦率的說：

『今晚，五阿哥娶了知畫！此時此刻，正在和知畫拜堂！』

簫劍大震，眼前，閃過那壯觀的結婚隊伍。

『什麼？宮裡張燈結綵，原來爲了這個！』

『你知道小燕子的個性，這個犧牲，比要她的命還嚴重！』爾康死死的盯著他：『她要我告訴你一句話，方家只剩下你這一脈香煙，爲了方家的香火，要你保重！如果你再婆婆媽媽，你還不如小燕子勇敢果斷！你別輸給你的妹妹，爲了方伯父，爲了方伯母，留下你這條寶貴的生命！』

簫劍呆著，完全震住了。

爾康拍拍他的肩，指指暗夜的前方，低語：

『我在那個路口，準備了一匹快馬，柳青在那兒等你……我想，老佛爺應該言而有信，遵守承諾放了你。但是，我寧可多此一舉，還是要防備一下！這輛馬車，不知道有沒有被監視？到了路口，馬車不停，你跳車出去……我駕著馬車往南走，你騎上馬往北走！一路上多多小心，謹防刺客！咱們後會有期！』

簫劍從震驚中醒悟過來，理智和鎮定一起恢復。如今虎落平陽，三十六計，走爲上計！他看爾康，鄭重的託付：

『爾康！不止晴兒，還有小燕子……』

『她們兩個，都包在我身上了！』爾康定定的看了簫劍一眼：『別爲小燕子太擔心，她福大命大，每次都能化險爲夷！我已經派人去找靜慧師太，放心！我會打點好！知畫的事，也沒什麼可擔心的！五阿哥情有獨鍾，你還怕什麼？』簫劍一點頭。

『我明白了！』

車子已到路口，爾康打開車門，蕭劍一翻身，輕巧的跳出車去。

『駕！駕！駕……』車夫嚷著。

車子繼續在路上飛馳。

蕭劍的身影，沒入了黑暗裡。

同一時間，在景陽宮，新娘的花轎已經進了院子。

院子裡，真是熱鬧非凡。樂隊吹奏著迎喜樂，許多紅衣的宮女，在院中跳著迎親舞。永琪一身吉服，身上掛著大紅彩球，站在大廳門口等候著。有個太監捧著紅布，上面放著紮著紅結的弓箭，站在永琪身邊。嬪妃、親王、阿哥、格格、宮女、太監……黑壓壓的站了一院子，嘻嘻哈哈的觀看著。在院子一隅，小燕子和紫薇，也站在迴廊下觀望。小燕子情不自禁的看向永琪，只見他像個被擺飾的玩偶，帶著滿臉的無奈，眼神空洞的看著前方，面無表情的佇立著。

舞蹈告一段落，花轎在燈籠隊和喜娘的引導下站定，司儀高唱：

『鳳凰三點頭！新娘收心！』

轎夫就將花轎連著顛了三次。轎中，紅帕蒙頭的知畫差點滾下坐位，趕緊坐穩。轎子停了，放在地上。

太監捧上弓箭給永琪，司儀再度高唱：

『新郎三射箭，驅除紅煞！』

永琪面無表情的搭弓，射箭，三支箭都射在轎門前。司儀再唱：

『新娘下轎！』

知畫被喜娘攙扶下來。司儀再唱：

『新娘跨馬鞍，事事平安！』

早有太監將馬鞍放在門檻前，喜娘就扶著新娘跨過馬鞍。這才把新娘身上的紅綢帶交給永琪，永琪

掉頭，牽著知畫進門去。

鞭炮劈哩叭啦的響起，眾人鼓掌聲，恭喜聲不斷，喜樂囂張的響著。

小燕子神情落寞，看看紫薇，低聲說…

『當初我們結婚的時候，怎麼不記得有這些花樣？』

紫薇代小燕子痛楚著，勉強一笑…

『那晚，我們緊張都來不及，轎子又弄錯了，一團混亂，那兒還記得有些什麼禮節？』

小燕子回想到那晚的情形，想笑，笑容在唇邊一閃而過，根本沒辦法成型。紫薇同情的看看她，一

拉她的手。

『我們進房去吧！』

紫薇和小燕子進了臥室。外面，司儀的高唱聲還是不斷的傳來，一拜天地，二拜高堂，夫妻交

拜……她們聽著高唱聲，想像著乾隆接受一對新人行禮的樣子，兩人都情緒低落。小燕子在房裡走來走

去，整顆心都像燒火般的痛楚著。怎麼會這樣呢？怎麼會有這樣一天？她必需接受永琪的另一個新娘？

她踩踩腳，懊喪的說…

『早知道，當初在南陽，就應該死也不要回宮，什麼免死金牌，什麼宮中小點心……把我們感動得

唏哩嘩啦，這，就是唏哩嘩啦的結果！』她看著紫薇，眼眶紅紅的…『妳說，人生最大的美德，是饒

恕！我說，人生最軟弱的行為，是饒恕！』

紫薇難過的吸吸鼻子，還試圖安慰她…

『我們回宮，並沒有錯！饒恕也沒有錯，一步步走來，變成今天這樣，實在沒有想到！小燕子……已經是這樣了，妳一定要勇敢，要相信永琪！』

小燕子心中一抽，說不出有多痛。她無助的說：

『我不知道我還能相信什麼？我老實告訴妳，我心也痛，胃也痛，頭也痛……到處都痛！』她走到窗前，看窗外：『戌時已經過了吧？』

明月、彩霞匆匆進門來。

『格格！格格！小鄧子說，簫大俠已經平安出宮了！』

小燕子和紫薇都呼出一口氣來。紫薇就一把拉住小燕子的手，激動的說：

『小燕子！妳沒有白白犧牲，妳很偉大，救了簫劍，救了我們大家！妳放心，簫劍只要出了宮門，就是生龍活虎，什麼都難不倒他了！你們方家的一脈香煙，總算保住了！』

這時，門外傳來司儀的高唱：

『禮成……送進洞房！』

喜樂聲再度喧囂的響起，鞭炮聲也不絕於耳，恭喜聲，笑鬧聲不斷，人聲鼎沸。

小燕子臉色一慘。

明月、彩霞悲哀而不平，兩個宮女就捧了點心和熱茶過來。

『這兒有一口酥，格格，妳一天都沒吃東西了！』

『還有棗泥核桃糕……格格，妳一天都沒吃東西了！』

小燕子抬眼，哀哀欲絕的看了明月彩霞一眼。

『我還有什麼胃口吃東西？他們進洞房了！』她轉眼看紫薇：『今晚的知畫，一定美得像天仙吧！永琪現在正在挑喜帕吧？他們也要吃什麼紅棗花生桂圓蓮子吧……紫薇，妳不去道喜嗎？妳不去新房裡

看熱鬧嗎?」

紫薇把她的手,緊緊一握。

「我來陪妳的,我不是來道喜的!妳不要東想西了,永琪不會負妳的,我保證!既然嫁到皇室,就要有這種準備,遲早,會有這一天!」

「如果今晚是爾康再娶,妳會怎樣?」小燕子問。

如果是爾康再娶?紫薇不敢想這個問題,事實上,爾康也是名門望族,三妻四妾是很自然的事,說不定也有這樣一天吧?紫薇這個念頭才掠過,心臟就像被針扎到一樣,痛得痙攣起來。愛是什麼東西?讓人如此無法拋捨?愛是什麼東西?讓人時而甜進心底,時而痛入骨髓?她吸口氣,難過的說:

「我不知道!假若是為了救人,我也會這樣做…但是……」她看著拚命在忍淚的小燕子,突然熱情奔放,心痛的喊:「小燕子!如果妳想哭,就抱著我哭吧!因為,我已經想哭了……」紫薇說著,眼淚情不自禁的落下來。

小燕子咬著嘴唇,沉重的呼吸,倔強的說:

「我不哭!我不哭!我不會被打倒,我是小燕子嘛!天不怕地不怕的小燕子嘛!刀擱在脖子上,我也不會投降,怎麼會怕知畫呢?我不哭……」她挺直背脊,啞聲喊:「紫薇!我都不哭,妳哭什麼?」

紫薇的眼淚拚命掉,明月、彩霞跟著哭。

小燕子沒有哭,她拚命忍住淚,咬著嘴唇。眼睛瞪得大大的,圓圓的,眼珠像浸在水霧裡的星星,閃亮深邃,深不見底,裡面盛滿對永琪的熱愛。

小燕子在房裡強忍淚珠,在新房裡的永琪和知畫也不好受。

知畫蓋著紅頭巾，端端正正的坐在床沿。她垂著睫毛，不安的等待著。

六個喜娘分站兩旁，六個紅衣宮女，捧著喜秤，交杯酒、紅棗、花生、桂圓、蓮子等喜盤站立於側。

桂嬤嬤站在最後面，呆呆的看著蓋著喜帕的知畫。

永琪站在床前，一聲不響的觀看著。

喜娘把喜秤送到永琪面前，恭恭敬敬的說：

『請新郎用喜秤挑起喜帕，從此稱心如意！』

永琪看看喜秤，看看知畫，眼前，忽然浮起小燕子當新娘的樣子。他心中一痛，頓時跟蹌一退。他這一退，竟然把喜秤撞翻，喜秤落地，發出一陣『欽欽哐哐』的響聲。整隊捧交杯酒、紅棗、蓮子……等的宮女，都慌忙後退，保護手裡的東西。喜娘弄翻了喜秤，大不吉利，嚇得要死，一疊連聲說：

『哎喲！奴婢該死！奴婢該死！』喜娘猛的發現新房中說死字，又是大不吉利，更加害怕。就『啪』的一聲，給了自己二耳光，惶恐的說：『掌嘴！說話沒個忌諱……掌嘴……』

知畫蒙著喜帕，不知道發生了什麼事，聽著一連串的聲音，喜帕沒人挑，她動也不敢動，心臟砰通砰通的跳著，又是害怕又是心慌。

喜娘趕緊拾起喜帕，再度捧到永琪面前。重新說一遍：

『請新郎用喜秤挑起喜帕，從此稱心如意！』

永琪無可奈何，只得拿起喜秤。他覺得，手中那把秤，好像有千斤重。他握著喜秤的手，竟微微顫抖著。無法逃避，他還是挑起了喜帕，喜帕飄然落地，露出知畫美麗絕倫的臉龐。

知畫垂著頭，不敢抬眼看永琪，臉上有股怯生生的表情。

喜娘捧上交杯酒。

『請新郎和新娘喝交杯酒，從此長長久久！』

就有喜娘，把永琪扶到床沿，側身和知畫對坐。兩杯酒，分別送進知畫和永琪手裡。兩人手腕相交，永琪瞪著那酒杯，卻遲遲沒有喝酒。知畫被動的坐在那兒，也不敢喝酒。眾宮女喜娘面面相覷，急得不得了。喜娘只得再說一遍：

『請新郎和新娘喝交杯酒，從此長長久久！』

永琪呆呆的坐著，就是無法喝下那杯酒。

桂嬤嬤急得暗中跺腳。喜娘悄悄催促：

『五阿哥！五阿哥……喝呀！』

知畫再也忍不住，飛快的抬眼，看了永琪一眼。只見他眉頭深鎖，一臉的憒惻之情，他的心，顯然飄蕩在別人的身邊。他的這個表情，打倒了她。她眼睛一眨，一顆大大的淚珠，奪眶而出。

永琪正好抬眼，一眼看到了知畫的淚。他的心一跳，有個聲音在心底響起：

『我在做什麼？知畫也是被動啊！我們都是老佛爺的棋子，知畫也是！如果這場婚禮，是我和小燕子的悲劇，那也是知畫的悲劇啊！』

永琪這樣想著，不敢再讓知畫難過，急急的低頭去喝交杯酒。

知畫也趕緊含淚去喝交杯酒，淚珠滑落面頰，跌碎在酒杯裡。

桂嬤嬤見禮節結束，悄悄的出門去了。

新房和小燕子的臥房，只隔著一條走廊。永琪就在對門的房間裡，和知畫『洞房』，小燕子情何以堪！她站在窗前，痴痴的看著窗子外的月亮，想像著洞房裡的情況，喃喃的說：

『紫薇，妳說，他們現在在洞房裡幹什麼？』

明月、彩霞在鋪床。紫薇過去幫忙拉平床單，不願回答小燕子的問題，顧左右而言他：

『小燕子，我今晚不回學士府，我們和以前一樣，睡在一張床上講悄悄話……好久沒有跟妳一起睡了，妳還記得大雜院裡，那個「抬頭見老鼠，低頭見蟑螂」的房間嗎？』

小燕子回身，看著紫薇，不禁出神了。

『大雜院！那好像是幾百年前的事了！好像是我們的上輩子！』她走過來，拉著紫薇的手，不禁悲從中來：『我好想念以前的日子，那時候，雖然很窮，可是很快樂！現在呢？穿的吃的戴的都這麼好，住在皇宮裡，怎麼活得這麼累呢？紫薇……我好沒用，我連一個孩子都保不住，如果肚子裡有個孩子，我現在也會高興一點，偏偏孩子也沒了！』

紫薇同情極了，安慰的說：

『孩子的事，慢慢來，只要會懷孕，就會有！下次有了，千萬不要再打架，跳上跳下練武功！這次也是湊巧，在慈寧宮一場大鬧，又給老佛爺下了藥，說不定會影響孩子，掉了也算了！』

『可是……我連小名都想好了，南兒！不管男孩女孩都可以用！我還想，萬一是女兒，我就把她許給妳的東兒，讓我們兩家的情份，再延續下去！』

『那……我們就一言為定！』紫薇笑著說，急於找個題目來打亂小燕子的思想：『如果妳生了女兒，一定要給東兒！我們現在，就結下兒女親家吧！』她湊近小燕子，臉紅紅的低聲說：『假若妳生了兒子，我一定努力，生個女兒許給妳！』

小燕子果然笑了，歡聲說：

『不許賴喲！妳要努力喲……』她話沒說完，笑容驀然一收，眼淚湧上……『我怎麼會有兒子女兒呢？

永琪……在和別的女人「洞房」，我還做什麼夢？』

紫薇呆了，看樣子，怎樣也無法把她的思想轉到別的方向。

這時，有人敲門，小鄧子、小卓子開門進來，急急的說：

『明月，彩霞！桂嬤嬤在叫人！要我們趕快去新房！』

紫薇和小燕子一怔。紫薇驚愕的問：

『新房裡發生什麼事情了？』

『回格格，沒發生什麼事情！』小卓子不情不願的說：『禮節結束了，桂嬤嬤說，要我們景陽宮的奴才，全部到新房裡去拜見「福晉」，少一個都不行！』

小燕子一震，這是給景陽宮的下馬威！也是給小燕子的下馬威！明白在告訴大家，從今以後，知畫才是「福晉」，小燕子的「主子」地位，再也不保！她已經懟了一整天，這時，快要爆炸了。她深吸了一口氣，掉頭就往外跑，嘴裡嚷著：

『我也去「拜見」這位「福晉」！』

『格格別去！千萬別去！』

『我要去我要去！她要我的人去拜見她！是存心要我難看……我受不了！紫薇，我真的受不了，我快要爆炸了！』

紫薇死命拉住了她，急喊：

明月、彩霞、小鄧子、小卓子都飛快的攔住門。同時驚喊：

『不能去不能去！已經走到這一步了，只能打落牙齒和血吞！如果妳今晚去大鬧新房，整個皇宮都會看笑話！明天，所有的嬪妃都會談論這件事！老佛爺一定不會善罷甘休，皇阿瑪也不會同情妳，那妳

的處境，就更困難了……」

小燕子那裡肯聽，還要往外衝，紫薇不顧一切的攔，小燕子用力一推，紫薇站不穩，就摔了一大跤。她故意趴在地上大聲呻吟：

「哎喲！哎喲……我這個倒楣的膝蓋，八成又流血了！」

小燕子急忙過來扶，明月、彩霞也撲上來扶住。

「怎樣？摔得重不重？」小燕子著急的問。

「當然重！妳那麼大力氣……」紫薇瞬了她一眼，摸摸肚子：『還好，肚子裡沒有妳媳婦，要不然，也給妳撞掉了！」

小燕子瞪著她，想笑，笑不成，淚光閃爍。

「妳真好，千方百計說笑話，逗我開心！可是，我怎麼不會笑了？」她說著，淚珠掛在睫毛上，懸然欲墜。

彩霞看到這樣，心裡不平，喊著：

『小鄧子！小卓子！你們去告訴桂嬤嬤，我們要服侍小燕子格格和紫薇格格，沒空去「拜見」！如果拜見的人不夠，儘管去慈寧宮調人！』

『這樣不好！』紫薇站起身來，穩重的說：『明月，彩霞，忍一口氣，第一個晚上，就弄得這樣壁壘分明，以後更難相處！妳們都去「拜見」吧！』

明月、彩霞、小鄧子、小卓子只得勉勉強強的去了。

小燕子看著他們的背影，知道紫薇的話，永遠沒有錯，自己弄到這個局面，除了忍，就只有忍。可是，那個新房裡，是她深愛的永琪呀！要她眼睜睜看著永琪再娶，還是處處比她強的知畫，她怎能心平

氣和呢？天啊，人間還有比她更慘的女人嗎？在這一瞬間，她深深體會到皇后的悲哀了！

洞房裡，所有的禮節都結束了。知畫和永琪並坐在床沿上，喜娘把兩人的衣襬打上『如意結』，說：

「祝新郎新娘『永結同心』！『早生貴子』！」

宮女喜娘們魚貫退出。

桂嬤嬤就帶著眾多宮女太監，包括明月、彩霞、小鄧子、小卓子一擁而入。全部匍匐於地，朗聲說：

「奴才們拜見五阿哥和福晉！祝五阿哥和福晉百年好合，事事如意！」

永琪動也不動，聽到『福晉』兩字，不禁皺了皺眉頭。

知畫震動的抬眼，看了看眾人，看了看桂嬤嬤，輕聲說：

「起來！」

桂嬤嬤帶著宮女太監們起身。

知畫悄悄的，再去看永琪，就對桂嬤嬤低聲說：

「這個衣服下襬，可不可以解開？我想起來走走！」

「走走？」桂嬤嬤一驚，困惑已極。

永琪低頭，三下兩下就解開了那個如意結，開口說：

「妳可以起來走走了，我也想起來走走！」

知畫就站起身子，對桂嬤嬤說：

『我要去拜見還珠格格，妳給我帶路！』

永琪大為意外，不禁驚看知畫。只見她端莊美麗，落落大方，帶著一臉的純眞和善良，眼底，綻放著清亮澄澈的光芒，皎潔如月，光明如星。

『現在嗎？好像……好像……』知畫溫和卻有力的問。

『好像什麼？』桂嬤嬤張口結舌。

『好像不合規矩耶！何況……何況……』

『何況什麼？』她還是溫和而有力的問。

『何況，還珠格格剛剛失去一個孩子，福晉要圖個吉祥，那個房間……最好不要進去！不太吉利。』

『我沒有那麼多規矩，也沒有那麼多忌諱！』知畫仍然溫和卻有力的：『我要去拜見格格，是妳帶路？還是明月，彩霞，妳們帶路？』

明月彩霞心裡一喜，這才像話嘛！就急忙答應：

『我們帶路！』

明月彩霞往前走，知畫就跟著二人走去。桂嬤嬤無可奈何，趕緊對宮女們使眼色，許多宮女嬤嬤趕緊相隨。永琪看著她們出門去，一時之間，對這個『新娘』，也有幾分感動。

知畫就在宮女和嬤嬤們的簇擁下往前走。彩霞一路喊著：

『格格！格格！知畫姑娘來「拜見」格格了！』

『是「福晉」！「福晉」！』

桂嬤嬤狠狠的瞪了彩霞一眼，低聲提醒著：

『妳們主子是「福晉」，那我們主子是什麼？』彩霞嘰咕著。

『妳們主子，就是「格格」唄！』桂嬤嬤低聲接口。

就在拌嘴中，一行人已經走進了小燕子的房間。小燕子、紫薇正並坐在床邊講知心話，看到知畫進

門，都大出意料之外，驚愕的抬頭。

只見知畫一身新娘妝，美得不得了，不疾不徐的走到二人面前，請下安去。

『知畫拜見還珠格格，拜見紫薇格格！兩位格格吉祥！知畫奉老佛爺命令，進了景陽宮，不敢有絲

毫越禮之處！還珠格格，妳進宮早，請允許我稱妳一聲姐姐！以後，還要姐姐多多照顧！』

知畫說得誠惶誠恐，小燕子驚得睜大眼睛，頓時不知所措了⋯

『啊呀！這個⋯⋯這個⋯⋯妳起來，別行禮了！』

知畫起身，再看向紫薇，誠摯的說⋯

『紫薇格格，妳更是姐姐了，我的心事，妳都明白！如果我有不周到和不對的地方，儘管告訴我！桂

嬤嬤說，我在這個時候過來，不合規矩和禮數，但是，我也顧不得了，不給兩位姐姐請安，我覺得坐立

不安呀！』

紫薇急忙站起身子，感動的說⋯

『知畫，別客氣了！我和小燕子，都是民間來的，沒有那麼多規矩和禮教。妳唸書多，學問好，進

了景陽宮，千萬要包容小燕子，要和和氣氣啊！』

『知畫會記著紫薇姐姐的話！今兒個太晚了，不敢打擾，知畫告辭！』

知畫再度福了一福，轉身離去。小燕子呆若木雞，連反應都沒有。

『知畫好好走，當心門坎，別絆著！桂嬤嬤⋯⋯大家扶著！』紫薇急忙招呼著。

桂嬤嬤趕緊扶著知畫，宮女嬤嬤們又簇擁著知畫而去。

知畫走了之後，小燕子才怔怔的看著紫薇，不敢相信的說：

『她來「拜見」我？洞房花燭夜，她來拜見我？』

紫薇又是感動，又是意外，又是震撼，又是同情，眼神深邃的看著前方，說：

『從今以後，宮裡再添一個可憐人！』

知畫回到了『洞房』裡，永琪背負著手，正在房裡走來走去踱方步。

桂嬤嬤帶著珍兒翠兒，給知畫卸下那頂綴著珊瑚東珠寶石的帽子，取下沉重的如意鎖，卸下珍珠項鍊，耳環首飾……一一放進錦盒裡。知畫對著鏡子，被動的坐著，洞房的最後一刻就要來了，她心慌意亂的看著鏡中的自己，眼神中，帶著此兒惶恐，帶著此兒耽心。

永琪背負著手，一直在踱方步，踱著踱著，就踱到窗前去了。抬頭一看，窗外月明星稀，月色把宮裡的樓台亭閣，都染上了一層銀白色。昨晚此刻，他正和小燕子相擁看月亮……他的心，又飛到小燕子身上去了。

釵環盡去，知畫的長髮如水披瀉。桂嬤嬤把她的長髮，梳成一條大髮辮，用紅繩繫住打結，再解開她的衣紐，脫下那件描金繡鳳的紅色外衣。珍兒捧著一件特製的、有繡花的、鏤空的紗衣，走上前去。

永琪嘆了口氣，回頭看一眼。正好看到珍兒翠兒把新娘衣服從知畫肩上褪下，露出她潔白的雙肩，和那只穿著一件繡花肚兜的身子，燭光下，冰肌玉膚，晶瑩剔透。永琪一震，急忙又回頭去看窗外，想著……

今晚這漫漫長夜，我比妳更難挨，我真不知道，接下來我要怎麼辦？』

『小燕子……小燕子……』他在心裡低低呼喚：『此時此刻，妳在恨我吧？怨我吧？妳知不知道，

『天下還有比我更無助的新郎嗎？平常碰到為難的事，身邊總有一群人在幫忙，今晚，我只能單打獨鬥了！』

永琪抬眼看月亮，又嘆了一口氣。

知畫聽到永琪左嘆一口氣，右嘆一口氣，她隨著他的嘆氣聲，眼神越來越不安，越來越憂鬱。桂嬤嬤擔心的悄看了永琪一眼，就把那件薄紗的衣裳，披上了知畫的身子。一切就緒，桂嬤嬤扶著知畫，坐在床沿。

珍兒翠兒掀掉了床上的紅色繡花被單，露出裡面白色的喜巾。

桂嬤嬤走到永琪身邊去，請安說：

『五阿哥！洞房花燭夜，別耽誤了吉時！奴才們告退了！』

桂嬤嬤給了知畫一個眼光，就帶著珍兒翠兒退出房去。

轉眼間，房裡剩下了永琪和知畫兩人，永琪心裡一煩，又開始踱方步。

紅燭高燒，薰香繚繞，送子觀音像高高的站在案上，俯瞰著滿屋的尷尬。坐的人靜靜的坐著，走的人繼續踱方步。夜漸漸的深了，紅燭漸漸的短了，燭淚漸漸的多了……坐的人不動，走的人不停。床上那條繡著雙喜囍字的白色喜巾，一直不受干擾的維持著潔白無瑕，刺目的躺在那兒。在房間外面，桂嬤嬤打濕了窗紙，帶著一群嬤嬤宮女在偷看，個個急得咬斷牙根了。

永琪不知道已經繞室幾百次，知畫再也沉不住氣，終於抬頭，凝視他，低低的開口了：

『你預備就這樣走到天亮嗎？』

永琪一驚，走到床前站住了。逃不掉，只好面對！他咬咬牙，下定決心，說：

『知畫，我要坦白的告訴妳，我們這個親事……』

知畫看看窗子，著急的說：

『噓！隔牆有耳……』她哀懇的看著他，低語：『你可不可以坐下來？』

永琪怔了怔，在床沿上坐下，和她仍然保持著距離。她那美麗的胴體，在透明的薄紗下，幾乎是一覽無餘的。知畫沒有忽視他的『正襟危坐』，看了他一眼，她的大眼中，盛滿了委曲求全的悲哀，輕聲的說：

『我知道，你有幾千幾萬個不願意，從拜堂到現在，你的眉頭沒有舒展過……我……我……』她心中一酸，突然覺得無力應付這個場面，淚水就湧了上來。

永琪看她又落淚了，心裡惶恐，急促的說：

『不是妳的原因，妳什麼都好！是我自己，心裡有太多的事……』

『不用解釋了！』她輕輕打斷，看看那塊白色喜巾，羞澀的說：『那個，你預備怎麼辦？明天一早，桂嬤嬤就要來收，老佛爺要檢查的……』說著，實在太害羞了，頭低低的垂了下去，聲音也沒有了。

永琪看她這樣，心裡一陣惻然，除了惻然以外，也知道她說的都是事實，明天太后要檢查，他是逃不掉這一關的！他心中再一嘆，就勉強的伸出手，去褪她那件薄紗。她屏息坐著，動也不敢動。紗衣沒有紐釦，輕輕一拉，就滑落下去，露出那裸露的肩，和紅色繡花小肚兜。他楞著，眼前，忽然閃過小燕子新婚時的臉孔……他突然把那件紗衣拉回到她的肩上，就放手預備起身。她情急的伸手，一把抓住了他的手。

『別動！』她低語：『聽我說……那個喜帕……也可以做假的，你有沒有小刀？我怕痛……你割破手指就行了，我們好歹裝個樣子，我猜桂嬤嬤在外面看……只要瞞過去了，就沒關係……』

永琪驚看知畫，眉頭一鬆，如釋重負，慌忙點點頭，低聲說：

『知畫，謝謝妳的瞭解，謝謝妳的配合！』知畫的臉孔嫣紅，伸手幫永琪解衣領上的扣子…『這外衣，還是得先脫掉……』

『那麼，我們就裝樣子吧！』

『我自己來！』永琪急忙自己解衣。

『我來比較好……』知畫看了窗子一眼，窗外，桂嬤嬤等人的衣衫聲窸窸窣窣。

永琪也看了窗子一眼，就站起身子，知畫也站起身子，她開始為他解紐釦，一個一個慢慢的解，終於，把外衣褪下，放在床前的衣架上。

窗外的桂嬤嬤和眾嬤嬤宮女，擠來擠去，看來看去，開始吃吃的笑，低低驚呼…

『看到沒有？看到沒有？福晉在為五阿哥解紐釦呢！』

不知何時，小燕子已經溜出了房間，站在迴廊的柱子旁，看著桂嬤嬤們發呆。解紐釦？知畫在為永琪解紐釦？她突然想起，結婚四年多，自己從來沒有為永琪解過紐釦！那種羞人答答的事，她可做不來！

琪解紐釦？她突然想起，結婚四年多，自己從來沒有為永琪解過紐釦！那種羞人答答的事，她可做不來！

桂嬤嬤突然用手蒙住嘴，笑得吱吱咯咯，低語…

『躺下了，躺下了……帳子放下了……』

眼看帳幔中，一對新人的剪影，相擁著倒上了床，桂嬤嬤樂得闔不攏嘴。

『男人嘛！怎麼逃得過美人關？』

珍兒翠兒和幾個嬤嬤，就悄悄的笑成一團。珍兒看著翠兒說…

『就是嘛！我說的唄！老佛爺有什麼好擔心的？』

宮女嬤嬤們掩著嘴笑，議論紛紛，珍兒一轉身，忽然看到小燕子呆立在那兒，她趕緊拉拉桂嬤嬤，

大家這才止住笑，急忙站好。

小燕子含淚一摔頭，進房去了。

小燕子知道自己不該吃醋的，是她懇求永琪娶知畫，是她勉強他去做的。但是，知道是一回事，做不做得到就是另外一回事，她管不住自己的心，管不住自己那瘋狂的思想，瘋狂的嫉妒，瘋狂的心痛。

這是她的永琪呀，她愛得那麼深，愛得那麼多的永琪，他居然和知畫『洞房』了！

小燕子神思恍惚的回到房間，跌坐在梳妝台前。

『妳何必虐待自己呢？還不趕快上床睡覺？我幫妳卸妝梳頭！』紫薇為她卸下旗頭，取下釵環，放下頭髮，細細的梳著。

『紫薇，妳相信嗎？他真的和她洞房了……他怎麼可以呢？如果他心裡有我，他還能抱其他的女人嗎？妳的爾康一定不會這樣……』

『是妳求他的，妳不能再怪他呀！』紫薇勉強的說：『妳要他怎麼做呢？已經娶進門了，總不能把她冰在那兒，何況……妳也知道的，這宮裡規矩，還有那條白喜帕呢，賴也賴不掉……』

小燕子猛的推開紫薇，站起身子，開始繞著房間走。

『我沒辦法睡覺，我不能睡覺，我腦子裡全是那張床，那個房間，還有那個送子觀音像！紫薇，我要瘋了，我要做點什麼……我去院子裡練劍……』說著，就開始翻箱倒櫃，找劍：『我的劍呢？又擱那兒去了？』

『妳幹什麼？』紫薇拉住了她：『半夜三更去院子裡練劍？那些宮女嬤嬤都沒睡，妳要讓自己變成大家笑話的對象嗎？何況，妳剛剛流產沒幾天，妳也要為身體著想！現在，妳要和知畫比賽，比賽妳們

誰先有孩子！妳聰明一點，別糟蹋自己！要打贏這一仗！』

『這個比賽，我一定輸！不練劍，那我做什麼？我去打拳！』

『不許！不許出去！妳就呆在這個房間裡，那裡都不許去！』

小燕子無可奈何，呆呆的站著，想著想著，神情又一痛。她就衝到桌子前，打開抽屜，鄭重的拿出那支簫。

『不許我練劍打拳，我練簫……我答應了我哥，下次見面的時候，要吹給他聽！』

她坐了下來，開始吹簫。

簫聲忽大忽小的響了起來，她吹著〈你是風兒我是沙〉，又吹〈不能和你分手〉，再吹〈夢裡〉……

沒有一首吹得完整，全是斷斷續續的。

紫薇瞅著她，看了半天，蹲下身子，拍拍她的手，勸阻的說：

『別吹了！妳的簫聲不太好聽耶！很吵耶！恐怕整個景陽宮，都被妳鬧得不能睡覺了！』

小燕子推開她，眼淚一掉，哽咽的說：

『妳讓我吹嘛！這是我爹的簫耶，我爹吹的時候，鳥兒都會來聽……我拚命練拚命練，總會練好的！至於吵了人家睡覺，我也管不著！整晚，我必需聽樂隊吹吹打打，也沒人關心我能不能睡覺！現在，我吹吹簫都不行嗎？』

小燕子說完，拿起簫，繼續吹，一面吹，眼淚一面撲簌簌的滾落。

簫聲清楚的傳進了新房裡，知畫和永琪躺在床上，知畫面對床裡側睡著，眼睛睜得大大的。永琪平躺，用雙手枕著頭，眼睛也睜得大大的，一瞬也不瞬的看著帳頂。那簫聲，打破了寂靜的夜，也絞痛了永琪的心。聽著聽著，他和小燕子的點點滴滴，就在眼前重演。他體會到她此時的心情，簫聲每斷一

次，他的心就絞緊一次。心裡在低語著，小燕子！發洩吧！如果這樣會讓妳好受一點！他不由自主，又是長長一嘆。

小燕子的簫聲，永琪的嘆息，交織成知畫整個的『洞房花燭夜』。那夜，難捱的並不是只有小燕子和永琪，知畫也是徹夜無眠的。

29

早晨的陽光，燦爛的照射著景陽宮的屋宇樓台。新的一天開始了。

景陽宮的宮女、嬤嬤、太監都已起身，忙忙碌碌的在新房內外出出入入。珍兒翠兒，捧著洗臉水和水瓶進房去。正好，桂嬤嬤捧著紅綢，上面是那條摺疊好的白喜帕，笑吟吟的出門來。珍兒、翠兒就站住了，看著桂嬤嬤悄聲問：

『桂嬤嬤，有沒有啊？老佛爺那兒，可以交差了嗎？』

『當然當然，這還要問嗎？妳們快進去侍候！』桂嬤嬤眉開眼笑。

『是！』珍兒對翠兒笑著說：『都說五阿哥對還珠格格怎樣恩愛，還不是⋯⋯』

『妳們兩個少說幾句！快去！福晉等著要梳頭呢！』桂嬤嬤笑著罵。

桂嬤嬤一抬頭，忽然看到小燕子像個雕像般杵在那兒，靜靜的看，靜靜的聽，她趕緊請安，不禁得意洋洋了⋯

『格格吉祥！這麼早就梳妝好了？』她笑吟吟的溜了新房一眼：『五阿哥和福晉，才剛剛起床呢！』

小燕子瞪了那喜帕一眼，桂嬤嬤就故意把喜帕放低，讓那抹『喜紅』映入她的眼簾。她腦中轟然一響，好像挨了一棒，一聲也不響，轉身就走了。桂嬤嬤看著她的背影，自言自語：

『就算妳吹了一夜亂七八糟的簫，這喜事還是照舊！誰是東風，誰是西風，妳該明白了！』

桂嬤嬤就捧著喜帕，去慈寧宮覆命了。

在新房裡，永琪帶著一臉的倦容，剛剛起身。知畫還沒梳妝，站在臉盆前，看著珍兒倒水進臉盆，她把帕子打濕絞乾，雙手遞給永琪。永琪一驚，看了知畫一眼，見她眼睛腫腫的，知道她也是一夜不眠，心裡實在充滿歉疚。

『我自己來！自己來！』他急忙說。

『丫頭們看著呢！我得表演一下。』知畫低語。

永琪只好接過帕子，擦臉。知畫又從翠兒手中，接過漱口水，再雙手捧給他。翠兒拿起永琪的外衣，幫他披上，知畫就上來幫他扣紐釦。她的纖纖十指，一個紐釦一個紐釦慢慢的扣著，臉頰幾乎依偎在他胸前。

『這清裝，就是紐釦多！』她再接過坎肩，給他穿上，繼續扣坎肩的紐釦。

房門開著，小燕子站在門外，瞪大眼睛看著。珍兒捧著水盂出門去，幾乎撞在她身上。珍兒驚呼：

『哎喲！格格早！嚇了奴婢一跳！』

永琪大吃一驚，驀然抬頭，接觸到小燕子的眼神，那大大的眼睛，一瞬也不瞬的看著他，裡面，是一種他完全陌生的，從來沒有在小燕子眼中看到過的神情。那是動物受傷時才有的反應，充滿了哀痛、迷失、無助、和悲憤。在那一瞬間，他明白什麼叫『傷害』，什麼叫『痛楚』。他還來不及說話，知畫已經對小燕子請下安去，歉然的攏著頭髮，拉著衣襟說：

『姐姐早！對不起……我起晚了，還沒梳頭呢！』

小燕子嚥了口氣，看著知畫那件薄紗的衣裳，想說話，卻什麼話都說不出來。正在這時，紫薇大步

走來，看到這種情形，趕緊笑著幫小燕子找理由下台階：

『小燕子說，昨晚，知畫來拜見了她，讓她很過意不去，今早，輪到她來給兩位道喜了！』

小燕子這才接口，聲音卻不受控制的顫抖著：

『是！我來道喜！五阿哥和福晉，恭喜恭喜！一千個恭喜！一萬個恭喜！我不打擾你們梳頭洗臉扣紐釦，你們慢慢來，我去練劍……』

小燕子說完，就掉頭而去。紫薇情不自禁，給了永琪很不友善的一瞥，眼神裡充滿了責備。小燕子說得對，如果你心裡有她，你怎能和另一個女人寬衣解帶進洞房？明知小燕子心都碎了，你就完全不顧她的自尊，一早就表演這種卿卿我我？她帶著一臉的不以為然，追著小燕子而去。

永琪想追，知畫的手，又上了他的衣襟，繼續扣著紐釦。他只得呆呆的站著。

小燕子奔進房裡，拿起她的長劍，再奔進院子，一陣亂舞，劍氣如虹。紫薇、明月、彩霞、小鄧子、小卓子都站在一旁觀望。紫薇著急的喊：

『一清早，練什麼劍？妳這個身子，到底要不要保護好？把身子弄壞了，是別人吃虧還是妳吃虧呢？』

小燕子充耳不聞，劍舞得密不透風。明月彩霞拚命勸阻：

『格格！好歹吃點東西再練劍！早餐我都準備好了，怎麼不吃呢？』

『從昨天起，妳就沒吃什麼！』紫薇哄著，求著：『這樣吧！讓彩霞去拿幾個包子來，妳先吃了，再練劍，好不好？』

小燕子一面舞劍，一面嚷著：

『空肚子才能練劍！吃飽了就練不動了！』她忽然跳起身子，發洩的大叫：『哇……我砍了你，我

修理你……』一面大叫，一面用劍舞向一排矮樹栽成的短籬。

一陣『喊叱卡喳』，只見樹葉樹枝像雪花般飛舞起來，葉片碎枝四射，打得小鄧子小卓子抱頭鼠竄，紛紛躲避。一會兒，葉片碎枝飄墜落地，大家一看，一排短籬全部變成禿頭。

小鄧子、小卓子趕緊鼓掌，要讓小燕子高興，個個張大眼睛驚呼：

『格格好厲害！』

『好久沒看到格格練劍了！太精彩了！好！』

珍兒、翠兒也圍過來看。

這時，永琪訕訕的走了過來，對小燕子苦笑了一下，眼裡有懇求有祈諒，有溫柔有深情，有委曲有愛憐，柔聲的說：

『一起吃早飯好不好？』

小燕子看到他，一口氣憋在胸口，差點沒憋死，持劍瞪著他問：

『扣子總算扣好了？這個清裝，就是扣子多……』說著，就氣不打一處來，忽然又大叫……『哇……

就飛舞著劍，對著永琪直撲而來。

永琪大驚，喊：

『小燕子！妳幹嘛？』

紫薇嚇得花容失色，急喊：

『小燕子！別發瘋呀……』

永琪眼見長劍已到胸口，急忙飛身而起，長劍從腳下掠過。小燕子持劍，又『哇……』的喊著，再度撲上前來。永琪一竄，從院中一座銅馬的肚子底下穿過去。小燕子再刺，永琪左閃右躲，小燕子的

劍，根本碰不到他。

『永琪，有本事！別躲！』小燕子邊打邊喊。

『我不躲，妳就成寡婦了！』永琪嚷著，唇邊依然帶著苦笑。

『你不怕我成寡婦，怕別人成寡婦吧！』小燕子直刺過來。

『我們放下武器，進房裡去談！』永琪央求。

『和你這種人，沒什麼好談！』

兩人對話中，已經連續過了好多招，小燕子招招逼近，絲毫不肯放鬆。永琪眼看這種情況，她不刺

他一劍，就不能洩恨，突然站住了。

『妳到底要幹什麼？真要刺我一劍嗎？』

永琪這樣一停，小燕子的劍已到他面門。永琪閉上眼睛，一股『妳殺死我算了』的樣子。小燕子的

劍，停在他面前，看著他那張憔悴的臉，無法下手。心裡的悲憤，又無法自抑。於是，她劍鋒一轉，在

他胸前一陣飛舞，就像給矮樹理髮一樣，『喊叱卡喳』，永琪那件坎肩上的紐釦竟然紛紛掉落。

小燕子伸手一接，八顆紐釦落進她的掌心。她抓起永琪的手，把紐釦往他手掌中一放，大聲說：

『拿去給那位福晉！她對紐釦挺有學問，這扣子縫得不牢，恐怕要麻煩她慢慢的縫上去！再慢慢的

扣起來！』

小燕子說完，拿著劍，轉身就走。永琪怔了怔，急忙追上去……

『小燕子！小燕子……』

這時，桂嬤嬤從慈寧宮回來，笑嘻嘻攔住了永琪，請安說：

『五阿哥！老佛爺要奴才傳話，請五阿哥和福晉去慈寧宮，跟老佛爺一起用早膳！老佛爺說，按規

矩，今天新娘要回門，慈寧宮就算福晉的娘家吧！」忽然看到永琪衣衫不整，驚呼著：「這坎肩怎麼回事？一個紐釦都沒有！趕快去新房換一件！」

這樣一耽誤，小燕子已經進房了。紫薇瞪了永琪一眼，心裡也是不平著，搖搖頭，也進房了。明月、彩霞眼睛睛濕濕的，看了永琪一眼，都進房了。小鄧子小卓子拿起掃帚，開始清理一地的樹枝樹葉。

永琪握著一手的紐釦，看著大家的背影，有苦說不出。覺得那些紐釦，都變成了燒紅的烙鐵，烙得他手也痛，心也痛。

紫薇陪著小燕子，吃完早餐，實在掛念著東兒，不能一直陪著她，勸了她一大篇話以後，回學士府了。見到爾康，她非常感慨。男人，是不是生來和女人就不同？『痴情』只是女人的專利，男人不『濫情』就不錯了，妄想痴情，更妄想專一！永琪這麼容易就接受了知畫，完成了那條『白喜帕』的使命，不止打擊了小燕子，也打擊了紫薇。紫薇對『情有獨鍾』四個字，一直像是一種宗教般崇拜景仰著，雖然有一個到處留情的皇阿瑪，總希望年輕的他們，體驗過『生死相許』的他們，是與眾不同的。看著爾康，她嘆息的說：

『永琪也是……居然玩眞的……』

爾康非常同情永琪，這件事，永琪實在情有可原，身不由己。他嘆口氣：

『妳也要爲永琪想，這件事，能玩假的嗎？老佛爺把自己的心腹桂嬤嬤，都派到景陽宮去了！多少雙眼睛看著呢！他敢玩花樣，小燕子的身世就保不住！』

『可是……永琪一定也爲知畫動心了，是不是？要不然，是不能勉強的！男女之間，情不到，心不到，怎麼會上床呢？小燕子最嘔的，也是這個！我最不瞭解的，也是這個！」她凝視爾康：『爾康，易

地而處，你會不會和永琪一樣？』

爾康想了了想，坦白眞誠的看紫薇⋯

『沒有易地而處，不可能易地而處，這種狀況，永遠不會發生在我身上，如果發生，我也沒有永琪那麼能幹！』說著，想到簫劍，就神色一正，說⋯『我要到會賓樓去看看柳青！不知道簫劍是不是出城了？往那個方向走的？我對他，也是非常不放心，就怕他根本沒出城，還在等機會救晴兒！』

紫薇拼命點頭，定定的看著爾康，忽然就走上前去，勾住爾康的脖子，靠在他的肩上。爾康因這個舉動而受寵若驚了，柔聲問⋯

『怎麼了？』

『我有點害怕！』

『別怕！現在總算化險爲夷了！我想，簫劍心思細密，不會那麼傻，他知道他的任何行動，都影響到小燕子和永琪，就算他現在恨死老佛爺和皇阿瑪，他也不會再輕舉妄動的！』

『我不是怕簫劍輕舉妄動，我是怕⋯⋯我們這些人的命運！你看，晴兒和簫劍被迫分手，小燕子和永琪又變成這樣，只有我們兩個，還擁有幸福！看到小燕子和晴兒，我幾乎爲了自己的幸福，充滿了犯罪感！爾康⋯⋯我們是唯一的一對了，我們會長長久久的，是不是？』

爾康把紫薇的手，緊緊一握。

『是！我們會長長久久！別難過了，那有人爲了自身的幸福，充滿犯罪感呢？人間，就是這樣，老天沒辦法把「幸福」這玩意，平均分給每一個人！只能各人擁有各人的幸福！但是，我仍然堅信，晴兒和小燕子，都有她們的幸福！』

流。

他策劃得萬無一失，他再也不能輕舉妄動。他的懷裡，揣著晴兒寫給他的信，那內容他早已可以倒背如

邊。眼看著層雲飛捲，大地蒼茫，他越走越孤獨，越走越愴惘。他很想策馬回頭，但是，他知道，除非

蕭劍不在會賓樓，柳青把他一直送出了北京城，他一人一騎，走向了北方，走向了孤獨，走向了天

『蕭劍，當你看到這封信的時候，希望你已經遠離北京城了！從今以後，你將活在我的記憶裡！就

像你說的，這是我們生命中最美麗的一段，你不後悔，我比不後悔更多，我充滿了對上蒼的感恩！終

於，我的生命沒有白活：為了小燕子和永琪，我們必需犧牲！犧牲，需要勇氣和決心，我的勇氣，來自

你的勇氣！所以，請不要用任何魯莽的行為，破壞了比我們相愛更重要的事……我會照顧小燕子，你放

心，時時刻刻，我心與你同在！』

晴兒一句：『我的勇氣，來自你的勇氣！所以，請不要用任何魯莽的行為，破壞了比我們相愛更重

要的事……』不斷縈迴在他的心頭，『為了小燕子和永琪，我們必須犧牲』更是他心底的聲音。但是……

但是……永琪娶了知畫，小燕子的處境將如何？晴兒，我們的犧牲，是不是真能換得小燕子的幸福呢？

小燕子怎會幸福呢？一整天，永琪和知畫都沒有回到景陽宮。晚上，乾清宮大宴賓客，永琪和知

畫，直接從慈寧宮赴宴。紫薇回家了，小燕子一個人待在景陽宮，第一次體會到『冷宮』的滋味。夜漸

漸深了，永琪和知畫都沒回來，明月、彩霞鋪床的鋪床，點薰香的點薰香，一面向小燕子報告永琪他們

的行蹤。

『後來，皇上請了晚膳，嫁出宮的格格都來了，只有紫薇格格沒到，說是東兒少爺著涼了，走不開！

可是，福大人、福晉、額駙都來了！』

小燕子喉嚨裡堵著一個硬塊，鼻子塞塞的問：

『很熱鬧是不是？既然是家宴，為什麼沒有人請我去？難道我不是格格了嗎？』

『我聽小桂子說，皇上也要格格出席的，但是，老佛爺說，格格才流產，身子不好，也不方便出席！』

『哼！』小燕子咬了咬嘴唇。

明月看了小燕子一眼：

『今晚，妳就早點睡！天大的事，也留到明天再說！』

『別再吹簫了！』彩霞接口。

小燕子繞室徘徊，伸頭對外面看了一眼。今晚，他當然還要在新房裡睡。他們又會在新房裡解紐釦，紅羅帳裡，不知是怎樣的情景？她躡躡腳，越想越難過。怎麼會弄成這樣呢？早知道，不如跟著簫劍一起走！為什麼要留在宮裡呢？為什麼要冒著生命危險，繼續當永琪的妻子呢？她自問著。心底，也雷鳴似的響著答案：為了永琪，為了永琪，為了永琪……但是，永琪配嗎？永琪也像她一樣，在乎著她嗎？

小燕子正在愁腸百結，房門一響，永琪快步進房來。小燕子一驚抬頭，不敢相信的呆看著他。永琪看了她一眼，就對明月彩霞說：

『妳們先出去！等一下再來侍候！』

明月、彩霞有意外之喜，兩個丫頭就匆匆行禮出房去，並且，仔細的關上房門。

永琪就一步上前，緊緊的握住小燕子的手。小燕子心裡一酸，用力要摔開他，他卻死死的緊握不放。她瞪著他，眼眶不爭氣的濕了，聲音哽著：

『你到我這個不祥的「冷宮」來幹什麼?我又不會扣紐釦,又不會解紐釦……』

『可是……』永琪勉強的笑著:『妳會「劍刺紐釦」,嘓嘓嘓嘓!一排紐釦全部落光光!』她抽抽鼻子,眼淚在眼眶裡打轉,她拼命忍著,我不哭,我不哭!

『你心情很好是不是?很開心是不是?還能講笑話!』

永琪笑容一收,深深的盯著她,眼睛裡,是無盡的深情。他低聲而嚴肅的說……

『小燕子……我沒有跟她圓房!』

小燕子大震。

『什麼?你沒有……沒有?』

永琪搖頭,誠實的、認真的說……

『我沒有!知畫說,她配合我演戲,免得老佛爺起疑心……所以,我們就演戲給桂嬤嬤她們看,事實上,什麼事都沒發生,我們只是合衣睡了一夜……事實上,我也沒睡著,因為……因為……有人吹了一夜的簫,聽得我渾身冒冷汗,五臟六腑都絞在一起,痛了我一夜!』

小燕子一瞬也不瞬的看著他,無法相信,怔怔的說……

『我不信……我不信……我親眼看到,桂嬤嬤捧著那條白喜帕……』

永琪就伸出左手的食指給小燕子看。只見食指上,刀痕鮮明。

『是知畫提議這樣做……我沒經驗,一刀劃下去,割了好深一個口子,血一直流……妳看!』

小燕子捧起那隻手,看著,看著,眼淚在眼眶裡怎麼也待不住,跌落在他的手上。她哽咽的低問……

『真的?你沒有……你居然沒有……』

他長長嘆息,眼光纏著她。

『小燕子，我心裡只有妳，怎麼可能去抱別的姑娘？我躺在那兒就想，皇阿瑪實在是個奇人！就這一點，我也輸給皇阿瑪太多了！』他頓了頓，再說：『這幾晚，我大概都得留在新房，免得桂嬤嬤她們疑心，去打小報告，我不會做什麼……妳，不要胡思亂想好不好？』

她仰望著他，忽然覺得他那張臉，那麼漂亮，他那雙眼睛，那麼明亮，他那個人，那麼偉大！他是她的一切，他值得她愛，值得她受苦，值得她深陷在這個皇宮裡，值得她離開哥哥，當爹娘的罪人！她想著，眼光也纏著他，說：

永琪一本正經的說：

『知畫居然配合你演戲？她怎麼會那麼好？我……我……』她心中一熱，感激涕零而自嘆不如了：『但是……

『我誤會她了，我那麼小心眼，簡直是用小人的心去想君子的心！』她想想，又耽憂起來：『但是……你已經娶了她，總不能跟她演一輩子的戲，遲早，你還是要和她圓房的！』

『沒有「遲早」！我就和她演一輩子的戲！我想過了，老佛爺認爲妳的身世不如她，那麼，將來如果有冊封，妳讓給她！是我欠她的。至於我這個人，老早就屬於了妳，她只好讓給妳！』

『她肯嗎？她願意一輩子都這樣過？』

『這不是她願不願意的問題，是我的問題！』他把她的雙手，拉到自己的胸前：『小燕子，我沒辦法……我的心裡，全是妳！在那間新房裡，我絕對不會比妳的日子好過，對我而言，每個時辰，都像一百年那麼長！最糟糕的是，妳的影子老在我眼前晃，我卻得面對另外一個女人！妳不能想像我的滋味，那是一種煎熬，一種苦刑呀！再加上妳的簫聲，就有本事把我折騰得亂七八糟！如果妳再不信任我，還跟我嘔氣，不愛惜身體……我都不知道自己在幹什麼……這種日子，我怎麼繼續下去呢？』

永琪說得那麼溫柔，字字句句，打進小燕子的內心深處。這一番肺腑之言，她都聽進去了，聽得淚

眼模糊。一個激動之下，就痛悔的低喊…

『我錯了！我錯了！你打我好了！』

她抓起他的手，『叭』的一聲，給了自己一耳光。

他慌忙抽手，一把就把她緊緊抱住，抱得那麼緊，她不能喘氣。她的手，情不自禁的勾住他的脖子，兩人緊緊的、緊緊的依偎著。他的嘴唇，貼在她的耳邊，熱氣吹在她的髮際。他在她耳邊說…

『我不能再停留……我必須去那間「新房」……妳信我了嗎？』

她拚命點頭，雙手卻不捨的勾緊了他。

這樣熱情奔放的小燕子，讓他的心跳加快，好想好想，跟她進紅羅帳，好想好想，跟她共度春宵……但是，不行！多少雙眼睛在看著，蕭劍也不知道平安沒有？想到蕭劍，永琪才驀然醒覺，別讓這番犧牲，變成白費才好！他趕緊問…

『蕭劍怎樣？』

『應該已經走得很遠很遠了！老佛爺很守信用，昨晚就放了他！』

永琪吐出一口長氣來，如釋重負。他再看小燕子，許多現實問題，一一浮現。

『還有一件事，那個殺父之仇，妳必須徹底忘記！見到皇阿瑪，還要和以前一模一樣！上次揮鞭子那種事，再也不能發生，要不然，我們的日子會更加難過！為了我，點個頭，怎麼樣？』

小燕子的臉，本來帶著無限柔情，聽到這話，頓時僵了僵，眼裡，閃出了矛盾和痛楚。

『答應我！』永琪低聲而急促的說，幾乎是在懇求她。

他這麼好，為了他，她什麼都可以不要，生命都可以不要！她熱烈的看著他，終於點點頭。

永琪長嘆一聲，在她的臉頰上飛快的吻了一下，推開她，出門去了。再不走，他就捨不得走了！

小燕子仍然站在那兒，用手摀著被吻的臉頰，臉上漾起作夢似的表情。雖然，永琪走向了另一個女人的身邊，她心裡卻漲滿了被愛的感覺。回憶起來，她初戀的時期，稚氣未除，是糊糊塗塗的。在他的一再表白下，都弄不清自己是他的夢中人。現在，這份感情才眞正成熟了，她終於瞭解，什麼叫作『生死相許』，什麼叫作『天長地久』。這種愛情，那麼炙熱而強烈，溫馨而酸楚，讓她心甘情願付出一切！

在這一刻，殺父之仇也變得很渺小，偉大的，是永琪的愛！

景陽宮自從知畫進門，就有了很多的改變，不止小燕子倍感壓力，就連宮女太監們也沒有好日子過。這天一清早，明月、彩霞、小鄧子、小卓子照例在大廳中打掃，有的掃地，有的擦桌子，有的擦擺飾，有的撢灰塵，忙得不得了。

珍兒翠兒進房，翠兒看著四人，不滿意的說：

『新房也要打掃喲！誰負責打掃新房？幾天了，都沒有好好的收拾！』

明月聽到『新房』兩個字，就爲小燕子憤憤不平，沒好氣的抬頭，一瞪眼說：

『新房？新房不是歸妳們管嗎？我們是「舊房」的宮女，只管「舊房」的事！』

『是呀！』彩霞跟著接口：『這舊房可比新房多！又有格格房，又有書房，又有大廳，還有客房、廚房、院子……那有時間管「新房」？妳們都在幹嘛？』

『我們要管福晉的吃呀，穿呀，戴呀……』珍兒嚷著。

『老佛爺把我們從慈寧宮調來，是侍候福晉的，不是清潔打掃的！這景陽宮的奴才不夠用，還是怎的？』翠兒嘴巴更兇。

彩霞被小燕子寵慣了，那裡受過這個氣，背脊一挺：

『翠兒，妳這話就難聽了！什麼奴才奴才，我們的主子，也沒把我們當奴才！』

小卓子也憤憤不平，插嘴：

『就是！主子常常說，只有自己把自己當奴才，才是最沒出息的奴才！翠兒，我看妳，就是這種人！』

翠兒雙手一插腰，往前一衝，氣沖沖的喊：

『你罵我沒出息！你是那根蔥？你敢罵我？』

小卓子還沒說話，桂嬤嬤進門來了，眼睛一掃，大聲嚷：

『珍兒翠兒，妳們不幹活，在這兒吵架？五阿哥和福晉都起床了，洗臉水呢？漱口水呢？早餐準備了嗎？』眼光銳利的盯著明月彩霞等人，一兇：『明月，彩霞，等會兒去收拾新房！小鄧子，小卓子，這新房裡，怎麼連一盆鮮花都沒有？你們去御花園採一點！福晉喜歡紅色的花，那些黃色白色紫色……都免了！』

小鄧子見桂嬤嬤盛氣凌人，忍無可忍，往前一站說：

『桂嬤嬤！妳搞錯了，我們不是福晉的奴才，我們主子沒有叫我們去採什麼花花草草，妳自己去！』

桂嬤嬤大怒，上前，舉起手就要打小鄧子。小鄧子跟著小燕子多年，已經練了一點拳腳，一閃身就跳開了。桂嬤嬤用力太猛，打了一個空，就摔了一跤。

『哎喲！哎喲……閃了腰了……』桂嬤嬤按著腰，痛得站不起身子。

珍兒、翠兒趕緊去扶。小鄧子不禁得意起來，笑著說：

『跟著主子這麼多年，工夫也學會了一點點……』

小卓子、明月、彩霞全都笑了起來。桂嬤嬤站穩身子，不禁怒不可遏，指著明月、彩霞、小鄧子、

小卓子四人怒喊：

『你們給我站住！掌嘴！』說著，就近給了彩霞一巴掌。

彩霞來不及閃，被打了一個正著，氣壞了，搗著臉喊：

『妳又打我！那天過來佈置新房，妳也打我！妳看我們景陽宮的人好欺負，說打就打，說罵就罵……

我跟妳這個老太婆拚了！』

彩霞就撲到桂嬤嬤身上去。桂嬤嬤尖叫……

『反了！反了！珍兒，翠兒！妳們站著不動，是要我被人打死嗎？』

翠兒上去拉彩霞，明月就上去拉翠兒。彩霞和明月只得放開桂嬤嬤，和珍兒翠兒扭打起來。桂嬤嬤

乘機脫身，氣勢凌人的對外大喊：

『小順子！小豆子……趕快去慈寧宮叫人，這個景陽宮的奴才，全體造反了！再不教訓，就無法無

天了……』

小鄧子挽袖子，怒沖沖大喊：

『妳還想搬救兵，我先教訓妳！』

小鄧子撲上前去，小卓子見鬧得不可開交，急忙拉架……

『不要呀！小鄧子……不可以這樣，快住手，快住手……』

這樣一場大鬧，就驚動了小燕子、永琪、和知畫，全部奔進門來，見狀大驚。小燕子大喊……

『住手！通通給我住手！』

太監嬤嬤宮女全部起身，這個旗頭歪了，那個旗鞋掉了，大家狼狼狽狽站穩，急忙對永琪知畫和小

燕子行禮。

『五阿哥吉祥！格格格吉祥！福晉吉祥！』

小燕子看到永琪和知畫一起從新房裡出來，心裡依舊有幾千幾萬個不是滋味，又見滿屋零亂，更氣，再看到彩霞臉上的手指印，氣上加氣，大聲的說：

『明月！彩霞，小鄧子，小卓子！你們真沒用！又被欺負了是不是？彩霞，臉孔紅紅的，還有手指印！誰打妳了？』

彩霞還來不及說話，桂嬤嬤挺身而出：

『格格！這個景陽宮，規矩實在不太好，奴才們又頂嘴又偷懶，新房都沒人收拾！如果傳到老佛爺耳朵裡，大家的日子就不好過了！奴婢只好幫格格教訓她！』

小燕子瞪著桂嬤嬤，爆發了：

『景陽宮的規矩不好，輪到妳來多事嗎？』她指著門口：『妳馬上去！走走走！去告訴老佛爺，我不許妳再進景陽宮！看老佛爺是休了我，還是廢了妳！』

永琪急忙上前，看著小燕子，委婉的說：

『小燕子，一清早，幹嘛跟宮女嬤嬤們嘔氣？忍一忍不好嗎？』

桂嬤嬤就走到知畫身邊，委屈的說：

『福晉！奴婢還是回到慈寧宮去吧！這兒的事，奴婢管不來……』

知畫看看四周，心中早已瞭然，她嘆了口氣，不慍不火的說：

『桂嬤嬤！五阿哥昨晚忙了一夜，看奏摺，寫計劃！到現在早餐還沒吃呢！邊疆問題，國家大事，黎民百姓，五阿哥樣樣要管！你們居然在這兒搞一些雞毛蒜皮的戰爭，吵得五阿哥不能休息，實在太丟臉了！』說著，就走上前來，對小燕子請了一個安…『姐姐，早！』

聽到永琪昨晚在忙『國家大事』，小燕子臉一紅，覺得自己也是『雞毛蒜皮戰爭』中的一員，不禁汗顏了。

『哎呀哎呀！別叫我姐姐，叫我小燕子就好了！我和紫薇，結拜了半天，還是叫名字！』就看著永琪問：『邊疆怎麼了？皇阿瑪沒放你假？這種時候還要看奏摺？』

『皇阿瑪存心考我呢！』永琪對小燕子笑笑，解釋著：『都是緬甸的問題，緬甸的老國王死了，新國王猛白繼位，有些蠢蠢欲動……雲貴總督劉藻是個讀書人，帶兵有問題，緬甸邊境的大姑碟、小姑碟……』說到這裡，看到小燕子一臉的糊塗，知道這麼複雜的事，她一定聽不懂，就住口了。

小燕子很關心，急忙問：

『這大姑爹跟小姑爹怎麼了？吵架啦？』

知畫一笑，從容的接口說：

『大姑碟、小姑碟都是地名，是邊境的兩座城市！』

小燕子臉孔又一紅，頓時，充滿了挫敗感，自言自語：

『地名？那有這麼奇怪的地名，大姑爹小姑爹？還大嬤婆小嬤婆呢！』

知畫再一笑，立刻丟開了這個問題，走上前去，親自幫彩霞扶正旗頭，和顏悅色，幾乎是小心翼翼的說：

『彩霞，不要難過，桂嬤嬤脾氣急，心眼是好的！都是為了我，口氣才那麼壞！護主心切嘛！明月，妳也別生氣，還有小鄧子小卓子……大家分什麼景陽宮慈寧宮呢？都是一家人嘛！來，到我房裡來，我準備了一些小禮物，這兩天忙著大宴小宴，一直沒時間給你們！』又對桂嬤嬤和珍兒翠兒招手：『妳們也來！我也有禮物給妳們喲！從今以後，看我的面子，誰也不許吵架，知道嗎？桂嬤嬤，不是我說妳，

彩霞明月都是小輩嘛，妳多寵愛她們一點，少指責她們一點，不就皆大歡喜嗎？』

知畫說著，一手牽著彩霞，一手牽著桂孃孃，就往大廳外走去。

明月、小鄧子、小卓子還在猶豫，不知是跟著走好，還是不走好。

『怎麼？』知畫回頭一笑：『還在生氣啊？總不是跟我生氣吧？不拿我的禮物，我會很難過的！』她

的笑容，燦爛如陽光……『來來來！都來！』

明月、小鄧子、小卓子見知畫如此放低身段，再也無法堅持了，嘻嘻一笑，跟在她身後去了。轉眼

間，一屋子的人，都跟著知畫走了，大廳裡剩下永琪和小燕子。

兩人對看著，小燕子就低低的問：

『昨晚，忙著看奏摺？』

『是！』

『她也陪著你看奏摺？』

『是！』

『想必，也和你一起討論，一起研究吧？』

永琪楞了楞，覺得小燕子的語氣中有些酸意，卻不能不誠實的回答：

『是！』

小燕子瞪著他，心想，所以她知道『大姑爹，小姑爹』是什麼，自己都不知道！想必，討論研究之

餘，端茶奉水裁紙磨墨都是她吧！看奏摺的時候，也一定頭貼著頭，身子靠著身子吧！她想著想著，眼

眶一紅，一摔手，掉頭就出門去了。

剩下永琪，呆呆的站在那兒。他茫然佇立，一臉的無辜和無可奈何。

30

這晚，乾隆在慈寧宮舉行家宴，太后、小燕子、紫薇、爾康、永琪、知畫、晴兒、令妃都在，大家圍著圓桌在用晚膳。一副『家庭和樂圖』。桂嬤嬤帶著珍兒翠兒和嬤嬤宮女服侍著。宮女們穿流不息的上菜、上湯、斟酒。

知畫不時幫太后挾菜，也不忘幫小燕子挾菜。

乾隆看看小燕子，看看知畫，見二人似乎相處得還不錯，有些意外，感動的說：

『朕最喜歡這樣，咱們可以天天這樣！只是，每次要紫薇進宮吃晚飯，她都是推三阻四的……』太后說著，看爾康：『爾康，你捨不得紫薇進宮啊？』

『皇帝最喜歡這樣，大家和和氣氣，三代同堂，真是一種幸福呀！』

『老佛爺說那兒話？紫薇最近，在宮裡還比在家裡多呢！』爾康笑著回答。

『老佛爺，也不要太勉強紫薇……』令妃幫紫薇解圍。

『我知道，我知道！做過娘的人，誰不瞭解這種牽腸掛肚呢？』就看著紫薇說：『紫薇，怎麼不帶東兒進宮呢？』

『本來要帶來的，可是，前兩天著涼了，有些發燒，今天就不敢帶他出門！明後天，一定帶來給老

佛爺和皇阿瑪看！」紫薇笑著說。

知畫就非常羨慕的說：

「額駙和紫薇格格的孩子，一定長得好漂亮！我聽小燕子姐姐說，東兒好聰明，不到三歲的時候，就會認字了！」

「認字？太誇張了吧？」乾隆驚訝的說。

「那也沒有什麼誇張，爹和娘都聰明嘛！」太后接口：『我在海寧的時候，聽陳夫人說，知畫兩歲就會認字！說不定，知畫和永琪的兒子，不到兩歲，就會背詩了！」說著，就用別有深意的，充滿期待的眼光，瞄了知畫和永琪一眼。

知畫臉一紅，急忙低下頭去。

小燕子臉色難看極了，心裡百味雜陳，吃得不是滋味。

永琪埋著頭吃飯，一語不發。

晴兒從頭到尾，都默默無言，食不知味。

乾隆看看眾人，忽然想了起來，說：

「好了，這個知畫的喜事，總算鬧完了！接下來，應該要忙晴兒了！」眉頭一皺：『奇怪，怎麼這些日子，都沒看到蕭劍？景陽宮辦喜事，也沒看到他參加！」

乾隆此話一出，大家的神色都變了。這宮裡演出一連串的好戲；鴻門宴、捉六人、關密室、講條件、關蕭劍、逐蕭劍……乾隆是一概不知。演變到今天，蕭劍走了，晴兒不會笑了……小燕子想著，神色慘淡，瞪著乾隆，衝口而出：

『我哥和這個回憶城八字不合，走了！和晴兒的婚事，也沒了！」

『這是什麼意思？』乾隆瞪大了眼睛，吃驚的問。

永琪生怕小燕子說出什麼不妥的話來，就急忙接口：

『皇阿瑪！本來我也預備這兩天向皇阿瑪報告的，簫劍經過了仔細的考慮，認為宮中生活，他不能適應！做官也做不來，怕耽誤了晴兒的終身，所以，他走了！』

晴兒滿臉悽惶，低俯著頭，放下筷子。

乾隆困惑已極，不禁生氣的說：

『豈有此理！他在杭州，表演了那麼轟轟烈烈的一幕，帶著晴兒私奔，鬧得人盡皆知！這會兒，朕也答應他的婚事了，他又說不耽誤晴兒的終身，那有這麼莫名其妙的事？晴兒！妳也同意了？還是不得不同意？這是怎麼回事？』

晴兒抬頭看著乾隆，強忍著淚，挺直了背脊。清楚的說：

『皇上！是晴兒要他離開的！』

『妳要他離開……』乾隆不解：『為什麼？』

『皇上！』晴兒嘆息著說：『簫劍那個人，一向雲遊四海，以天地為家！如果我把他綁在宮裡，他會變成一個被感情所困的囚犯！簫劍，他就像一隻老鷹，有他的天空和樹林！這個皇宮，對他而言，是一個豪華的金絲籠！我不能因為我的自私，讓他成為金絲籠裡的老鷹呀！所以，我讓他飛了，讓他飛回他的樹林和天空！』

乾隆驚看晴兒，震動中，有些瞭解了。

『那他……也就走了？』

『是！』晴兒抬頭看看窗外……『天空有更大的力量，他逃不掉這種力量的呼喚，他走了！』

乾隆懷疑的環視眾人，爾康就急忙笑著說：

『皇阿瑪！我知道您代晴兒生氣，但是，退一步想，這樣也很好！您不知道，簫劍雖然跟我們回北京了，其實痛苦得不得了！如果今天一定要留住他，他遲早會怪晴兒困住了他！所以，他的離開，是福不是禍！』

太后心虛，生怕再扯出其他事故，急於轉換話題，就頷首同意說：

『對！是福不是禍！爾康這話對極了！皇帝，事已至此，你也別追究了！』

乾隆注視晴兒，憤憤不平的說：

『好！讓他走！讓他飛到他的天空裡去！晴兒，朕馬上給妳找一門好親事，給妳辦個盛大的婚禮，讓他去後悔！』

晴兒大震，一驚而起，悽然的說：

『皇上！不要！請讓晴兒侍候老佛爺一輩子，我願意終身不嫁！』

乾隆銳利的看晴兒，感慨的說：

『晴兒晴兒，妳終身不嫁，也成不了簫劍的天空！妳別傻了！』

晴兒眼中，驀然充淚了。

小燕子再也忍不住，推開飯碗站起身來，慫著氣說：

『我胃痛，我吃不下，何況，這酒這菜，不知道裡面放了什麼作料，吃得我反胃，我還是少吃為妙……我先走一步！』

小燕子掉頭就走，太后聽她話中有話，大怒，大聲喊：

『小燕子，妳也想飛到妳的天空和樹林裡去嗎？回來！』

小燕子站住了，回頭看太后，痛楚的說：

『老佛爺，您已經稱心如意了，一件件目的都達到了，何必還要逼我呢？如果我能飛，我也飛了！』

一句話說盡小燕子的心事和委屈，永琪聽了，最是感觸。起身說：

『皇阿瑪！小燕子身體還沒復元，胃口也不好……讓她去休息吧！』

紫薇急忙站起身來，說：

『我陪她回景陽宮！皇阿瑪，老佛爺，我也先走了！』

知畫跟著站起來，說：

『還是讓我送姐姐回去吧！』

乾隆大為掃興，帶著困惑和不滿，看著這群兒女……

『怎麼回事？一個個都要走？』

正在這時，小鄧子急急走進，甩袖行禮，急促的說：

『皇上吉祥，老佛爺吉祥！』就轉向爾康和紫薇……『額駙大人，紫薇格格！學士府派人來，要你們趕緊回家！說是東兒發高燒，渾身抽筋，病得很嚴重……』

眾人大驚。紫薇和爾康雙雙變色了。

『東兒！』紫薇痛喊一聲，她什麼都顧不得，連行禮告辭都忘了，東兒，東兒！她轉身就往門外衝去。

『皇阿瑪！老佛爺，我們告退了！』爾康急喊，跟著紫薇衝出房。

室內眾人，全部驚呆了。令妃最冷靜，急忙喊：

『小鄧子，傳太醫！讓所有太醫，都跟爾康一起去學士府！如果不是事態嚴重，福大人不會驚動宮

裡！』

『對！把握時間！』乾隆這才醒悟，跟著喊：『來人呀！傳太醫！尤其是胡太醫，他醫術高明！』

『喳！』一群太監答應著，飛奔出房去。

確實，東兒病得很重，學士府一團忙亂。

東兒躺在床上，昏睡著。福晉和福倫，焦灼的站在旁邊，目不轉睛的看著李大夫和孩子。丫頭奶娘圍繞，東兒從小，就是他在照顧。李大夫坐在床前，滿頭大汗的在把脈。李大夫也是北京的名醫，東兒從住用冷帕子蓋在東兒頭上。福倫心驚膽戰的問：

『李大夫，到底情況怎樣？你前天診斷，不是說只是著涼嗎？』

李大夫把完脈，診視完畢，慌張的站起身來：

『李大人！對不起，可能……前幾天的診斷有誤，那時，病還沒發出來，只有一些輕微的發燒……現在，看這樣子，大概……大概……』

『大概什麼？』福倫著急的大聲問。

『福大人，您另請高明吧！小少爺的病，我沒辦法了！』李大夫惶恐的說，轉身就想走。

『什麼沒辦法？李大夫，你不能走！這孩子是我們的命呀！』福晉喊。

『不行不行！我的醫術不夠……我……我告退了！』

李大夫慌張的說，急於脫身，往門口逃去，福倫大震，一把抓住他的手腕。

『你告退？你怎麼能告退？你是他的大夫呀！你不許走！你得給他治……』

這時，爾康和紫薇帶著四個太醫，飛奔進房。爾康喊著：

『太醫來了！太醫來了！額娘……東兒怎樣了？』

紫薇就撲在床前，看著昏迷不醒的東兒，痛喊著：

『東兒！東兒……你怎麼了？你醒來！快醒來……』

絲，害怕極了，聲音顫抖著：『東兒！睜開眼睛看看娘……怎麼會這樣子？』她一把抱起東兒，親著，喚著：『東兒……額娘在這兒，額娘抱著你，你快睜開眼睛啊……』看到平時活潑的東兒，現在臉色慘白，氣若游

胡太醫急忙趨前，著急的喊：

『格格，快把少爺放在床上，別搖他，讓我診治！』

爾康看了東兒一眼，見東兒這樣，嚇得魂飛魄散了，急急抱過孩子，放上了床。

『紫薇，妳冷靜一下，趕快讓太醫們診治！』

爾康就拉著紫薇起身，把位子讓給四位太醫。太醫們圍了過去，仔細診斷。

紫薇轉身，撲進福晉的懷裡，自怨自艾的說：

『額娘！都是我不好，這些天，因為小燕子太傷心了，我天天往宮裡跑，都沒有好好照顧東兒，才讓他著涼！我這個娘，是怎麼當的？』說著說著，就哭了。

福晉拍著紫薇的肩，也自責的說：

『不是妳！是我不好！那天，我帶他在花園裡玩，下雨了，他淋了雨，晚上就發燒了！是我沒照顧好我的孫子啊！』

婆媳二人，就抱在一起掉淚。爾康著急的喊：

『妳們不要這樣好不好？東兒只是著涼，不會有大事，妳們這樣哭，倒好像他有事似的！』

紫薇一聽，趕快擦眼淚，忍住淚，拚命說：

『我不哭不哭不哭……東兒沒事，哪個孩子不生病，明天就好了，他沒事沒事沒事沒事……一定沒事……我不哭不哭……』

福晉也趕緊拭淚，握住紫薇的手，顫巍巍的說：

『我們不要自己嚇自己！』胡太醫來了，孟太醫也來了！東兒福氣大，有皇上的鴻福罩著，有福家祖宗的保佑，不會有事的，啊？』

李大夫趁亂，提著藥箱想溜走。爾康一把抓住了他。

『你不要走！這幾天，都是你在診治東兒……是怎麼個情形，你告訴太醫們！我也不怪你從頭就誤診，但是，你給東兒吃的是些什麼藥，你總得說明白！』

幾個太醫翻開東兒的衣領，又察看東兒的肚子，背部。然後，太醫們一臉驚嚇，彼此對看。胡太醫就起身，對李大夫說：

『你已經有了結論，是不是？』他轉頭看爾康，嚴重的說：『額駙大人，福大人……你們都出去等一等，讓我跟李大夫一起會診，再跟你們報告！』

爾康看到幾個太醫的神色都不對，心一沉，抬頭堅定的說：

『我不出去！我守在這兒！這是我的兒子，我要知道他的情況！』

『我也是！我也不出去！』紫薇哀懇的喊：『胡太醫，他沒有危險，是不是？』

幾個太醫紛紛起身，跟胡太醫點頭，表示診治已有結論。

『胡太醫！你就直說吧！孩子是什麼病？能治還是不能治？』福倫嚷著。

『大家先不要急，病勢雖然凶險，也不是不治之症！』胡太醫看著福倫：『小少爺身上，已經開始出痘了，依我們看，是天花！』

滿屋子的人，全部大驚失色。屋裡的丫頭和傭人，頓時你推我擠，跑了一半。

『天花！不是著涼，是天花！』紫薇抽了一口冷氣，雖然知道這病兇險萬分，卻忽然堅定起來，一種母性的本能，和母性的勇敢，全部集中在她身上，她抬頭看著胡太醫：『沒關係，我守著他！要怎麼照顧，你告訴我！』

『格格，妳沒害過天花嗎？如果妳沒害過，妳不能接近這個孩子！』胡太醫說。

『我不知道我有沒有害過，我娘沒告訴我，說不定小時候害過了！但是，不管我有沒有害過，我不會離開我的兒子！在他好起來之前，我一步都不會離開！』

爾康往前一站。

『我跟妳一起照顧他，我也不會離開！』

『可是……』福晉驚喊：『爾康，你沒有害過天花，你會被傳染的！出去，你快出去！』

康：『我在這兒，奶娘在這兒，還有紫薇守著，你出去！』

爾康掙脫了福晉，堅定的嚷著：

『要傳染，我早就被傳染了！別拉我！你們都出去，讓我和紫薇來！這是我們的兒子，我們要一起面對……』

福倫冷靜下來，看胡太醫：

『胡太醫，你肯定嗎？』

『我想沒錯了！』胡太醫急忙吩咐：『趕快把家裡消毒，最好讓家裡害過的人，過來照顧！這事不能大意，我們滿人，對這個病沒有抵抗力，不像漢人！我會寫一個單子，該怎麼照顧，會寫得清清楚楚！走！我們出去開方吧！福大人，這事我不能瞞皇上，恐怕學士府要隔絕一陣子！貴府上的人，一月

之內，別再進宮了！」

胡太醫帶著幾個太醫出門去開方，福倫跟著去了。

奶娘急忙往前一步說：

「額駙，格格，我來侍候小少爺，我小時候出過天花！」

「好！妳留下！還有誰出過？」紫薇這時，已經平靜下來。

「還有我！」丫頭秀珠挺身而出。

紫薇挽起袖子，在水盆中擰帕子，細心的給東兒擦拭。

「奶娘，秀珠，妳們來幫忙！」她看著東兒：「東兒，不怕！額娘在這兒，我守著你，陪著你……

請你爭氣一點，熬過去，挺過去……」

爾康想過去幫忙。福晉急促的上前，死命的拉著他，哀求的說：

「爾康！你不要感情用事，你給我出去！這個病，越小的孩子害，越容易好！到了你這個年紀，害

了就麻煩了！順治爺是怎麼走的，你不知道嗎？」

紫薇站起身子，這時，她的脆弱都不見了，像一個勇敢的鬥士，她看著爾康說：

「爾康！你聽額娘的話，不要讓我操心兩個！你出去，你放心，東兒有我！我會非常細心的照顧他，

一定讓他活得好好的！」

爾康看著紫薇，一急，往前大步一邁，義正辭嚴的說：

「額娘！妳看看紫薇，她細皮白肉，渾身一點痘疤都沒有，她怎麼會害過天花？她只是下定決心，

要守著東兒而已！如果她被傳染了，誰來照顧她？她這樣不顧一切的守著東兒，我怎麼可能置身事外？

不要拉我，也不要勸我！我的兒子和我的妻子，在這間房間裡抵抗死神！我，無論如何，都要跟他們在

一起！倒是額娘和阿瑪，你們也沒害過天花，你們千萬不要再進來！」

爾康說著，就把福晉一路推出門去。福晉無可奈何，一路嚷著：

『爾康……紫薇……那你們要小心，我去看胡太醫的方子和注意事項，再來跟你們說……』

『有奶娘和秀珠在這兒就夠了！其他的人，都不要進來，少一個傳染的機會就好一個！額娘，為了讓我們安心救東兒，妳不可以再來！』爾康喊著，言辭懇切堅決，福晉怔著，被推出門外去了。

爾康走到床前來，挽起袖子，開始絞帕子。紫薇抬眼看著他，眼裡，滿是震撼和感動。爾康鼓勵的看她，鄭重的點了點頭：

『我們要鎮靜一點，我有信心，東兒會度過難關的！』

紫薇拚命點頭。

兩人就一邊一個，守著東兒。

東兒染上了天花。這事傳進宮裡，整個皇宮都震動了。滿人最怕的疾病，就是天花。自從滿清進關以來，已經有許多阿哥死於天花，順治皇帝也因天花而駕崩，大家聞天花而變色。所以，消息傳來，皇宮就陷進一片忙亂裡，所有太監宮女嬤嬤都出動了，大家提著盛滿石灰水的木桶，到處噴灑，牆上、門上、窗子、台階、亭子、樓台、大殿……處處都是忙碌的人群。

太后扶著晴兒的手，看著滿屋子忙碌的人，心驚膽戰的嚷：

『天花？居然是天花！那還得了？這兩天，紫薇不是一直在宮裡出出進進嗎？還在景陽宮過夜，跟小燕子一起睡，那……這個病有沒有帶進宮呢？宮裡，又是小阿哥，又是小格格，如果傳染了，那可怎麼辦？』

晴兒趕緊說：

『老佛爺不要慌張，一大早，令妃娘娘就下令，整個宮裡都在消毒！胡太醫配的消毒水，所有太監宮女都出動了，到處在灑。景陽宮是第一個據點，每個房間都灑了！皇上問老佛爺，要不要帶著娘娘們，去避暑山莊避一避？』

『皇帝自己呢！』太后著急的問：『他一定不肯走！上次流行的時候，他也不肯走！再說⋯⋯這避痘要避到哪兒去呢？沒有一個地方是安全的！』說著，就振作了一下⋯『皇帝不避，我也不避，我得守在宮裡，給大家做個榜樣！還有這麼多宮女太監，咱們一跑，人人都跑了！』想著，就著急的一昂頭⋯

『咱們先去景陽宮瞧瞧！』

晴兒扶著太后，來到了景陽宮。

景陽宮也是一團忙亂，桂嬤嬤正帶著眾宮女、太監、嬤嬤也在拚命消毒。桂嬤嬤指揮若定，監督著大家，嚷著：

『不管是縫縫裡，角落裡，花瓶裡，古董架⋯⋯通通不能放過！這個出花兒，是要命的事，大家不是幹活，是救命呢！麻利一點呀⋯⋯』

外面傳來太監大聲的通報⋯

『老佛爺駕到！晴格格到！』

『老佛爺駕到！晴格格到！』

小燕子、知畫、永琪聽到喊聲，都從房裡奔進大廳。太后扶著晴兒，兩人匆匆走進。一屋子的人，趕緊請安的請安，行禮的行禮。

『老佛爺吉祥！晴格格吉祥！』

『別請安了！趕快消毒吧！』太后揮揮手。

知畫急忙上前，關心的看著太后，說：

『老佛爺！我正想去慈寧宮請安呢！您一定嚇壞了！慈寧宮消毒了嗎？要不要我去幫忙？那個餐廳……恐怕要特別消毒一下！餐具收起來，別再用了！』

『是呀！』太后一驚，想了起來：『紫薇昨晚還一起吃飯呢！晴兒，妳記著，那副餐具就毀了吧！』

『有那麼嚴重嗎？』晴兒問，那套餐具，是景德進貢的細磁。

『有有有！』太后拚命點頭：『這天花比任何瘟疫都厲害！十幾年前，在京裡大流行那一次，死了幾千人，那時妳還小，我記得，屍體堆在北門外，火化都來不及！』

小燕子聽到這兒，就忍不住氣呼呼接口：

『那麼，我們這個景陽宮，乾脆把家具門窗全部拆了燒掉，碗碗盤盤，杯子碟子，花盆水盆……一樣都不能留！』

太后瞪著小燕子，看到她這樣不知輕重，氣不打一處來，有力的說：

『妳說的不錯！紫薇每晚跟妳睡一起，那個帳子棉被衣裳……最好都燒掉！妳自己，從頭髮到腳趾，也好好的清理清理！』就掉頭看永琪，命令的說：『永琪！這個月，你就不要再進小燕子的房間！反正有知畫照顧著！』

永琪大驚，怎能用這個理由，不進小燕子的房間？小燕子震動極了，知道太后存心要找理由不讓永琪親近她，臉色慘變。知畫不知如何是好，看看太后，看看永琪，不敢說話。永琪就往前一步，笑著說：

『老佛爺過慮了！害天花的是東兒，也不是紫薇！整個學士府那麼多人，也只有一個東兒生病，連爾康都沒事！孩子的抵抗力弱，大人的抵抗力強。何況，景陽宮已經徹底消毒了……如果這個也怕，那

個也怕，日子還怎麼過？』

晴兒也接口：

『依晴兒看，桂嬤嬤很能幹，消毒得非常仔細！等會兒，我留下來幫忙，再帶著明月、彩霞，把小燕子的房間和衣物，都徹底消毒一下！』

『晴兒！妳也避一避！整天跟著我，難道還想把這病，帶到慈寧宮去嗎？』太后掉頭看知畫，不解的挑起眉梢：『怎麼？知畫不想服侍五阿哥嗎？』

知畫有苦說不出，急忙應著：

『老佛爺說那兒話？我……我……』她看了永琪一眼，眼神中不由自主的透著幽怨，聲音低了下去…

『我……只怕服侍得不好，人家不喜歡……』

太后銳利的看了三人一眼，心裡有些明白了，命令的說：

『永琪！你是皇室的根兒，太寶貴了，不能有任何閃失！知畫，妳好好服侍！聽到了嗎？』

『知畫謹遵老佛爺吩咐！』知畫屈膝，順從的說。

太后轉身，看了桂嬤嬤一眼，桂嬤嬤會意，點頭。

『晴兒！我們再去乾清宮、延禧宮……到處走一遍！走吧！』

『是！』晴兒臨走，還給了小燕子安慰的一瞥。

太后和晴兒走了，小燕子氣呼呼的一摔手，衝出了大廳，進房去了。永琪看到她這副樣子，身不由己，就追了過去。

到了臥房，永琪一眼看到，小燕子正在收拾行李，床上攤開了一條包袱皮，她手忙腳亂的，把許多衣服，雜亂的堆進包袱皮裡。

『妳幹什麼？』永琪問。

『你已經有人服侍了，我這個不會服侍的人，該走路了！』小燕子嚷著，拿起簫劍留下的那支簫，放在衣物最上面。

『妳又想出走？』他劈手就奪去了那支簫。『我不會讓妳出門的！外面正在流行天花，妳還是待在宮裡比較好！』

『我待在宮裡幹什麼？前一陣，是為了救我哥，我才會忍受這些窩囊氣！現在，我哥走了，我也可以走了！』

『哦？』他不禁受傷了，盯著她…『妳哥已經脫險，我的利用價值就完了？妳要我做任何事，我都做了！現在妳說走就走，不管我了，妳不覺得妳很殘忍嗎？』

『我怎麼管你？』她瞪著他，嚷著…『我這間屋子裡，全部都是天花病毒，我渾身上下，也都是病毒，你是皇室的根兒，太寶貴了，如果有閃失怎麼辦？』說著，跳起身子去搶那支簫。『把簫還給我！

我去學士府陪紫薇，紫薇一定需要我！』

『妳也不能去學士府，那兒有胡大醫守著，有許多家丁丫頭服侍著，不多妳一個！妳去了他們更亂！老佛爺有句話是說對了，不能把天花傳播到各處去！』

小燕子一聽，老佛爺的話對了，大受刺激，跺腳大喊…

『那你還在我身邊幹什麼？老佛爺的話你沒聽見嗎？這個房間不能進！我的身邊不能碰，我從頭髮到腳趾，都是不乾淨的……』

小燕子話沒說完，永琪把她一把抱住。

『好好好！妳不乾淨！妳把所有的病毒都傳染給我，要害天花，大家一起害！』

他說完，就一俯頭，炙熱的吻住了她。她一驚，想掙扎，但是，他的胳臂那麼有力，她怎麼掙扎得掉？她還想說話，但是，他的唇堵著她的，她還怎麼說話？她不動了，被動的站著，然後，手臂一勾，勾住了他的脖子，融化在他的熱情裡。

窗外，知畫帶著桂孃孃，震動的看著這一幕。

東兒病倒，金瑣幾乎立刻奔到學士府，她要侍候紫薇，照顧東兒。但是，她已經是兩個孩子的娘，小的一個才滿週歲。那個會賓樓，又是市中心的地區，平常人客眾多，紫薇怎麼允許讓金瑣涉險，萬一傳染給她的兩個孩子怎麼辦？更不能讓這個病傳染到整個市區去，立刻就義正詞嚴的把金瑣趕回去了。

柳青知道紫薇都是對的，夫婦二人，除了著急以外，只能大力提倡消毒運動，帶著許多伙計，不止消毒會賓樓，把市區的街道，也一一灑上石灰水，還挨家挨戶，教導消毒的辦法。

幾天過了，東兒的病，卻越來越沉重，這天，已經陷進昏睡的狀態，嘴裡喃喃呼喚著額娘奶奶，臉上開始冒出了紅疹。紫薇和爾康都熬了幾天，衣不解帶。福倫和福晉，雖然不能進病房，仍然在大廳裡照顧一切，和太醫研究病情。整個學士府，又要消毒，又要照顧病人，個個都筋疲力盡。

『娘……娘……額娘……奶奶……』東兒意識不清的喊著。

紫薇和爾康立刻仆了過去，紫薇一疊連聲的說：

『娘在這兒，東兒，那裡不舒服？東兒……東兒……』見東兒不應，急摸東兒的頭，抬眼看爾康：

『燒得像火一樣，怎麼辦？那個冷帕子，好像一點用都沒有！如果燒不退下去，會不會燒壞腦子呢？』

爾康拚命絞著冷帕子，不斷的送了過來，去取代東兒頭上的帕子。

『胡太醫說，這個發燒，只能靠東兒的生命力來挺過去！不過，胡太醫已經配了最好的藥，宮裡的

藥材都拿來了，吃了可能會好些！至於發燒，主要是病沒好，我們給他不斷換帕子，總可以讓他舒服一點！』

奶娘和丫頭秀珠，在一邊幫忙。秀珠不斷提了乾淨的開水進來，把臉盆裡的髒水換掉。秀珠叮嚀著：

『額駙，格格！又該洗手了！胡太醫說，你們要不斷的洗手，免得傳染啊！還有被單！奶娘，我們先把被單換掉，拿去煮，乾淨的在這兒！』

紫薇就抱起東兒，奶娘和秀珠趕緊換床單，換棉被，換枕巾……把一切可以換的，全部撤換，抱出去煮的煮，燒的燒。

紫薇抱著東兒，對爾康急急的說：

『你快去洗手！我等會兒再洗！』

『洗了，馬上又會弄髒，這樣洗手有用嗎？』紫薇著急的說。

『不管有用沒用，你去洗就是了！』紫薇著急的說。

爾康趕緊去洗手。床單換好，奶娘說：

『現在要把小少爺的衣服全體換掉！』

奶娘和紫薇就手腳麻利的給東兒換衣服。東兒斷斷續續的哭著，呻吟著。髒衣服全部丟進了木桶裡，秀珠提著木桶出去。

門外，福晉急急的捧著熬好的藥碗過來。

『藥來了！藥熬好了！』福晉伸頭進來喊：『紫薇！胡太醫親手熬的藥，他說，無論如何，要想辦法餵進去！』

爾康一眼看到福晉，著急的跺腳。

『額娘！妳讓別人送進來，妳不要過來！傳染了怎麼辦？』

奶娘接過藥碗。福晉急忙後退，含淚說：

『是是是！我這就去洗手，去消毒！』

奶娘捧著熬好的藥到床前來，說：

『格格，妳把小少爺抱起來一下，我來餵！』

紫薇抱起孩子，奶娘就餵藥。一湯匙的藥汁，吹冷了，送到東兒的唇邊。東兒哭著，掙扎著，就是不肯吃藥。紫薇著急，哀求的說：

『東兒！吃藥呀！你不吃藥怎麼會好呢？張開嘴巴，我求求你了！東兒……張開嘴，張開……』

爾康仆在旁邊看。不由自主，嘴巴張得好大。東兒那張嘴，還是閉得緊緊的。

『不行！我們用灌的！』一定要他吃下去，能吃多少是多少！』爾康說，就捏住東兒的鼻子和面頰，強迫東兒張嘴，對奶娘急急的說：『快！灌進去！不要太多，一點一點的灌！』

紫薇目不轉睛，心痛已極的看著。東兒掙扎著，哭著，勉勉強強的灌進一些藥。

『灌進去了！再來……再來……』爾康喊著。

奶娘又準備了一匙藥汁，再灌。只見東兒身子挺直，手腳亂動，『噗』的一聲，藥汁噴了出來，噴到爾康一身，接著，東兒就痛苦的嘔吐起來。紫薇喊：

『都吐出來了！怎麼辦？怎麼辦？不要再灌了……他嚥不下去呀！』

紫薇抱起東兒，放在肩上，不住拍打孩子的背脊。

東兒在她肩上哭著，喘著，咳著。紫薇的心，隨著孩子的哭聲和咳聲，痙攣絞痛著。有什麼力量可

以減輕孩子的痛苦呢？她願意付出任何任何代價，只要東兒痊癒！

爾康從奶娘手裡接過藥碗，堅決的說：

『紫薇，抱過來，我們繼續努力！再灌一次！這藥，他非吃不可呀！我們要救他的命，是不是？抱過來！』

紫薇點頭，抱過去，坐在床沿。

『妳捏著他的嘴巴，我餵！』

紫薇捏住了東兒的嘴巴，爾康就非常細心的，一點一點的把藥汁餵進東兒嘴裡。奶娘在一邊緊張的看。好不容易餵了一匙，爾康額上已冒出汗珠。

『他吃進去了！他沒吐……』紫薇小小聲的說，好像說得大聲，就會冒犯了那個照顧著東兒的神明。

『額駙，您真有辦法，他吃了整整一匙啊！』奶娘欣喜的說。

爾康虔誠的看著東兒，在這一刻，他才體會出他對東兒的熱愛。

『是！他在戰鬥！他正用他的小生命，在和這個病打仗！』爾康凝視東兒，低低的對他說：『東兒，勇敢一點，你的生命，來自於愛！在人間，你比很多孩子都幸運，因為你擁有最多的愛，為了這些愛你的人，你不要放棄！來！我們要吃第二匙了！』

紫薇看看孩子，看看爾康，帶著一種嶄新的感動，體會著爾康對東兒的愛。以前，她總覺得爾康對孩子沒什麼耐心，現在，才明白，那份父子天性，是深深銘刻在爾康的生命裡的。是的，東兒的生命，來自於愛，他怎麼可以放棄那麼多的愛呢？

大廳裡，福倫福晉帶著四個太醫，幾個女僕，忙忙碌碌的熬藥。幾個家丁，不住用石灰水在各處潑灑。乾淨的開水，不斷提進房來。眾人輪流洗手，髒帕子全部丟進大木桶，再由家丁提出去煮沸。福倫

看著胡太醫，著急的問：

『孩子的燒，一直沒退，到底要熬到什麼時候，才知道他脫離了危險？』

『現在，疹子才剛剛發出來，還只是初期，算是皮疹。』胡太醫解釋著病情：『然後會變成斑疹，那時，燒會慢慢退下去，斑疹會變成水泡疹，等到水泡疹化膿的時候，熱度又會上來，是最危險的時候！如果能夠平安的度過化膿時期，等到疹子結疤脫落，病也就好了！從現在到疹子結疤，每個過程都是逃不掉的！大概還要十四、五天的時間，這十四、五天，每天都很危險！』

『十四、五天！』福晉驚呼，這十四、五天怎麼熬呀？

『有的人身體好，十二、三天就好的，也有！』

『這麼說，熬過一天，就度過一天的危險期，是不是這樣？』福晉問。

『可以說是這樣！』

『我去燒香去！』福晉回頭就走。

『妳去那裡？』福倫問。

『我去觀音廟！』

『妳還沒弄清楚嗎？我們這座學士府，已經劃為疫區，學士府的人，都不許出門！』福倫說。

『福大人，福晉……實在沒辦法，宮裡談天花就變色，人人自危，別說你們出不去，連我們幾個太醫，在一個月之內，都不能回宮了！』胡太醫說。

『可不是！連宮裡的人，也奉命不能出宮！傅雲暫時取代了額駙，帶著御林軍，守在宮門口，不許任何人出去，就怕帶回病菌來！』孟太醫接口。

『你們都知道，當初七阿哥，就是這個病夭折的……』崔太醫再接口。

胡太醫咳了一聲，太醫們趕緊住口。

福倫福晉，聽得更加膽戰心驚。就在這時，秀珠突然大喊著奔進門來…

『不好了！太醫！太醫！……小少爺又抽筋了，身子都直了，臉色也青了……』

四個太醫跳起身子，往東兒的病房衝去。福倫福晉大震，再也顧不得傳染不傳染，也跟著衝了進去。大家衝進房，就看到紫薇面無人色的抱著東兒，繞室疾走。東兒在她的懷裡，劇烈的抽搐著，小小的身子，一挺一挺的，紫薇語無倫次的痛喊著…

『老天！饒了東兒吧！停止停止，不要抽筋了！停止停止……這樣抽下去，他怎麼活？東兒東兒……』

爾康追在紫薇身後，急切的喊…

『把他給我！讓我抱……妳不要這樣走來走去，會顛著他，等會兒又吐了！紫薇……妳冷靜一下……讓我來抱……』

紫薇充耳不聞，急急的走著，神情陷進昏亂裡。她的聲音，惶急顫抖…

『東兒，為什麼是你呢？為什麼偏偏是你呢？讓我病，讓我死，東兒，東兒，我願意代你受苦呀！老天啊，孩子那麼小，他怎麼受得了這麼多的痛苦呢？你怎麼不饒了他呢？東兒東兒啊……』

胡太醫急呼。

『把孩子放在床上，我來看！』

紫薇抱著孩子不放，好像她一放手，東兒就會消失似的。爾康把她拉到床前，幾乎是從她手中，搶過了孩子，放上床。幾個太醫，全部圍了過去，福倫和福晉，也伸頭去看。

紫薇挺立在房裡，頭髮零亂，神情憔悴如死，瞪著虛空，發誓一般說：

『如果東兒死了，我也不會活著！』

爾康大震，撲了過來，抓住紫薇的雙臂，搖了搖，有力的說：

『紫薇！東兒還在作戰，妳不要先倒下！勇敢一點，我們的東兒沒有那麼容易死！我們共同面對過好多苦難，每一次都度過了！這次，我們還會度過的……妳看！最好的大夫在這兒，我們不要放棄希望，聽到沒有？』

紫薇已經幾天幾夜不眠不休，精神也在緊繃的情況下，這時，她崩潰了，哭著

『是我……是我害了東兒……』

『妳的毛病就在這裡，每次出了危機，妳都要怪在自己身上！』爾康責備的說：『東兒生病，是傳染的，跟妳沒有關係！妳停止自責吧！』

紫薇眼睛直直的，中邪一般的說：

『那天，我說，我們的幸福太多了……老天聽到了，祂要收回我們的幸福……祂要從我身邊帶走東兒……』

『胡說！老天不會那麼殘忍……妳想到那裡去了？千萬不要這樣想，不要讓我在擔心東兒的時候，還要擔心妳！』爾康也快崩潰了。

太醫和福倫福晉，都圍在床前，看著東兒。

東兒的抽搐，越來越厲害，胡太醫急喊：

『給我一條乾淨的帕子……快快快……』

秀珠、奶娘、福晉都遞了帕子過去。

胡太醫搶過帕子，就塞進東兒的嘴裡，解釋的說：

『不能讓他咬到舌頭！』

紫薇爾康都衝回床前，心驚膽戰的看著。

『冷帕子！冷帕子……』胡太醫喊。

奶娘絞了帕子，遞過去。帕子蓋上了東兒的額頭，胡太醫緊張的喊著：

『你們喊他！跟他說話！』

胡太醫壓住東兒的身子，東兒滿臉疹子，嘴裡塞著手巾，額上蓋著帕子，身子顫抖抽搐，喉中急喘著，臉色越來越白，眼看就要嚥氣的樣子。爾康、福晉、福倫都嚇傻了，大家拚命喊著。

『東兒！東兒！東兒……』

紫薇看到這樣，淚不可止，哀求的喊：

『東兒，不要死！娘要你，你是我的命……東兒！求求你……不要死，不要死……我愛你，我要你，我不能失去你呀！不要死……』

爾康淚盈於睫，伸手握住了東兒露在被外的小手。忽然間，他心中狂跳，覺得那隻小手也握住了他的手。他幾乎不能呼吸了，屏息的大喊：

『他握住了我的手！紫薇！妳看妳看！東兒知道我在這兒，他握住了我的手！他聽到我們在叫他呀……』

紫薇就仆在床邊，急切的抓住了東兒的另一隻手。

『東兒！娘在這兒，娘一直守著你，這是娘的手，娘也握著你，你感覺了嗎？』

東兒感覺到了，他確實感覺到了，他的另一隻手，也握住了紫薇的手。紫薇驚喜莫名，喘息的低

語……

『他握住我了！』她感激涕零的急呼……『太醫太醫！你們看，他不抽筋了！他安靜下來了！你快看……』

幾個太醫低頭檢視，一片『阿彌陀佛』聲。胡太醫鬆了一口氣……

『闖過了一關……他度過了一次危機……他平靜下來了！』

『闖過一關是一關，希望不會再發作，我嚇死了！』福晉拚命拭淚。

胡太醫抽出東兒嘴中的帕子，抬眼看著眾人。

『他睡著了！讓他睡！別吵醒他！睡醒了再給他喝點湯，吃藥！現在，該離開房間的人，快點離開，去渾身沖洗換掉衣服……快去！』

胡太醫起身，福晉福倫這才驚魂未定的看著紫薇和爾康。福倫叮嚀……

『爾康，紫薇，你們也趕快去洗洗手，換件衣服！再來照顧！』

『就是就是！』福晉跟著說：『孩子睡了，你們兩個也要輪班休息，還有十幾天要熬呢！不要把自己累垮了！乾淨衣服已經拿來了，放在那兒！』

幾個太醫，不住的催著福倫和福晉。

『福大人！福晉，趕快出去！咱們都沒害過天花，不能不小心！為了小少爺，也要小心！』

福倫福晉，就在太醫的拉拉扯扯下，一步一回頭的出門去了。

大家都出門去，爾康和紫薇，仍然一邊一個，握著東兒的小手，誰也捨不得放開那小手。兩人對看，都在對方眼中，看到那份死裡逃生的感恩，和強烈的父愛和母愛。紫薇懸弔著的心，這時才歸位，兩人對昏亂的神志，也才清醒，她低低的說……

『這隻小手……好像是我的整個天地，我不捨得放手，不捨得離開！』

『我也是！』爾康深有同感，別有體驗的說：『原來我們的幸福，已經被這雙小手，牢牢的握住了！

他是幸福的中心，一邊是妳，一邊是我！』

兩人看看熟睡的東兒，再彼此深深刻刻的對視著。千言萬語，盡在不言中了。

31

學士府忙得人仰馬翻，紫薇和爾康都陷在水深火熱裡，小燕子幫不上忙，急得像熱鍋上的螞蟻。這天，她再也熬不住了，換了一身民間服裝，梳著普通的頭，帶著小鄧子、小卓子大步走到宮門口。侍衛趕緊一攔，行禮如儀。

『還珠格格吉祥！』

『別行禮了，趕快讓開！我有重要的事，要出去一下！』小燕子說。

『回格格，北京在鬧天花，皇上有令，任何人都不能出去！』

『可是……我要去看紫薇格格呀！她現在一定好慘，我有事，她都守在我旁邊，她有事，我怎麼能不去呢？我要去幫忙！』

『回格格，學士府尤其不能去！那兒已經隔離了，裡面的人，也不能出來！連額駙和福大人，現在都不上朝了！格格還是回去吧！』

『大家都不能進出，宮裡吃的喝的從那兒來？』

『宮裡有自備的菜園，這些天，都吃自己養的雞鴨，自己園裡種的蔬菜，連豬肉，怕不乾淨，好多天都沒吃了！』

小燕子急得跺腳：

『以前我住在大雜院，小虎子就出過天花，好幾個孩子一起發，我也沒有染上，那有那麼容易就傳染？太小題大作了！這不是等於在坐牢嗎？』

小鄧子和小卓子趕緊去拉小燕子，一人一句的勸著：

『回去吧！我跟格格說，不能出宮，格格還不信！真的不能出去，誰都不能出去！』

『五阿哥說，四位太醫，都留在學士府照顧東兒少爺，格格放心吧！』

『那……東兒現在怎樣？已經病了快十天了，也沒有人來報信！萬一有個什麼事，紫薇會哭死的……』越想越怕：『萬一紫薇被傳染呢？萬一爾康也被傳染呢……』

小鄧子趕緊雙手合十，向天祈禱：

『天靈靈，地靈靈，保佑東兒少爺長命百歲！玉皇大帝，王母娘娘，觀音菩薩，齊天大聖，豬八戒，釋迦牟尼，天上所有救苦救難大菩薩……請保佑紫薇格格，保佑額駙，保佑學士府人人平安！』

小燕子這才驚覺自己又說了不吉利的話，趕緊跟著雙手合十，對老天說：

『天靈靈，地靈靈，天上所有的菩薩，你們聽小鄧子的，千萬別聽我的！』

『走吧！格格！』兩個太監拉著小燕子。

小燕子一肚子的氣，無可奈何的往回走。

景陽宮裡，永琪不知道小燕子去了那兒，不願進新房，就躲在書房練字。寫著寫著，知畫怯生生的，慢吞吞的走了進來。永琪看到她，本能的就想避開，放下筆起身。知畫看他起身了，而桌上筆墨紙張俱全，就坐到他的位子上，提起筆來，寫了一副對子：『立身以至誠為本，讀書以明理為先』。永琪看到她寫字，身不由主的站住了，伸頭看著她寫。等到她寫完，他情不自禁拿起對聯細看。不看還好，

一看就佩服起來，心悅誠服的說：

『知畫，妳的字，是怎麼練出來的？上次看妳寫柳字，這次看妳寫趙字，都寫得這麼傳神，妳幾歲開始練字的？』

『五歲就開始練字了，寫得不好，你不要誇我了，我會當真的！』知畫微笑著說，笑容裡帶著點兒蒼涼。

永琪放下了字，注視知畫。心裡，忽然浮起一股深深的歉意。這個知畫，長得如花似玉，書唸得比一般學子還多，家學淵源，才華蓋世……嫁給了他，天天當有名無實的『福晉』，實在太可惜了！

『難道妳以為我說假話嗎？我真的佩服啊！』他由衷的說，歉然的一嘆：『唉！知畫，對於妳的為人處世，對於妳的忍讓和包容，我真的佩服，也充滿了抱歉。跟著我，實在讓妳受委屈了！』

知畫的笑容一收，抬眼看著他，眼神幽幽的，眸子清清亮亮。她一語不發，忽然間，就用手摀著臉哭了。永琪一驚，頓時手足無措。

『怎麼了？我說錯什麼話了？』

『沒有沒有……是我失態了！』知畫狼狽的說：『我只是……一時之間，有些悲從中來……你不要理我，我平靜一下就會好！我……我……』她越想越難過，淚不可止，急切中，發現手帕又不知放在那兒了，就用衣袖擦淚：『我覺得自己很不爭氣，想到爹和娘，教我唸書，寫字、作詩、下棋、彈琴……幾乎應該學的，全都教了，我也很認真的學，可是，有什麼用呢？就因為我有點兒小才華，才會被老佛爺選進宮……這對我，也不知道是福是禍？現在，想再見娘一面，都好難！好多話，我很想跟娘說呀！我不能跟你說，不能跟老佛爺說，只能跟我娘說呀……』

知畫一邊說，眼淚一邊掉，永琪瞪著她，知道她所有的委屈，都是自己造成，就更加歉疚，充滿了

犯罪感，也充滿了同情。

『原來妳在想娘啊！這不難，我明天就告訴老佛爺，馬上派人去海寧，把妳的爹娘都接進宮來，怎樣？』

知畫拚命點頭，淚珠點點滴滴繼續掉，兩隻手東摸西摸，在口袋裡找手帕。永琪走了過去，掏出自己手帕遞給她，柔聲說：

『把眼淚擦了，給桂嬤嬤她們看見，會以為我欺負了妳……』

知畫接過手帕擦淚，幽怨的再看了他一眼，哽咽的低低問：

『你認為，你沒有欺負過我嗎？』

知畫問得溫溫柔柔，永琪卻像挨了重重一棒，覺得無地自容了。是啊！他對她做的，是任何女人不能忍受的侮辱吧！娶了她，卻不要她……他看著她，出起神來。

這時，小燕子憤憤不平的衝進房來，嚷著：

『永琪！侍衛都不許我出門，我要去看紫薇，他們不許我去，你快想辦法……』

小燕子驀的住口，驚愕的看著永琪和知畫。

永琪看到小燕子突然進來，大吃一驚，不知怎的，就慌亂起來，抬頭掩飾的說：

『我們在寫對子……』

『又在寫對子啊？』小燕子問，看到知畫滿臉淚痕，手裡拿著永琪的手帕，四周連宮女嬤嬤都沒有，立即醋勁大發，銳利的問知畫：『上次寫了鴛鴦寫了魚，目的也達到了！這次又寫了什麼？怎麼寫得滿臉眼淚？珍兒翠兒沒有給妳準備水磨墨啊？還是妳又有新招，要用眼淚水來磨墨？』

知畫一怔，抬眼看小燕子，好委屈，眼淚更是成串的滾落。

永琪聽到小燕子口不擇言，措辭銳利，生氣的看她，聲音大了起來：

『小燕子，妳何必那麼刻薄呢？知畫只是想起她的爹娘，在這兒傷心罷了！這也是人之常情呀！妳也可以有點同情心吧⋯⋯』

小燕子一聽，永琪居然護著知畫來教訓她，眞是氣到天崩地裂。這一陣，小燕子的日子，眞如同在煉獄油鍋裡前熬。她還陷在身世的悲哀裡，陷在兒妹被迫分離的悽慘裡，又陷在永琪再娶的痛楚裡⋯⋯偏偏這個節骨眼，東兒病了，她要擔心東兒，擔心紫薇，擔心蕭劍和晴兒，擔心永琪變心，還要擔心如何面對那個殺掉她親爹的皇阿瑪！在這麼多的心事中，永琪不跟自己站在一邊，幫她消除煩惱，卻在這兒護著知畫責備她！他變了！他眞的變了！知畫在一點一滴的征服他！這樣想著，她的恐懼遠超過她的憤怒，但是，她只會用爆發的方式，來掩飾她的恐懼，她立即跳著腳，對永琪大嚷⋯

『我刻薄？我沒同情心？你這個小人！你這個僞君子！你這個沒良心的混球！知畫好可憐，她想起了她的爹娘，在這兒哭得傷心，你很同情吧！那麼，我的爹娘呢？我想爹娘的時候怎麼辦？你以爲我沒想過，是不是？我天天在想，夜夜在想，我的爹，他死了，我的娘，她也死了⋯⋯他們怎麼死的？他們被人害死了⋯⋯』

永琪大驚，急忙喊⋯

『小燕子！小燕子⋯⋯不要說了！』

知畫也上前，急促的說：

『姐姐！妳跟我生氣沒關係，說話千萬小心！宮裡到處都是耳目⋯⋯』

知畫說著，往前一撲，要去蒙小燕子的嘴。小燕子看著她撲了過來，只當她要和自己動手，大叫一聲⋯

『妳想打架嗎？妳敢碰我！』

小燕子就抓住知畫，一個過肩摔，知畫的身子對著牆壁飛了出去，接住了她。知畫可沒碰到過這樣的事，嚇得臉色慘白，倒在永琪懷裡。這樣一撲一摔之間，房間裡『欽欽哐哐』，東西散落一地。明月、彩霞、桂嬤嬤、珍兒、翠兒全部衝進房，大家七嘴八舌，各喊各的：

『格格！五阿哥！福晉！發生什麼事情了？』

大家一眼看到永琪抱著帶淚的知畫，和怔在那兒的小燕子，就全部呆住了。

就在這時，外面傳來小鄧子的大聲通報：

『皇上駕到！老佛爺駕到！晴格格到！』

永琪、知畫和小燕子，還沒從自身的驚嚇中恢復，又被驚得人人變色。永琪這才趕緊放下知畫，急急走到大廳去迎接。知畫慌忙擦淨淚痕，跟著永琪往外走。小燕子臉上青一陣，白一陣，無可奈何的跟在他們二人後面，也走向大廳。

乾隆帶著太后和晴兒站在大廳裡。乾隆正在問：

『大家都去那兒了？』

只見永琪、知畫都急急的迎了出來，小燕子跟在後面，三人臉色都是怪怪的。知畫淚痕未乾，和永琪一起請安。

『皇阿瑪吉祥！老佛爺吉祥！』知畫還特地加一句：『晴格格吉祥！』

小燕子的情緒，還陷在天崩地裂般的悲憤裡，看到乾隆，想起父仇，看到太后，想起這一步步的陷阱，真是氣到快斷氣，偏偏還不能不行禮，不能不招呼。她沉重的呼吸，橫眉豎目，嘴裡嘰哩咕嚕了一

句誰也聽不清楚的話⋯

『你們通通都吉祥，讓我一個人去倒楣好了！』說著，馬馬虎虎的屈了屈膝。

明月、彩霞、桂嬤嬤、珍兒、翠兒跟在後面，急忙請安⋯

『皇上吉祥！老佛爺吉祥！晴格格吉祥！』

宮女嬤嬤們就趕緊倒茶，整理椅子上的坐墊，端瓜子點心出來。

太后看到知畫面有淚痕，又看到小燕子鐵青著臉，心裡已經有數，眼光銳利的上下打量小燕子，皺著眉頭問：

『小燕子，妳為什麼不梳旗頭？妳這身打扮，是要幹什麼？』

『我要出宮去看紫薇！侍衛攔著宮門，不許我出去！』小燕子說。

太后立刻發怒了⋯

『宮裡三令五申，誰都不可以出宮，妳還不知道嗎？尤其紫薇家，怎麼可以再去？還好妳被攔下了，要不然，妳準備讓整個皇宮，都傳染天花是不是？妳在宮裡這麼多年，到底知不知道厲害輕重？懂不懂為大局著想？』

小燕子背脊一挺，衝口而出⋯

『我那知道什麼叫「大局」？什麼叫「小局」？我只知道，宮裡個個人，都貪生怕死⋯⋯』

『小燕子！』乾隆勃然大怒⋯『妳老毛病又發了是不是？妳在對老佛爺說話！妳看看妳，橫眉豎目，大呼小叫！老佛爺說的不錯，這麼多年，妳一點進步都沒有！反而更加囂張跋扈，變本加厲⋯⋯』

小燕子眼睛漲紅了，瞪著乾隆，說⋯

『我這也不好，那也不好！你們把我休了就算了，反正知畫已經進門了，永琪有知畫侍候就夠

了……』

『哦?搞了半天,是在跟知畫嘔氣!』乾隆大聲打斷,眉頭一皺……『我最討厭愛吃醋會嫉妒的女人!妒婦是犯了七出之條!妳知道嗎?現在為知畫吃醋,將來說不定還有知梅、知蘭、知菊、知竹……妳要吃醋到什麼時候?永琪,他不是凡人,他是皇子呀!』

小燕子眼睛瞪得好大,胸口劇烈的起伏著,嘴裡喃喃的說……

『哈!還有那麼多?我明白了,明白了……』

永琪急壞了,生怕小燕子再說出不該說的話,就一步上前,急急說……

『皇阿瑪、老佛爺請息怒!小燕子只是在為東兒著急,不能去看紫薇,她姐妹情深,難免心浮氣燥,並沒有在吃醋什麼的!皇阿瑪,你最瞭解小燕子,她每次一急,就口不擇言!她絕對沒有要冒犯老佛爺的意思……』

太后冷冷的打斷了永琪……

『是嗎?那麼,知畫為什麼淚汪汪呢?』她看著知畫問……『誰讓妳受委屈了?妳老實告訴我,不要撒謊隱瞞!妳說!』

永琪著急的看知畫。只見她帶著笑,走上前去,勾住太后的手腕,甜甜的說……

『老佛爺,您誤會了!剛剛我和五阿哥在書房寫字,談到我從小練字的事,讓我想起了爹娘,是知畫一時控制不住,就掉眼淚了!這是實話,和小燕子一點關係都沒有!自從我進了景陽宮,小燕子對我處處忍讓照顧,我感激都來不及,怎麼會嘔氣呢?』

太后狐疑的看著知畫。

晴兒不禁深深的看了知畫一眼,再看了小燕子一眼。知畫一臉的溫柔恬靜,小燕子卻一臉的劍拔弩

張。

乾隆被知畫一句『寫對子』引出了興趣，揚聲問：

『你們在寫對子呀？』

『是呀！皇阿瑪要不要看？我寫得不好喲！』知畫笑著說。

乾隆興致致來了，往書房就走。

『去去去！看看你們寫的字！朕這幾天，心裡真煩！東兒的事，弄得大家都不安極了！朕平時也愛練字，這個練字，是修身養氣的好方法，寫著寫著，就心平氣和了！小燕子……妳沒事的時候，就跟著知畫練字，說不定修養會好一點！』

乾隆一走，大家都跟著乾隆往書房走。

小燕子和晴兒，落在後面。小燕子聽到乾隆這麼說，更是氣得快要死掉了。晴兒悄悄的捏了她一把，在她耳邊低低說：

『那個什麼「小人」，什麼「大貓」的成語，別忘了！』

小人大貓，是小燕子初學成語時，把『小不忍則亂大謀』聽擰了，不斷追問：『小人怎樣？大貓怎樣？』引得大家鬨堂大笑，從此，他們就常常用『小人大貓』來取代那句『小不忍則亂大謀』。現在的小燕子，當然瞭解這句成語，她看著晴兒，悲哀的說：

『妳看我現在這個樣子，「大貓」在那兒？如果我能夠養「大貓」，犧牲還有價值，要不然，我在做什麼？』

晴兒深深看她：

『妳還是有「大貓」！妳的「大貓」就是永琪！為了他，什麼都值得！』

小燕子凝視晴兒，見她形容憔悴，心中一酸，悽苦的說：

『晴兒！我養「大貓」養得好辛苦，妳養「大老鷹」，更辛苦！』

晴兒悲苦的一笑，眼神盛滿了思念和落寞。兩人手拉著手，雖然不是『同病』，卻彼此『相憐』。

晴兒看著書房，低語：

『大老鷹不知飛到那兒去了？大貓好歹還在眼前啊！』

書房裡的零亂，早已被收拾乾淨了。乾隆拿起知畫的對子，看得眉飛色舞，高興的唸著對子：

『立身以至誠爲本，讀書以明理爲先！』揚聲大笑：『哈哈哈哈！知畫，好字！沒想到妳能寫趙字！寫字也罷了，這副對子，妳從那兒看來的？』

知畫微笑的看著乾隆。

『皇阿瑪！這種名句，人人都知道呀！』

『名句？』乾隆睜大眼睛，更樂：『哈哈哈哈！』就看著永琪說：『永琪，你這個媳婦了不起！這是朕十幾歲寫的對子，很多年沒有人寫過，朕都幾乎忘了！』

『皇阿瑪，』知畫笑得更甜了：『不止對子，還有一本「樂善堂文抄」，我從小就拿來寫，都寫得倒背如流了！』

乾隆一聽，更是心花怒放，讚美的說：

『好！好！太好了！好一個知畫，不愧是陳邦直的女兒！朕終於明白，老佛爺爲什麼喜歡妳了！』說著，一抬頭，看到小燕子和晴兒落在後面，就招招手喊：『小燕子！過來！』

小燕子不情不願的走了過來，沒聽到他們在談些什麼，也不知道乾隆在樂什麼。乾隆就問小燕子：

『妳知道《樂善堂文抄》嗎？』

小燕子怔在那兒，吶吶的說：

『什麼糖？怎麼燜怎麼炒？沒吃過！』

乾隆順手捲起一本書，敲在小燕子頭上。喊：

『沒吃過！妳居然「沒吃過」！』永琪，你趕快找一本，讓她好好的「吃下去」！』

『是！是！是……』永琪應著，趕緊對小燕子解釋：『《樂善堂文抄》是皇阿瑪的著作啊！皇阿瑪很

厲害，二十歲前，就寫了這本書！』

『這樣啊！』小燕子看他們一堂歡樂，顯然知畫比自己更贏得乾隆的心，頓時有種被孤立的感覺。

不止孤立，面對乾隆，自己那身世之痛，就像針刺般的扎進心坎。她的眼珠一轉，酸澀的說：『還

好……皇阿瑪是皇帝，上面沒人管，要不然，這「樂善堂」三個字，就大有問題，犯了大忌諱，說不定

要砍頭！』

永琪大驚，好急。晴兒、太后、知畫各有各的緊張。永琪趕快打岔：

『小燕子，妳又要發謬論了，別談文字了，妳又不懂……』

『乾隆已經聽進去了，困惑之至，問：

『為什麼大有問題？妳說！朕要聽聽妳的謬論！』

小燕子就振振有詞的說了：

『「樂善堂」三個字怎麼寫，我不知道！我聽起來，是「落散糖」！這花也「落」了，人也「散」了，

吉利嗎？這個糖，能吃嗎？』

乾隆怔住了。太后大怒：

『小燕子的話，才是能聽嗎？什麼「落了，散了」？怎麼說得這麼難聽？』

晴兒知道小燕子指的是『文字獄』，生怕再說下去，會把真相都說出來，急得不得了，趕緊接口：

『皇上！別聽小燕子的，她一向就有這種本領，把很好的詞，解釋得亂七八糟，您可別認真！』說著，拚命對小燕子使眼色。

大家急著解圍，小燕子卻好像沒聽到，揚著頭，挑戰似的看著乾隆：

『就是！皇上總記得她的「羊縫鷹圍」「蜘蛛死了還會生」……』永琪跟著呼應。

『我說的是實話！任何文字，硬要歪歪曲曲的解釋，全部不能聽！假若要砍頭，人人該砍頭！就拿「乾隆」這兩個字來說，也大有問題……』

永琪一把拉住小燕子，把她推到身後去，嚇得一身冷汗。

『妳少說幾句，好不好？』永琪壓低聲音說：『連「乾隆」都敢亂掰？』

乾隆越聽越驚，大聲問：

『乾隆這兩個字，又有什麼問題？永琪，不要攔她，讓她說！』

小燕子就掙脫永琪，大聲說：

『「乾隆」兩個字！你想，這一條「龍」，被「鉗子」鉗住了，還能做什麼？不是動都動不了嗎？』

小燕子話沒說完，乾隆大怒，手中那捲書，對著小燕子的腦袋砸了過去，怒喊：

『滿嘴胡言！簡直是個沒教養的丫頭，氣死朕！』

小燕子來不及閃躲，被砸了一個正著。又聽到乾隆說她『沒教養』，就再也控制不住了，對著乾隆，衝了過去，大喊：

『我沒教養？我的「教養」，都被你毀掉了！誰來教我？誰來養我？我是在街上長大的，我吃剩飯

剩菜長大的，我……』

永琪再急撲過去，扶起她，著急的問：

永琪一看，這還遲得了，伸腿一絆，小燕子急衝的身子飛了出去，『砰』的一聲，重重的摔在地上。

『摔著沒有？』他緊緊的看著她，想藉眼神讓她瞭解事態的嚴重性，柔聲的說……『為什麼總是這樣？』說話不經過大腦，走路橫衝直撞，把自己弄得遍體鱗傷，也把別人弄得心驚肉跳……摔痛沒有？趕快起來檢查一下！』

小燕子坐在地上，看著永琪，挫敗感排山倒海般湧來。

晴兒驚魂未定，也奔了過來，攙起小燕子，在小燕子耳邊飛快的說……

『小人大貓！小人大貓！小人大貓……知道嗎？』

小燕子站起身子，顫抖著，情緒激動，拚命壓抑著自己。

知畫和太后都看得呆住了。乾隆搖頭，大大一嘆，說……

『唉！看到知畫的字，心裡才有幾分歡喜，都被小燕子破壞得乾乾淨淨！』說著，就走了過來，細看小燕子，聲音忽然變得感性而困惑……『小燕子，妳是怎麼回事？以前，妳是朕的「開心果」，每次朕不高興的時候，妳都有辦法讓朕開懷大笑。從什麼時候開始，這個「開心果」變成了「負氣包」？每次看到朕，就紅眉毛，綠眼睛……還故意說些奇奇怪怪的話，來讓朕生氣，妳……是因為知畫嗎？』

小燕子把頭一低，眼淚奪眶而出，滾落在衣襟上。她哽咽著，沒頭沒腦的說……

『我是小人……我養大貓……只好當小人……』

乾隆聽得糊裡糊塗，抬頭看眾人，愕然的問……

『朕聽不懂她的話，你們聽懂了嗎？誰能幫朕翻譯一下？』

太后搖頭，知畫搖頭，永琪心知肚明，不能說破，只能跟著搖頭。晴兒惻然的垂下了眼睛。

太后就嘆著氣，走過來，拉住乾隆說：

『我看，這小燕子的話，根本不需要懂！皇帝，走吧！咱們帶著知畫，去御花園散散心！』就看著

知畫喊：『知畫，陪咱們走走去！』

『是！』知畫清脆的應著。

『晴兒！走吧！』太后再喊。

晴兒匆匆看了小燕子一眼，只得應著：

『是！』

知畫和晴兒，就陪著太后、乾隆走了。

永琪趕緊送到門口去。

眼見乾隆帶著知畫走了，小燕子走進臥房，失神落魄的在床沿上坐了下來。永琪跟進房來，關上房門，再關上窗子，走到她身邊，擠在她身旁坐下。她看他一眼，吸吸鼻子說：

『你怎麼不去御花園散心？又跑到我這兒來，你不怕桂嬤嬤告狀？』

『讓她去告吧！一天到晚像防小偷一樣，我累了！』他就去拉小燕子的手，柔聲說：『對不起，上次用花瓶敲妳的頭，剛剛又絆妳一跤……我是太急了，被妳嚇得快斷氣了！』

小燕子噘著嘴說：

『在你斷氣之前，我早就被你打死、絆死、氣死、整死了！』

『我們這種生活，怎麼過下去？』他痛楚的說：『我每天都心驚膽戰，充滿了犯罪感，充滿了無可

奈何！』他緊握了她一下，盯著她：『妳要振作起來，理智一點，不要再讓我擔心，我需要妳幫我撐下去……妳不是答應過我，要忘掉仇恨嗎？怎麼見了皇阿瑪，每一句話，都繞著文字獄打轉？』

小燕子低著頭，心裡千迴百轉，都是難言的痛楚和矛盾，就默默不語。

永琪彎腰去看她：

『還在生我的氣？』

小燕子把身子轉開。

『不要再跟我生氣了，我的日子已經夠難過了！』

小燕子抬頭了。

『你的日子有什麼難過？我看你開心得很！有人陪你看奏摺，談國家大事，寫對子……晚上，還和你燈下談心，慢慢解紐釦……』

『妳又來了！妳明明知道我和她沒事，妳還這樣說，我的一片心，妳一點體會都沒有，妳太過分了！』

小燕子委屈，自卑，傷心：

『我過分，我刻薄，我不會說話，我也不會寫對子，好不容易弄懂了鴛鴦和比目魚，又有什麼「落散糖」，我只懂花生糖，米花糖，芝麻糖，核桃糖……就沒聽過「落散糖」！我到處鬧笑話，她那麼好，什麼都會！你有她就夠了！事實上，你也越來越喜歡她，連皇……我不叫他阿瑪，我怎能叫他阿瑪呢？連這個瞌睡龍，也越來越喜歡她！她那麼可憐，動不動就眼淚汪汪，想爹娘……』越說越氣，聲音顫抖：『好像世界上，只有她有爹娘……』

永琪瞅著她，滿眼的苦惱和無奈。

『妳要我怎麼做?告訴我!她和我生活在一個屋簷下,我不能假裝她不存在!做不成夫妻,總可以做朋友吧?如果妳認為也不行,那麼,妳說!要我怎麼樣?不跟她說話?不跟她見面嗎?』

『你在逼我,我能夠要你怎麼做?一切都只能看你的良心!』

『我對妳問心無愧!』他衝口而出。

小燕子一震,立刻尖銳的問:

『對她呢?問心有愧,是不是?』

永琪睜大眼睛看著她,痛苦而誠實的說:

『確實有一點!』

『我就知道,』小燕子嫉妒得快發瘋了……『現在,她在你心裡,已經比我重要了!你每晚睡在她房裡,你對她還充滿了歉意!那你對我呢?』

『對妳也充滿了歉意!』永琪還是痛苦而誠實的……『我覺得我已經被劈成兩半了,每一半都有一大片傷口,而且是血淋淋的!我也會痛,而你,一點也不能體會我的痛苦,只會跟我生氣,再故意曲解我的話!』他也一肚子委屈:『就像剛剛,我有說,她比妳重要嗎?』

『你就是這個意思!』小燕子站起身子,把他往門外推去,她那種『叛逆的、衝動的、不能忍耐的』基本個性,再度發揮:『你走!你走!以前,你心裡只有我一個,現在,你完整整整是我的!現在,你承認了,你已經變成兩半,我只有半個你,還是血淋淋的半個你,對我來說是不夠的!你走!免得你對她充滿歉意,你就和她圓房去!把那半個你,也給她吧!』

『我這樣掏心掏肺的跟妳說,妳一點都不感動,不諒解,還趕我走,妳簡直不可理喻!』永琪瞪著她,生氣了。

小燕子更氣：

『你少跟我四個字四個字講成語了，你知道我書唸得不多，存心笑話我！管你鯉魚黃魚鱔魚比目魚，我就是「不可鯉魚」，你跟她去比目魚吧！』

小燕子說著，已經把永琪推出房門外去了。她『砰』的一聲，關上房門。

門外，永琪也『砰』的一聲，把腦袋往門上重重的一靠，痛苦不堪的自語：

『我怎麼辦？我早就知道，這是一個陷阱，我真笨！』他重重的敲了自己的頭一下⋯『我怎麼會讓自己掉進這個陷阱裡去呢？』

32

學士府裡，那種忙碌和焦灼的日子，已經苦苦的挨了十二天。

這十二天裡，紫薇和爾康幾乎是衣不解帶的照顧著東兒，福倫和福晉，也是不眠不休的。大家的注意力，全在東兒身上。東兒的一聲呻吟，一滴眼淚，一句呼喚，一個動作……都牽繫著大人們整顆的心，大家唯一的祈求，就是讓東兒好起來，讓他那脆弱的小生命，繼續活下去。

這晚，紫薇坐在東兒的床前，握著他的小手，頭靠在椅背上，不支的睡著了。爾康輕悄悄的走了過來，把一件衣服蓋在她的身上。他低頭看她，看到她形容憔悴，臉色蒼白，下巴瘦得尖尖的，眼眶也凹了下去，心中充滿了不忍。再看東兒，眼睛閉著，蜷縮在棉被裡睡著了。他彎下身子，輕輕的把東兒的小手，從紫薇手中抽了出來。然後，他就把她抱了起來，向一張躺椅走去。

紫薇立刻驚醒了，一個驚顫，就從爾康手中翻下地，慌張的喊：

『東兒！東兒怎樣了？東兒……』

『噓！沒事沒事……』爾康急忙扶住她：『東兒總算睡著了，我想抱妳到躺椅上去休息一下！我會仔細的看著東兒，有任何狀況，都會叫醒妳！』

『不行不行！我要守著東兒……』她衝回床前，在床前的椅子裡坐下，看看東兒，努力的振作自己……

『我不睏！我要看著他，他的痘子都發出來了，大概很癢，他一直用手抓臉，我不能讓他抓！這麼漂亮的孩子，如果成爲麻子，也是遺憾。我怎麼睡著了？我得眼睛都不眨的看著他！』

紫薇說著，就再度握住東兒的手。爾康憐惜的說：

『紫薇，十二天了，妳幾乎都沒睡過，瘦得臉頰都凹進去了！妳睡一下，東兒還有我呀！』

『你是男人，不會像我這麼細心！而且……』她心痛的看了他一眼：『十二天以來，你也幾乎沒睡，把握時間，你回房間去睡一睡吧！』

『就因爲我是男人，我的體力比妳好！妳不要跟我爭辯了，妳去睡！』

『不要勸我了，你明知道這是不可能的，東兒還沒有脫離危險，我怎麼能睡呢？』她摸著東兒的手，忽然緊張起來：『東兒的手心冰冷！怎麼會這樣……』

爾康也緊張起來：

『有一會兒了？怎麼？』

爾康就撲到床頭，拉開東兒額上的帕子，看了看。急喊：

『東兒！東兒！醒一醒！東兒……』

東兒毫無動靜。

紫薇大驚，急忙去摸東兒的額，又去試他的鼻息，當她發現孩子額頭冰冷，呼吸幾乎探測不到，她嚇得魂飛魄散，慘叫起來：

『不發燒了，但是額頭冰冰的……他沒氣了……老天啊！他死了！』

爾康臉色大變，急呼：

『不會的！不會的！東兒……東兒……』他衝到門口去，開門，狂喊……『太醫！太醫！快來啊！東

兒不好了……』

福倫和福晉衝了進來，四個太醫，跌跌衝衝的跟在後面，人人都疲倦已極，驚嚇不已。福倫喊著問：

『東兒怎樣了？怎麼不好了？』

『他沒有氣了，他也不動了，他沒有熱度了……怎麼辦？怎麼辦？』紫薇渾身顫抖，哭著去抱起東兒。她用面頰依偎著他的臉，親著他的額，哀求著……『東兒！娘求求你，拜拜你，你活過來，活過來！』

福晉上前，拉住紫薇，哭著喊……

『讓我看……讓我看！我不相信！』

紫薇緊抱不放，拚命對東兒哀求……

『東兒……你這麼小，還有好長的生命要過，你才剛剛開始，怎麼可以走？東兒……你不要死，娘不好，沒有天天陪著你，你要給我機會，看著你長大……』

胡太醫著急的喊：

『格格！把孩子放下！他身上的痘子都化膿了，磨擦不好啊……放下，讓我來診治！說不定還有救啊！』

爾康就過來搶孩子，急呼：

『紫薇，妳聽到了嗎？趕快放下東兒，胡太醫說還有救呀！』

紫薇一震，眼中閃出渴盼的光芒，這才鬆手。爾康急忙把孩子放上床。

幾個太醫衝上前去，圍住了床，急急診治。大家鴉雀無聲，屏息以待。好半天，胡太醫緊張的說……

『你們通通讓開！小少爺這口氣閉住了，脈搏也沒有了，我要用急救試試！』

『氣閉住了，脈搏也沒有，那不是……』福晉用手一把蒙住嘴，眼淚落下，魂飛魄散了。

紫薇直直的瞪著那張床，站在那兒一動也不動。爾康仆在床邊，目不轉睛的盯著東兒。幾個太醫，就急忙打開醫藥箱，箱裡，是一排針灸用的金針。

『格格、福晉最好不要看……』胡太醫說。

紫薇、福晉那裡肯退，根本聽都沒聽見。

只見胡太醫握起東兒的一隻手，另一手拿起金針，對著東兒的指甲縫裡，直插進去。一聲慘叫，眾人全部驚跳，原來慘叫的是紫薇。

『不要啊！痛啊……我受過那種痛……為什麼東兒還要受……』

爾康急忙拉住她，痛楚的喊：

『紫薇！太醫在救東兒的命，這樣的劇痛底下，才能刺激他活過來，妳不要捨不得，這是無可奈何的辦法，如果他知道痛，說不定還有一線希望……』

福晉早就淚流滿面，扭頭不敢看。

東兒仍然沒有知覺。

再一根金針，往東兒第二根指縫中插去。這次是福晉慘叫：

『哎喲……東兒啊！』

爾康見東兒依舊沒有動靜，熱淚盈眶，痛喊著：

『東兒！醒來！東兒！醒來……』

胡太醫拿起第三根針，一插。

驀然間，傳來東兒的大哭聲……

『哇……哇……痛痛……痛痛……額娘……痛痛……』

『醒了！醒了！他哭了，他知道痛！他活過來了！』福倫大喜。

胡太醫急忙把脈，站起身子喊：

『這口氣回過來了！福大人……額駙……格格……』狂喜的對三人拱手：『恭喜恭喜啊！小小爺又

一次死裡逃生，他有脈搏了！』

『胡太醫！謝謝謝謝！你救了我們全家的命……』福晉感激涕零，泣不成聲。

大家全體撲奔那張床，圍著床看著那死裡逃生的東兒。

紫薇卻狂喜的抬頭看窗外的天空，喃喃的說了一句：

『感謝天！』

紫薇說完，再也支持不住，身子就軟軟的倒地，暈倒了。爾康大叫：

『紫薇！』他奔過來，抱起紫薇，見她的臉色慘白，身子軟綿綿的，額上冒著冷汗，忽然想到她和

東兒那麼親密，就算不斷洗手消毒，也有疏忽的時候，這麼一想，他心膽俱裂，急喊：『胡太醫！趕快

來看看紫薇……她是不是被傳染了？』

大家一驚未平，一驚又起。全部圍了過來，個個變色了。

紫薇昏昏沉沉了一段時間，夢裡，有無數的東兒圍繞著她，又跑又跳。夢裡的自己，許著願，東

兒，只要你活過來，我什麼都可以不要，我只要你！連爾康都不能佔據我的時間，我再也不離開你，做

一個最好的額娘！夢裡的她，抱著健康撒嬌的東兒，哭著，笑著，求著，承諾著……她忽然從昏迷中醒

轉，眨動著眼瞼，看到爾康的臉，像水霧中的影子，模糊的，晃動的，逐漸清晰。爾康？怎麼是爾康？

東兒呢？她的眼睛大睜，發現自己躺在床上，爾康坐在床沿，緊握著她的手。

『東兒！東兒……』紫薇驚喊，完全清醒了，身子一挺，想要坐起來。

爾康伸手，把她壓住，深深的看著她。

『躺著！別動！東兒已經救過來了，胡太醫說，他現在的脈搏平穩……額娘在旁邊守著他，四個太醫也寸步不離，還有奶娘和秀珠，妳就放心的休息一下吧！』

『可是……他的手指一定好痛……』他正在最危險的時候，我要過去陪著他……』紫薇說著，翻身落地，忽然一陣天旋地轉，就跌坐在床上…

『妳躺下好不好？』爾康著急的喊：『胡太醫說，如果妳再不休息，下次要急救的就是妳了！還好沒有被東兒傳染，看到妳昏倒，我嚇得魂飛魄散……』他瞪著紫薇，看她憔悴如死，還想掙扎下地，衝口而出的說：『如果老天要我在妳和東兒中間選一個，我選妳……』

爾康話沒說完，紫薇的心像被利箭直刺進去，大痛，她想也沒想，就伸手給了他一耳光。

耳光聲清脆的響過，紫薇被自己的行動嚇傻了。爾康也出乎意料的呆住了。好一會兒，兩人只是睜大眼睛互視著，然後，紫薇就一把抱住了他，痛哭起來。

『原諒我！原諒我！我瘋了……我嚇住了……我神志不清楚……我不知道在做什麼……』她一疊連聲的喊著。『我太怕失去東兒，太怕太怕了！』

爾康抓住她的手，拿到唇邊去吻著，啞聲的說…

『是我不對！怎樣都不該說那句話！我也瘋了，我也嚇住了……我不止害怕失去東兒，我還怕失去妳！』

兩人再度深深切切的互視。

半晌，紫薇痛楚的說：

『永遠不要再說那種話！我願意用十個我，一百個我，一千個我，去換一個爾康！自從爾康出生以後，我最怕的事，就是他生病，或者出什麼意外，我怕我不能給他一個美好的人生，怕他不能無災無病的長大……有時，怕得會後悔，為什麼要創造他的生命？我那麼那麼愛他，你怎麼不會同樣的愛他呢？』

爾康眼眶濕了，啞聲的說：

『妳誤會我了！我怎麼不愛他，他也是我的兒子，我的骨肉呀！他這次生病，我也恨不得自己能夠替代他！他每痛一次，我也跟著痛……剛剛急救的時候，那些針都像扎進我心裡，每一下都痛徹心肺……但是……我更……更愛妳！因為妳這麼愛他而更愛妳！我不知道妳對我是怎樣的，萬一有一天，我和他兩個裡，妳只能選一個……』

『爾康！』紫薇顫聲的、恐懼的喊，爾康驀然住口，覺得自己真的神志不清了，怎麼又冒出一句莫名其妙的話？

他呆呆的看著她，她也呆呆的看著他，兩人眼裡，都帶著靈魂深處的震撼和恐懼。半晌，紫薇一把抱住了他的脖子，緊緊的、緊緊的依偎著他。她柔聲的、深情的說：

『你、我、東兒……我們缺一而不可！我愛你，我愛東兒，我要你，我也要東兒！或者，我們還會有老二、老三，我都會一樣的愛！我有一顆很大的心，可以兼愛你們每一個！請你允許我這麼貪心，允許不再獨佔我，允許我去愛每一個！』

爾康什麼話都沒說，只是用嘴唇輕輕的吻著她的眉梢，她的眼角，她的面頰，她的耳垂……再重重的吻上她的唇。

曙色染白了窗子，黎明來臨了。

東兒救活以後，就衰弱的睡著了。胡太醫說，救活了，並不代表脫離險境，病勢依舊凶險。福晉、福倫和胡太醫都在床前守候，寸步不離。奶娘和秀珠忙著把帕子浸濕，絞乾，遞到床前來。福晉抬頭看著二人：

一聲門響，爾康扶著腳步不穩的紫薇走進來。福晉抬頭看著二人：

『紫薇，怎麼下床了呢？東兒這會兒很好，睡得很沉，呼吸也好！有我在這兒就夠了！妳應該好好的休息……爾康……』她埋怨的說：『你怎麼讓她下床？』

『我不讓也不行，她一定要過來！』爾康無奈的說。

紫薇看了看東兒，鬆了口氣，對福晉說：

『額娘，辛苦了！您趕快去換掉衣服，清洗一下，這兒還是讓我來！』

『妳的臉色還是不好，我沒關係的，東兒也是我的命呀！』

『額娘，妳就聽紫薇的吧！我也在，不要人人都累垮……』爾康勸著。

正在這時，東兒呻吟著喊：

『娘……額娘……喝喝……水……奶奶……』

眾人全部驚動。紫薇驚喊：

『水！他渴了，他要喝水！』她驚喜莫名，眼睛都發亮了。『哇！他好多天沒說話，他說話了！趕快倒杯水來……水！水……』

福晉也驚喜的嚷：

『他在叫奶奶……』

『胡太醫，趕快看看，他是不是清醒了？』福倫興奮不已。

『是！是……先給他喝水，知道渴就是好事！多喝水也是好事……』好幾杯水送了過來，紫薇接過杯子，胡太醫在一旁關注的看著。爾康目不轉睛的凝視東兒，提心吊膽的說：

『慢慢餵他！當心嗆著！』

紫薇在床沿上坐下，慢慢的餵東兒喝水。大家圍著那張床，個個驚喜的，緊張的、屏息的看著東兒喝水。東兒像跋涉了幾千幾萬里的沙漠，一口氣就把那杯水喝乾了。喝完了水，眼睛也跟著睜開了。

『額娘……東兒痛痛……呼呼……東兒癢癢……』就伸手要抓臉。

紫薇趕緊捉住了那隻手，急忙俯身，為東兒吹著這兒，吹著那兒。

『呼呼！呼呼……額娘給你呼呼……不要抓……長大才漂亮……呼呼……』

她拚命吹，心裡一片感恩。他知道痛，知道癢，會叫額娘，會叫奶奶……天啊！謝謝你的仁慈！謝謝你的恩寵！她吹著吹著，忽然看到東兒的小手，無力的垂下去了，他的頭，歪向一邊，眼睛又閉上了。

紫薇一陣緊張，急喊：

『東兒！東兒……跟額娘說話呀！怎麼不說了呢？怎麼眼睛又閉上了呢？東兒！東兒……』

『胡太醫！胡太醫……』爾康又直著脖子喊。

胡太醫趕緊診視，把脈看瞳孔試呼吸，然後，抬眼看眾人，眼中，滿是欣喜。

『不要緊張！不要緊張！福晉，格格……小少爺沒事！他睡著了！熱度也退了，這痘子，也開始結疤了……你們看！』他翻開東兒額上的帕子，給大家看。

『這代表什麼？他度過危險沒有？』福倫急忙問。

胡太醫歡聲的喊出來…

『他會長命百歲！』

胡太醫這話一出，大家就狂喜起來。

紫薇終於笑了，但是，眼淚也跟著滾落，她笑著去擦眼淚，回頭看爾康：

『哇！他會長命百歲！爾康！你聽到了嗎？咱們的東兒，他熬過去了！他打贏了這一仗！他會長命百歲啊！』

『是！是！』爾康笑著說，眼中也是濕漉漉的。『他是一個勇士！他度過了這個劫難，以後會一帆風順了！紫薇，妳不用再後悔，為什麼要創造他的生命！他存在，因為有我們這麼多人在愛他，在期待他長大！』

福晉不停的拭淚，紫薇放開爾康，轉身又抱住福晉，喊著：

『額娘！額娘！咱們的東兒，他真是太……太……太偉大了！』

福晉也在笑，但是，卻笑得淚流滿面……

『是啊！畢竟是我們福家的孩子，「福」字當頭罩著呢！福大命大啊！』

『最該感激的，是幾位太醫啊！』福倫拭淚說。

一句話提醒了紫薇，紫薇放開福晉，一轉身，就對胡太醫跪了下去。

『胡太醫！紫薇給您磕頭！』

胡太醫驚得一身冷汗，急忙攙住。

『紫薇格格，千萬不要！我擔當不起啊！東兒有額駙和格格這樣拚命照顧，有福大人和福晉這樣日夜守候，他怎麼捨得離開呢？是你們大家，留住了他呀！』

說著，攙起了紫薇。

一屋子的人，都歡欣莫名了。爾康看著紫薇，終於瞭解，什麼叫作『一顆很大的心』，他們每一個人，都有一顆很大的心，才會這樣深愛著彼此！此時此刻，他覺得比剛認識紫薇的時候，比在幽幽谷的時候，比在紫薇拔刀的時候，比在紫薇失明的時候，比在流落南陽的時候，甚至比新婚的時候……都更愛紫薇。那種深摯的、狂熱的愛，大概會延續到生生世世吧！如果有來生，紫薇，我還是你唯一的爾康！

他不再跟東兒吃醋了，永遠不會了。看著那幾乎失去的孩子，他知道，這份強烈的父愛，就和他對紫薇的愛一樣，是無法衡量的，也是世上唯一可以和愛情同時共存，相得益彰的一種愛！

33

這天，太后把永琪召進了慈寧宮。

晴兒站在太后身後，不斷給永琪使眼色，永琪看了，非常不安。太后屏退左右，臉色凝肅。永琪知道情況不妙，心裡在飛快的轉著念頭，一面對太后行禮，問：

「不知道老佛爺召見永琪，有什麼重要的事？」

「永琪！我也不跟你兜圈子了，咱們就打開窗子說亮話，你告訴我，你和知畫之間，相處得如何？」

太后板著臉，開門見山的問。

永琪一驚，硬著頭皮說：

「老佛爺，難道知畫有什麼抱怨嗎？」

「你明知道知畫那個孩子，深明大義，又識大體，就算有委屈，她只會打落牙齒和血吞，在我面前，一個字也不會說的！」

永琪有些尷尬，有些慚愧，勉強的說：

「打落牙齒和血吞，這句話會不會太嚴重了？」

「你告訴我，這句話有沒有『太嚴重』？」太后緊緊的盯著他。

『老佛爺那天來景陽宮，也親眼看到了，我和知畫，相處融洽，平時寫字看書，作詩下棋，她都是一個好伴侶，我們……相敬如賓！』

太后一拍椅背站起身：

『好一個「相敬如賓」！我看你是「相待如冰」，冰冷的冰吧！』

太后發怒，永琪也火了。這些日子的痛苦，兩面為難的折磨，就全部兜上心頭，他沉不住氣了，抬頭挺胸，義正詞嚴的說：

『老佛爺，我已經聽您的命令，娶了知畫。您也知道，我和小燕子情深義重，我做不到「只見新人笑，不聞舊人哭」，如果您認為這是我的缺點，我恐怕終身都改不了！能做的，我都做了！』

『你存心敷衍我！』太后聲調嚴厲：『讓我跟你說清楚，當初釋放簫劍，對小燕子的身世，是因為你願意要知畫，才換來的！我已經信守諾言，放了簫劍，對小燕子的身世，也保密到現在，你如果是個懂得感恩，懂得言而有信的人，你就該好好的待知畫！是她救了簫劍，是她救了小燕子！可是……你卻把她冷凍在那兒，你以為她是雪做的嗎？你這樣子，對得起她，對得起我嗎？』

永琪咬咬牙，一時之間，不知該如何接口。

晴兒聽到救簫劍等字樣，心碎神傷，忍不住上前，對老佛爺說：

『老佛爺！知畫對大家的好，五阿哥和我們，都深深明白！我想，五阿哥也不願意傷害知畫，但是，小燕子和五阿哥，當初同生死共患難，那種深刻的感情，不是知畫一朝一夕可以取代的！如果，五阿哥有了知畫，就忘了小燕子，他還有什麼地方值得人尊敬呢？他在兩個妻子之間，對小燕子好一點，正是他有情有義的表現呀！』

太后看看永琪，看看晴兒，嚥了口氣。忽然口氣一轉，變得非常感性與溫柔：

『永琪，晴兒……我知道你們心裡都在怨我。可是，我也有我的無可奈何！在知道簫劍和小燕子的身世之後，我真的嚇住了，嚇傻了！依我的個性，早就把一切都告訴皇帝了，是知畫攔住了我！告訴我，這件事的重要性，拆穿了，會毀掉永琪！毀掉永琪，也就毀掉了皇帝的期望！我顧全大局，這才做了現在的安排！』她的目光停在永琪臉上……『永琪，對這樣一個冰雪聰明，又仁至義盡的知畫，你難道一點感恩都沒有嗎？那……你這個人，也太可怕了！』

太后一針見血，說進永琪最脆弱的地方，是啊，對知畫，他確實有諸多的抱歉。他看到太后低聲下氣，自知理虧，強硬不起來了……

『老佛爺，您的意思，我明白了！我盡力了！』

『這話才對！希望你確實「盡力」！知畫是大家閨秀，不像江湖女兒那麼豪放，你要主動一點！小燕子跟你，已經做了四年多的夫妻，不在乎現在這幾個月！你該怎麼做，你心裡明白！我等著你和知畫的好消息呢！去吧！』

永琪無奈已極，只得行禮告退。晴兒急忙說：

『我送五阿哥出門！』

兩人走出了慈寧宮，走進庭院深深的御花園裡。永琪看到沒有宮女太監跟著，這才對晴兒大吐苦水，說：

『晴兒，我的處境，真是「水深火熱」！我簡直不知道要怎麼辦！』

『我瞭解我瞭解！』晴兒拚命點頭，看著他……『小燕子那兒，你一定要安撫好，像上次那種「鉗龍」謬論，她再發表幾次，身世不穿，她的腦袋也遲早不保！』

『我懂啊！』永琪嘆氣……『可是，我簡直沒辦法控制她啊！現在，我那個景陽宮，到處都是老佛爺

的耳目，我要跟她談幾句知心話，都非常困難！好不容易抓到機會，她又忙著跟我生氣，這麼說也錯，那麼說也錯……我夾在兩個女人之間，簡直是生不如死！」

晴兒同情已極的看著他，完全體會出他的煩惱。有個那麼豪放不羈的小燕子，又有個那麼貌全的知畫，他應該是世上最幸福的男人才是。他卻把自己陷在『生不如死』的境界，這就是永琪最『可愛』的地方吧！假若是簫劍呢？如果他也能有這種艷福，左右逢源，他會這樣認死扣嗎？想到簫劍，她的臉色蕭索。永琪注視著她，似乎讀出了她的思想，他眉頭一皺，說：

「哎呀！我只顧著訴苦，妳才是我們之中，最慘的一個呢！」

晴兒苦笑一下，眼裡漾著淚。

「我不苦，我有很多的回憶，可以慢慢的享受。何況……」她作夢般看著天空，眼神穿越了藍天白雲，穿越了無邊無際的虛空。『我知道，在一個遙遠的地方，有人和我一樣！這種感覺，讓我也不虛度此生了！」

永琪震動而感動的看著她。

半晌，晴兒收束心神，再看永琪，低聲警告：

『最近這些日子，你最好都在知畫那兒過夜，桂嬤嬤天天有報告，你什麼時辰和小燕子在一起，房門關著還是開著，時間多長，都逃不掉！至於知畫一天裡，流過幾次淚，嘆過幾聲氣，老佛爺也都知道！」

永琪睜大眼睛，氣不打一處來：

『我要把桂嬤嬤除掉！」

『噓！別胡說八道了！」晴兒緊張的四面看看：『我不能再多談了，老佛爺會疑心的！」她再看永

琪一眼：『多多小心！好好處理！如果你處理不好，小燕子和知畫，會玉石俱焚！』

晴兒說完，轉身匆匆走了。玉石俱焚！好嚴重的四個字！永琪站在那兒，深知晴兒不是過慮，再這樣發展下去，小燕子會爆發，知畫也會崩潰，到了那時候，兩個女子，他可能一個都控制不了！他也可能害死她們兩個！這樣想著，他更是不知所措了！在他的人生中，一向要什麼有什麼，就連他認定了小燕子，乾隆和老佛爺也屈服了。但是現在，他要一個『單純』的生活都做不到，他要怎麼辦呢？

夜色來臨，小鄧子、小卓子和其他太監們，忙著把院子裡的風燈和燈籠，一盞一盞的點燃，照亮了小院和迴廊。在小燕子的臥室裡，明月、彩霞也把一盞一盞的燈火點燃，把薰香燃起。自從知畫嫁進來以後，每到晚上來臨，大家都很緊張，不止小燕子神魂不定，就連小鄧子、小卓子、明月、彩霞等人，也在跟著神魂不定，今夜，五阿哥要睡在那間房？『新房』還是『舊房』？

小燕子低著頭，心事重重的在房間裡走來走去。她走到窗前，抬頭看窗外的月亮。在月光和懸掛的宮燈下，隱隱約約，可以看到那重重疊疊的屋簷，那參參差差的樹影，那曲曲折折的迴廊，那蜿蜿蜒蜒的宮牆……這個皇宮，真的把她給困住了！她心裡在千迴百轉的自言自語，後悔不迭……

『我好笨啊！為什麼要跟永琪發脾氣呢？那天，好不容易有個機會，可以和他說說話，我居然把他推出房門！我真後悔……永琪一定恨死我，我那麼兒，人家知畫，那麼溫柔，我笨！我笨！我就是笨……』她伸頭對窗外看看，回頭看明月彩霞：『五阿哥回來沒有？』

『還沒有！』明月說：『聽說皇上在乾清宮賜宴，宴請太醫學院的什麼人，研究一種「種痘」的辦法，想防止天花病的傳染！五阿哥、六阿哥、四阿哥都去了！』

『聽起來怪可怕的……』彩霞說：『說是要把「天花痘苗」，種到好端端的人身上去，那不是自己

找病嗎？可是，有人說，這方法挺管用！種過的人，只會小小的出一顆痘子，以後就不會被傳染了……

我可不相信，要我種，我也不敢……』

正說著，小鄧子、小卓子衝進房，歡呼的喊著：

『格格！格格！好消息！胡太醫回宮了，說是東兒少爺，已經脫險了！大概「隔絕」什麼的，也可

以停止了！這次的天花，沒有擴大，學士府裡每個人，都平平安安的！紫薇格格，額駙……人人都好！』

小燕子頓時欣喜如狂，大叫：

『哇！太好了！我明天就去學士府，我要去看紫薇！她一定嚇壞了累壞了……』

門外，傳來桂嬤嬤、珍兒、翠兒和其他太監齊聲的喊聲：

『五阿哥吉祥！』

小燕子一震，馬上衝到門口去，把房門一開。

只見大門口，桂嬤嬤帶著一群宮女，正在『攔截』永琪。

永琪大步走進，桂嬤嬤哈腰說：

『五阿哥！請走這邊……福晉已經準備了洗澡水……天氣熱，五阿哥一身官服，衣服太厚，怕出了

汗不舒服！還準備了菊花茶，蓮子湯，清火清毒……』

小燕子聽到『洗澡水』三個字，大震。搞什麼？洗澡水？難道她要侍候永琪洗澡？她這樣想著，就

無法隱身，走了出去，也顧不得矜持和驕傲了。

永琪一眼看到小燕子，就興奮的喊：

『小燕子！妳聽到好消息沒有？東兒沒事啦！胡太醫說，紫薇衣不解帶，爾康也寸步不離，東兒連

一個痘疤都沒有留下！不過，皇阿瑪還是很小心，幾個太醫，在學士府穿過的衣服，都放火燒掉了，左

清洗右清洗，才許進宮！

『那……』小燕子期盼的問……『紫薇什麼時候可以進宮？』

『恐怕還要等一個月的樣子！』

『還要一個月？』小燕子瞪大眼睛……『那我去看她可不可以？』

『恐怕也不可以，妳還是再等等吧……』

小燕子一怒……

『這個皇宮，簡直是監牢嘛！這也不可以，那也不可以！』

這時，知畫走了過來，對小燕子一笑，就對永琪溫柔的說……

『準備了半天的水，就怕涼了！』她給了永琪一個眼色，俯向他，低低的，飛快的說了句……『跟我進房，有事要告訴你，重要重要！』說完，就轉身向自己房間走去。

永琪心裡狂跳，一定是太后採取了什麼行動，他給了小燕子安撫的一瞥，匆匆忙忙的跟著知畫而去。

小燕子呆呆的站在那兒，她可沒有領略永琪眼中的『安撫』，她眼睜睜看著知畫對永琪說悄悄話，眼睜睜看著永琪拋下她，跟著她進房。這豈是一個眼光可以安撫的？她已經嘔得七葷八素，嘔得臉色發青，嘔得一口氣憋在胸口，幾乎憋死。

永琪進了新房，就看到一個好大的洗澡盆，裡面熱氣騰騰，飄著成千上萬片花瓣。整個房間裡，水汽氤氳，花香撲鼻。珍兒、翠兒不住拎水進來，注滿浴盆。其他宮女，還抱著整籃的花瓣，往盆子裡倒。桂嬤嬤不斷把乾淨的帕子、肥皂、刷子……等物拿來，放在盆子旁邊。這等仗勢，好像他洗澡是件天大的事。他看著這場面，實在有些啼笑皆非。知畫等到一切就緒，就說……

『桂嬤嬤，妳們都下去吧！這兒有我就夠了！』

『是！珍兒翠兒，走吧！』

珍兒、翠兒急忙請安退下，兩個宮女還悄悄笑著。

室內沒人了，永琪就緊張的問：

『妳有什麼重要的事要告訴我？』

知畫抬眼，幾乎是哀懇的看了他一眼，低低的說：

『老佛爺好像有些懷疑了！今天下午，她把我叫進慈寧宮，審問了我一下午，什麼都問……我只好撒謊，可是，老佛爺很精明，問了我許多細節的事，我……我……』她面紅耳赤的低下頭去：『我又沒經驗，好像回答得不太對勁，老佛爺連那條白喜帕，都盤問不休，我……我……很害怕……老佛爺說，如果我騙她，我就是犯了欺君大罪！連我爹我娘，都脫不了干係！還說……還說……』

永琪睜大眼睛問：

『還說什麼？』

『還說，我讓她失望，小燕子這樣專房，讓她生氣，你這樣輕視我，讓她不能忍耐了……我只怕這樣下去，她會除掉小燕子！』

永琪臉色巨變。

知畫飛快的看了他一眼，眼裡已經盈盈含淚了，她輕聲的，怯怯的問了一句：

『我嫁過來，已經有一段日子了，你是不是……拿定主意，不要我？』

永琪心裡，翻江倒海，百味雜陳，簡直不知如何是好。知畫就走了過來，開始給他解衣紐。他一驚，這解紐釦和扣紐釦，已經是小燕子心頭大恨，不能再這樣了，他想著，就本能的一退。知畫呆了

呆，往前一步，繼續爲他解衣，低聲說：

『不管你要我還是不要我，今晚，你都要把戲演足！這種事，誰都沒有辦法勉強，我也不會勉強你……』說著，聲音哽咽，眼淚一掉，忍氣吞聲的說：『你進洗澡盆，讓我服侍你洗澡！多少雙眼睛，都在注意著我們的閨房生活！我現在有苦說不出，如果你連戲都不演，難道要我全家都被你冤死嗎？』

永琪一臉的尷尬、滿心的歉疚，站在那兒，動也不動。知畫就爲他褪下了衣服，他趕緊跳進澡盆，坐在那堆花瓣裡。知畫拿著帕子，細心的給他擦背，細心的抹皂莢，細心的一洗再洗。

在室外，珍兒、翠兒和桂嬤嬤又在窗隙中偷看，三人掩著口偷笑。

在迴廊另一端，小燕子像個蠟杵般杵在那兒，明月、彩霞氣呼呼的站在一旁，看到桂嬤嬤等人，笑得曖昧，明月忍不住咬牙切齒的說：

『這新房裡的西洋鏡，也成了宮裡的一景，是不是？這麼好看？』

小燕子再也忍受不住，再也按捺不住，什麼身分地位，風度氣度，她都沒有了。她一仰頭說：

『這麼好看，我也看去！』

說著，她就衝到窗前來，一把拉開桂嬤嬤，湊在縫隙處，往裡一看，一眼看到永琪裸露的身子，和知畫忙碌的手……這一下，她眞是氣到五雷轟頂，七竅冒煙，腳一蹾，咬牙說：

『好，永琪……還說對我問心無愧！我看到了，我知道了！』

她一轉身，對著門外，飛奔而去。明月、彩霞急忙追在後面，大喊：

『格格！妳要去那裡？』

『不要往外跑了！三更半夜，外面好黑……要去，妳也拿個燈籠呀！』

小燕子卻充耳不聞，像是被什麼野獸追趕著一般，沒命的衝出了景陽宮，衝過了院子，消失在御花

園的黑暗裡。

在新房裡的永琪，聽到明月彩霞的呼喊，大驚失色，從水裡嘩啦一聲站了起來。

『不好！小燕子跑了！』

永琪抓了衣服，胡亂的穿著，緊張的說……

『她會出事！她會闖禍！我得去追她！』

說完，就衣冠不整的，氣急敗壞的向外狂奔而去。剩下知畫，帶著滿臉的驚愕、失意、和痛楚，目瞪口呆的面對著滿盆的花瓣。

永琪奔進御花園裡，早已不見小燕子的蹤影。他到處找尋，不敢大聲喊，生怕驚動了宮裡的人，傳到太后和乾隆耳裡，小燕子又是大罪一條。他穿花拂柳，過小橋，過月洞門，過假山，過白玉石階……到處低喚：

『小燕子……小燕子……妳在那裡？趕快出來……』

四顧無人，他又是著急，又是後悔，又是無奈。怎樣都不該進那個洗澡盆，洗出一身再也洗不淨的誤會！小燕子，妳在那兒呢？他一躍，上了樹梢，四處觀望。但見夜色岑寂，樹影參差，那兒有小燕子？他再躍下地，到處尋找著，心急如焚，真急死人了！半夜三更，她會去那裡？不馬上找到她，她一定出事！

找著找著，天空忽然掠過一道閃電，悶雷響起。永琪看看天空，更急，接著，又是一陣雷聲，雨點大滴大滴的落下。他一急，施展輕功，四處飛竄。這樣就驚動了巡夜的侍衛，追趕著喊……

『什麼人？站住！』

永琪一翻身，落到侍衛面前，壓低聲音說：

『噓！別嚷，是我！』

侍衛一抬頭，趕緊行禮。

『怎麼是五阿哥？五阿哥吉祥！』

『我在找還珠格格，有沒有看到還珠格格？』永琪急問。

『沒有呀！什麼人都沒見！五阿哥，我這兒有雨衣，趕快穿上！』

『別管我了！看到還珠格格，想辦法絆住她，再到景陽宮去報個信！知道嗎？千萬別驚動皇上和老佛爺！』

『喳！』

『大家幫忙找！』

『喳！』

大雨中，永琪找遍了整個皇宮，就是找不到小燕子，想想，說不定她去找晴兒了，在宮裡，她也只能跟晴兒說說知心話。他想著，就迫不及待，去了慈寧宮，找到一個值夜的太監，讓他不要驚動太后，去通報晴兒。還好，這個太監很識相的去了，片刻以後，晴兒打了傘，急沖沖跟著宮女奔到門前來。一眼看到永琪狼狽的、焦灼的、渾身濕透的站在那兒，嚇了一跳。

『五阿哥，你怎麼淋了一身雨？』急忙用傘遮住他：『趕快進來躲躲雨！』

『我不進去，不能驚動老佛爺……』永琪著急的問：『小燕子有沒有來找妳？』

晴兒更驚，睜大眼睛……

『沒有呀！你們吵架了嗎？』

『唉！』他大大的嘆口氣，焦灼的說：『說來話長！比吵架還糟……簡直不知道從何說起！她的老毛病又發了，心裡不高興，就往外跑！我到處找，幾乎把整個皇宮都找遍了，連影子都沒有！宮門口戒備森嚴，她也出不去！現在又下雨了，她一定淋得一身是雨……』他越說越著急，想到小燕子最近才流產，又被打破頭，還要忍受知畫……真是內外夾攻，就算她的身子是銅牆鐵壁，也會吃不消呀！這樣想著，心痛的感覺就像海浪般捲來，他急急的說：『我再去找……如果她來找妳，妳一定要留住她，不要讓她亂跑……』

晴兒聽得心驚膽戰……

『你讓她傷心了嗎？』

『是！我讓她傷心了！』永琪嘔了口氣……『自從知畫進了景陽宮，她幾乎天天都在傷心！』

晴兒瞭解了，點頭，想了想說：

『她不會來慈寧宮，她雖然很想見到我，跟我說說知心話，可是，這個慈寧宮讓她深惡痛絕……她不能出宮，她也不能去找紫薇，她沒辦法找任何人訴苦，宮裡地方再大，沒有她容身之地。我想……』

永琪越聽越慘，急忙問……

『妳想怎樣？趕快幫我分析一下，我現在已經心亂如麻了！』

『我們派宮女和太監們，大家分頭悄悄找！我想，她一定躲在一個不起眼的角落裡，在那兒一個人傷心！』

『這個紫禁城這麼大，角落那麼多，怎麼找？』永琪呆住了。

『一個一個去找！』

永琪楞了楞，點頭……

『是！只能這樣！我去叫小鄧子、小卓子、明月、彩霞……全部出動！』

永琪就掉頭，對著雨霧奔去。

晴兒看著雨滴，從宮簷上滴落，心裡在自言自語：

『這深宮裡的女人，一個比一個慘！小燕子……妳去了那裡呢？』

小燕子確實沒有地方可去。兩個時辰內，她像遊魂一般，遊蕩在宮牆重門處。最後，她累了，淋得渾身濕透，筋疲力盡，腳步蹣跚的走到一個地方，抬眼一看，竟是囚禁皇后的冷宮『靜心苑』。這兒好，這兒沒有人找得到她！因為，這是一個被全世界遺忘的地方！她跌跌撞撞的進了院子，無力的，無助的喊：

『容嬤嬤……容嬤嬤！皇額娘……』

侍衛一攔，驚喊著：

『還珠格格！深更半夜，下這麼大的雨，妳來這個冷宮幹什麼？』

小燕子站在雨霧中，髮絲零亂，臉色蒼白，對著靜心苑的窗子喊：

『容嬤嬤！容嬤嬤……皇額娘……』

容嬤嬤匆匆忙忙，一面拉著剛穿上的衣服，一面衝了出來：

『什麼事？誰在叫我？』看到小燕子，驚喊：『格格！妳怎麼來了？』她急忙從屋角拿起傘，衝了過來。『哎呀！淋得這麼濕！這是怎麼回事？』

小燕子筋疲力盡的，幾乎倒進容嬤嬤懷裡。

容嬤嬤趕緊撐著她的身子，用傘遮住她。小燕子抬頭看她，無力的說：

『容嬤嬤，我走不動了！宮門都有侍衛守著，我出不去，想找紫薇……我不能去找晴兒，怕碰到老佛爺，我不能去找妃娘娘，怕碰到皇阿瑪……我在太和殿前的台階上坐著，想看月亮，偏偏又下雨……我怎麼這麼倒楣，我好累好累……』

容嬤嬤被她的狼狽嚇住了：

『不急不急，慢慢說！趕快進去！進去再說！』

容嬤嬤就扶著小燕子，走進了房間。

片刻以後，小燕子已經換掉了濕衣服，穿著一件容嬤嬤的麻布衣服，又寬又大。身上裹著一條乾淨的毯子，坐在皇后的房間。容嬤嬤忙忙碌碌，把小燕子的旗頭摘下，用乾淨的帕子，為她擦拭著頭髮。皇后拿著唸珠，坐在一張椅子裡，靜靜的看著她。

『這濕頭髮一定要馬上擦乾，要不然，會留下頭痛的病根！妳看……又是雨，又是汗，妳怎麼弄得這麼狼狽呢？半夜跑遍了御花園，一定渴了吧？要不要喝水？』容嬤嬤問著，就放下帕子，倒了一杯水過來。

小燕子捧住杯子，如獲甘泉，一口氣喝得乾乾淨淨。

『再來一杯吧！妳好像從沙漠裡跑來的一樣！』容嬤嬤看得驚愕極了。

小燕子一連喝了三杯水，這才恢復了一些精力，長嘆一聲，抬眼看皇后，悲哀的說：

『皇額娘！妳剃光頭髮，就把煩惱也剃光了嗎？妳真的什麼都不要了嗎？妳怎麼做到的？我現在，心裡難過極了，周圍連一個可以說話的人都沒有了！要逃，逃不掉！要留，又這麼痛苦！』她看看二人：

『妳們知道嗎？我現在比妳們還慘，我什麼都沒有了！沒有爹娘，沒有哥哥，沒有五阿哥……沒有皇阿瑪，我通通都失去了！』

『不會的，五阿哥待妳那麼好，妳不會失去他的！』容嬤嬤安慰著。

『失去了！真的失去了！他娶了知畫……』

皇后一震，注意力集中了，驚愕的問：

『他娶了知畫？』

『妳們都不知道？』小燕子詫異極了…『宮裡那樣吹吹打打辦喜事，妳們都不知道？』

皇后和容嬤嬤雙雙搖頭，凝視小燕子。宮裡的任何事，與她們都不相關了。

『是老佛爺做的主，皇阿瑪也同意，永琪娶了知畫……』小燕子傾訴的說…『我可以不在乎那個名份，福晉給她去當！皇阿瑪正室側室，我也不要了！將來的冊封，我也不要了！但是，我真的喜歡永琪呀！我實在離不開他呀！為了他，我跟我哥分開；為了他，我把所有的苦，都往肚子裡嚥；為了他，我笑臉對皇阿瑪！為了他，我陷在這個宮裡，捨不得走！可是……可是……永琪怎能欺負我呢？怎能這樣對我呢？我就是沒辦法把永琪整個讓給她呀！可是……她比我強，什麼都好，人緣也好！宮裡個個人都愛她，連永琪也一步步偏向她，我鬥不過她呀！我怎麼辦呢？』

皇后聽到這兒，不禁一嘆，誠摯的看著她說…

『如果是以前那個我，或者會教妳一些手段，來和知畫爭奪這個天下！但是，今天的我，絕對不會讓妳走上我的老路！小燕子，爭什麼？不爭就是爭，爭就是不爭，爭也是這樣，不爭也是這樣，到頭都是一樣！』

皇后的爭與不爭論，好像繞口令，小燕子聽得一頭霧水…

『皇額娘，妳說什麼，我聽不懂！我只知道，我不爭也是輸，爭也是輸，到頭都是輸！』

皇后微微一笑，說：

『有點味道了！』就收起笑，認真的說：『妳在無助的時候，會來找我們，妳帶給我太深刻的感動！我認爲，我已經沒有絲毫凡心，可是，依舊被妳打動了！妳這麼不記仇，這麼善良，妳會得到好報的！不要著急，放寬心！是妳的，就是妳的！什麼人都搶不走！知道了嗎？』

皇后說得那麼肯定，那麼平和，小燕子怔怔的聽著，竟然獲得極大的安慰。

『那麼……不是我的，就不是我的，我也搶不到！』

『正是！妳好聰明，我活了一輩子才體會的道理，妳一下子就懂了！』

小燕子凝神的想了想，看著二人，再說：

『我真的好苦啊！永琪是這樣，皇阿瑪是那樣！』想到乾隆和家仇，更痛：『妳們知道的，我一直都喜歡皇阿瑪，我現在還是喜歡皇阿瑪，他待我真的太好太好了！但是，我現在看到他，什麼都不一樣了，我想笑，笑不出來，想跟他說好聽的，說不出來……以前，仗著他寵我，常常忘了自己是誰，跟他撒嬌撒賴胡說八道，裝瘋賣傻，什麼都來，心裡明知道他吃我這一套！現在看到他，我沒辦法忘了自己是誰，更不要談撒嬌撒賴了！我的情緒好複雜呀，我根本不知道要怎麼面對他！要對他好，渾身不對勁，要去恨他，又恨不起來！』

容嬤嬤和皇后聽著，兩人都聽得糊裡糊塗，只當是因爲乾隆同意了知畫的婚事，小燕子在和乾隆嘔氣。容嬤嬤給她子擦乾了頭髮，又用梳子梳著，安慰的說：

『妳那個皇阿瑪，妳就不用擔心了！奴婢看得清清楚楚，他是打心眼裡疼著妳的！妳就是使點小性子，闖了各種禍，他還是妳的皇阿瑪！』

皇后凝視著她，真摯的說：

『不管為了什麼原因，妳笑不出來，你無法對他好，這都是一個過渡時期！過了這段時期，妳會繼續愛他的！』

『為什麼？過了一段時期，他也不會變成另外一個人！』

『因為……』皇后深刻的說：『妳就是這樣一個好人……妳看，妳連我和容嬤嬤，都包容了！還有什麼是不能包容的呢？』

小燕子不禁呆呆的發怔了。是啊，她一點也不恨皇后和容嬤嬤了，她也會不恨乾隆嗎？她也會忘記殺父之仇嗎？她陷進沉思裡，忽然覺得好疲倦，忍不住打個哈欠。

容嬤嬤走上前來，把小燕子一攬，就攬進了她寬大的懷抱裡。

『來！』她慈祥已極的，像個慈母一般說：『在這兒睡一睡！妳累了！躺下來，奴才抱著妳呢！有什麼事，都明天再說！』

小燕子不由自主，就躺進容嬤嬤的懷裡，越躺越舒服，倦意就濃厚的襲來。

『容嬤嬤，妳的衣服有一股皂莢的味道，很好聞……好像娘的味道！小時候，我常想，我娘身上，一定有皂莢的味道，乾乾淨淨的，香香的……她抱著我的手臂，一定也是這麼軟軟的，她的懷裡，也是這麼舒服吧……』她的聲音越說越小。

容嬤嬤眼裡，立刻充滿了淚水，雙手顫抖的撫摸著她的鬢髮。

『格格，以前我一直跟妳作對，犯下好多錯……可是，今天，妳躺在我的懷裡，說我有「娘的味道」，格格，妳讓容嬤嬤怎麼受得了？』說著，她的眼角濕了。

小燕子沒有回答，皇后看了小燕子一眼，發現她已經睡著了。

『她睡著了！』

容嬤嬤就不停的撫摸著小燕子的頭髮，安撫的，溫柔的搖著她。

「睡吧睡吧！什麼都不要想，不要傷心，不要難過，好好的睡！奴才為妳唸佛，為妳祈福！明天，一定會是有太陽的好天氣！」

第二天確實是個有太陽的好天氣。

永琪整整找了小燕子一夜，什麼地方都找遍了，就忘了還有一個靜心苑。早上，宮女、太監們一一回報，誰都沒有看到小燕子。永琪背負著手，在房間裡走來走去，急得像熱鍋上的螞蟻。知畫怯怯的站在一旁。

「這個皇宮，我們是上上下下，全部找遍了，連影子都沒有！」小鄧子說。

「我猜，一定出宮去找紫薇格格了！」彩霞說。

「不可能！每個宮門，我都問過了，除非格格真的變成燕子，要不然是飛不出去的！」小卓子說。

「令妃娘娘那兒，我也問過了！」明月說。

「怎麼辦嘛？要急死人！」永琪跺腳，垂頭喪氣。

桂嬤嬤看到永琪急成這樣子，一肚子的不服氣，說：

「格格也不是小孩，總會知道分寸，那麼大一個人，不會失蹤的！五阿哥別著急了，趕緊去吃早餐吧！」

永琪一抬頭，兇兇的瞪了桂嬤嬤一眼，眼神那麼凌厲，嚇得桂嬤嬤一退。

這時，晴兒急急的跑進了門，嚷著說：

「五阿哥！我找到小燕子了，她在靜心苑……你趕快去！她不肯回來，說是要剃光頭髮，跟著皇后

『什麼?』永琪嚇得魂飛魄散,拔腿就跑,急衝出門。晴兒跟著跑去。

兩人轉眼就跑得無影無蹤,剩下了知畫,帶著一臉的落寞和失意,呆呆的站著。她這才明白,原來,當一個男人心裡眷戀著一個女人時,那個女人可以佔據他全部的思維,主宰著他全部的喜怒哀樂……這樣的感情,中間幾乎插不進一根針。自己比一根針大了不知多少倍,怎樣站得住腳呢?她的落寞,開始無邊無際的蔓延開來。

在靜心苑,小燕子換回自己的服裝,散著頭髮,坐在一張椅子裡。容嬤嬤拿著梳子、簪子,正在給她梳頭,嘴裡不停的勸著:

『格格,不要孩子氣了!這剃頭,不是負氣的事,出家也要緣分,妳緣分還沒到!來,聽容嬤嬤的,把頭梳好!這麼烏溜溜的一頭好頭髮,剪了不可惜嗎?』

『如果剃光頭髮,可以沒有煩惱,我真的想剃!自從我進宮來,從來沒看到皇額娘生活得這麼自在,我也要學學!妳們不知道,那個景陽宮,我簡直住不下去!我要搬到這兒來住!』

『這兒,只要妳住三天,妳也住不下去!』皇后淡淡的說:『不是妳的地方,就不是妳的!』

這時,永琪帶著晴兒,衝了進來。永琪一進門,就氣急敗壞的喊:

『小燕子!不要衝動!千萬不能剪頭髮……』他突然煞住腳步,看著尼姑裝束的皇后,驚怔了一下,急忙行禮:『皇額娘!』

『我已經不是「皇額娘」了!用不著行禮。小燕子在這兒,毫髮無傷,你帶她回去,好好跟她談談吧!』皇后從容的說。

當尼姑去!』

容嬤嬤趕緊跟永琪和晴兒請安：

『五阿哥吉祥！晴格格吉祥！』

小燕子看到永琪，就把身子一轉，用背對著他，嘟起了嘴。

『我剪我的頭髮，關你什麼事？』她虛張聲勢的喊：『容嬤嬤！剪刀呢？趕快幫我剪呀！』

容嬤嬤雖然陪著皇后，過著半修行的生活，但是，機智和聰明仍在。看到五阿哥滿臉惶急，看到小燕子色厲內荏，明白兩人間的矛盾。她就打開抽屜，找出剪刀說：

『哦哦哦！是！是！格格！這一剪刀下去，就不能後悔，格格是不是鐵了心，要剪頭髮呢？』

『剪！剪！剪……通通剪掉！』小燕子嚷著。

容嬤嬤就拿起剪刀，撈起小燕子的長髮，作勢要剪。

永琪嚇得一頭冷汗，大喊：

『容嬤嬤！住手！』他衝到小燕子身邊，一把搶下容嬤嬤手裡的剪刀，對小燕子顫聲說：『妳不要折磨我了，我已經快崩潰了！跟我回去！』

小燕子看到他面容憔悴，眼睛都有黑眼圈了，心已經軟了，嘴巴仍然強硬：

『我折磨你？還是你折磨我？你不要在我面前裝模作樣！你去管知畫……少來管我！』想到知畫，眼前又浮起洗花瓣澡的一幕，氣又來了，跳起身子，去搶剪刀：『剪刀還我！』

晴兒急忙走上前來，把小燕子按進椅子裡，勸著：

『不要嘔氣了！看在五阿哥一夜沒睡，淋著大雨，把整個御花園都幾乎翻了過來的份上，饒了妳的頭髮吧！皇額娘在這兒修行，我們也不能一直打擾皇額娘，是不是？』

晴兒一邊說，一邊把小燕子的頭髮梳好，把旗頭也給她戴上。

小燕子聽到『一夜沒睡……』等字樣，心裡更加柔軟，但是委屈依舊存在，低著頭，默默不語。永琪就對她柔聲說：

『我沒有負妳！』

『我不信！我看到了！』

『我不信！我看到了！』

『如果我用我的血起誓，妳能不能相信我呢？』永琪情急，一半是做戲，一半是真情，就捋起衣袖，舉著剪刀，對著手腕扎下去。

小燕子大驚失色，飛撲上去，一把握住了他拿剪刀的手，真情流露的喊：

『你不要嚇我！你敢扎下去，我……我……』說著，所有的傷心一齊湧上心頭，眼淚立刻奪眶而出，點點滴滴，像斷線珍珠般滾落下來。

永琪慌忙丟掉剪刀，一把攬住了她，用溫柔得像水的聲調說：

『妳仔細的想一想，如果我根本不在乎妳，妳要剪頭髮，那也是妳的事！妳要半夜逛御花園，那是妳的事！妳要得罪皇阿瑪，那是妳的事！妳要大鬧皇宮，那是妳的事！妳要幹什麼就幹什麼，通通都是妳的事！了不起我把妳休了，隨妳去那裡，當尼姑也好，當賣藝的也好，都不關我的事！我何必理妳？何必到處找妳？何必為妳著急擔心，弄得自己沒有一天好日子過？』

聽到永琪這樣一篇話，小燕子的心絞痛著，痛苦中，又夾著絲絲甜蜜，絲絲苦澀，絲絲酸楚……真是不知該如何是好了。

晴兒趁機上前打圓場：

『小燕子啊！五阿哥無論如何，在妳眼前，在妳身邊，這種福氣，我求都求不到！妳也要「惜福」一點呀！』

晴兒一語點醒夢中人，想到簫劍不知流落何方？晴兒忍受的苦，比自己更重，小燕子再也無法任性了，她點點頭，擦了擦眼淚。

『走吧！我們不要再打擾皇額娘了！』晴兒牽起了她。

永琪和晴兒，就擁著小燕子，往門外走去。走到門口，永琪回頭。

『皇額娘，保重！』

皇后深深看著三人⋯

『你們也是！』

小燕子又回到了景陽宮，永琪和晴兒，一邊一個擁著她。她在容嬤嬤的照顧下，飽睡了一夜，看來神清氣爽，倒是景陽宮裡的人，個個形容憔悴。

知畫、桂嬤嬤、和宮女們都迎上前去。

知畫深深看了三人一眼，趕緊對小燕子請安⋯

『姐姐！總算回來了！還沒吃早飯吧！』回頭吩咐⋯『桂嬤嬤，趕快開飯，晴格格也一起吃！』

『不了！我得趕回慈寧宮去，老佛爺醒來，沒人照顧！我走了！』晴兒拍拍小燕子⋯『小燕子，我有空就過來看妳，我們再談！啊？』

桂嬤嬤瞪了小燕子一眼，心裡有氣，提高聲音說⋯

『晴格格大概也一夜沒睡吧！吃點東西再走，老佛爺問起來，我桂嬤嬤會去說明原因的⋯⋯』

桂嬤嬤話沒說完，永琪忽然爆發了，他指著桂嬤嬤、珍兒、翠兒大聲說⋯

『桂嬤嬤，珍兒，翠兒！妳們幾個給我聽著！這個景陽宮不是妳們幾個的戲園子！假若妳們再偷看

我的生活，偷聽我的說話，去向老佛爺告密的話，我馬上打斷妳們的腿！我說到做到！看是你們大，還是我大！如果妳們不相信，我立刻就做！先抽妳們幾個五十大板再說！」就揚聲喊：『小鄧子！小卓子……』

小鄧子、小卓子衝進門來。

『五阿哥！小鄧子小卓子在！』

『趕緊叫人來！搬板凳，準備板子！我要打桂嬤嬤和珍兒翠兒！』永琪聲色俱厲。

小鄧子和小卓子意外之餘，不禁感到大快人心，得意的，大聲應著：

『嗻！遵命！』兩個太監就飛奔而去準備板凳和板子。

桂嬤嬤嚇了一跳，從來沒有看到五阿哥這樣嚴厲。珍兒翠兒也面無人色。桂嬤嬤仗著自己是太后的人，心想，五阿哥不過在虛張聲勢。就傲然問：

『請問五阿哥，奴婢做錯什麼？老佛爺要奴婢報告，奴婢能夠不遵命嗎？』

『老佛爺的命令，妳不能不遵，我的命令，妳就可以不遵，是嗎？這兒不是慈寧宮，我要用景陽宮的規矩教訓妳！』永琪大吼：『不許辯嘴！多說一句，多打十大板！』

桂嬤嬤這才覺得情勢不對，還在猶豫中，珍兒翠兒已經噗通一跪，喊著：

『五阿哥開恩！五阿哥饒命！奴婢不敢了！』

『太晚了！非打不可！』永琪不為所動，咬牙切齒：『我最恨打小報告的人！桂嬤嬤，挨完打，妳再去向老佛爺報告，小燕子失蹤一夜的事情！只要妳還走得動！』

桂嬤嬤從永琪堅定的神情裡，憤怒的眼神裡，看出嚴重性了。畢竟是宮裡的老人，知道厲害，不禁兩腳一軟，也跪下了。

知畫急忙往前一邁，哀懇的喊……

『五阿哥！凳子板子都準備好了，在院子裡，是不是馬上執行？』

這時，小鄧子興匆匆奔進房，喊著……

樣其勢洶洶。和小燕子認識以後，深受她『平等論』的影響，待太監和宮女，都像待家人一樣，像現在這仗勢欺人。

小燕子沒想到永琪有這樣一手，在一旁看得發楞。和永琪認識以來，他都是和顏悅色的，從來不會明月、彩霞高高的抬著頭，看得津津有味。

桂嬤嬤生怕挨打，這面子裡子都擱不住，拚命磕頭說……

『奴婢錯了！奴婢罪該萬死，以後不敢了！』劈哩叭啦就給了自己兩耳光……『奴婢自己掌嘴！』

『奴婢也錯了！不敢不敢了！』珍兒翠兒也哭了，劈哩叭啦，也開始掌嘴。

知畫一點分寸，還不趕快向五阿哥認罪！』

『知畫說得有理，五阿哥，你教訓了她們就夠了！』對桂嬤嬤和珍兒翠兒喊著……『妳們幾個，也該

兒……『晴格格知道的，這桂嬤嬤，雖然撥給景陽宮用，還是慈寧宮的老人呀！』

晴兒也怕事情鬧大，趕緊對永琪說……

『這樣不好吧！打狗也要看主人！傳到老佛爺耳朵裡，不是會引起一場大風波嗎？』就求救的看晴

知畫看著這一切，嚇得花容失色，看著永琪急促的說……

『五阿哥饒命！奴婢不敢了！再也不敢了！』

珍兒、翠兒更是嚇得簌簌發抖，不住口的喊……

『五阿哥開恩！五阿哥開恩……奴婢知道了，奴婢不去報告，不去……』說著，磕下頭去。

『永琪！手下留情呀！』

晴兒也往前一邁，勸解著：

『五阿哥，你折騰了一夜，也累了，何必再跟她們生氣？』轉頭對小燕子使眼色：『小燕子，陪五

阿哥進房，休息休息！』

小燕子這才回過神來，拉了拉永琪的衣服說：

『算了！算了！進去吧！』

『算了？妳要我算了？』永琪看著小燕子，挑起了眉毛：『這些奴才，對妳不恭不敬，整天監視妳，

妳就算了？』

『不敢了！不監視，不傳話，不偷看，不偷聽……』桂嬤嬤一面磕頭，一面連聲的喊著：『什麼都

不敢了！五阿哥饒命呀……』

永琪這才收兵，指著三人，聲色俱厲的吼著：

『看在還珠格格的面子上，暫時饒了妳們！現在，給我滾出去！以後，最好不要出現在我面前！我

不要看到妳們！』

『是是是！遵命！我們滾……滾……』三人就連滾帶爬的出去了。

知晝看得心驚膽戰，目瞪口呆。

永琪再掉頭看著晴兒。

『晴兒，妳先回慈寧宮，告訴老佛爺一聲，我等一會兒就去請安，我要把所有的問題，一次解決！』

晴兒一楞，忽然在永琪身上，看到了一股霸氣，不禁肅然起敬了。

『是！晴兒知道了！』她轉身出門去。

永琪對明月、彩霞等人揮了揮手，宮女太監全部退了出去。

大廳裡，只剩下了永琪、小燕子、知畫三人。小燕子還陷在驚愕裡，看著這樣的永琪，有些楞住了。知畫回過神來，立即恢復了鎮定，振作了一下自己，就走上前來，對小燕子福了一福，滿臉無奈的說：

『姐姐！昨晚讓妳生氣了，知畫跟妳認錯！這些奴才，確實應該教訓，經過了今天的事，大概我們的生活，都可以輕鬆一點了！事實上，自從進了景陽宮，我天天都在監視底下，所作所為，實在身不由己！希望姐姐不要生我的氣！』

知畫這樣一道歉，小燕子不禁面紅耳赤，覺得自己實在太小心眼了。

『算了算了，我從來就沒有生妳的氣！妳救了我哥，我感激都來不及，那裡敢生氣？』她紅著臉說。

『那麼……』知畫看了永琪一眼，低聲說：『請妳也不要生五阿哥的氣……』

小燕子也看了永琪一眼，�‧著嘴低語：

『我也……不敢生他的氣！』

永琪看看小燕子，看看知畫，忽然下定決心，就對知畫鄭重誠懇的說：

『知畫……我有些話想跟妳說，我和小燕子的這份感情，我想，妳永遠也不會瞭解！我很感激妳這些日子來，配合我演戲，但是，這場戲，我不想再演下去了……』

知畫驚覺的看著永琪，很快的打斷了他的話：

『你要說什麼，我已經瞭解了！但是……我想，你也應該瞭解我一下！我已經大張旗鼓的嫁給你了，我的爹娘在海寧，都是名人，他們還要做人，我也丟不起臉！你儘管和姐姐在一起，我不敢爭風吃醋！在我們三個的故事裡，你們有犧牲有妥協，我也有犧牲和妥協，你們儘管不在乎我！但是……我要清清

楚楚的告訴你，』她傲然的一抬頭，自有一股高貴的氣勢，盯著永琪，有力的說：『我生是你的人，死是你的鬼！』

知畫說完，再也不看永琪和小燕子，掉頭出房去了。

房裡剩下永琪和小燕子，兩人對看，都被知畫這種氣勢震撼了。小燕子想到知畫嫁進景陽宮，確實有很多委屈。她服侍永琪洗澡，想必是出自桂嬤嬤她們的安排。她能放下身段，拋開自尊，也算百般遷就了，自己出身江湖，都沒辦法這麼謙卑。想到這兒，小燕子性格裡的善良，就戰勝了她的醋意，她吶吶的說：

『這個知畫……也有她的苦，你……對她也好一點吧！』

『妳未免太矛盾了吧？』永琪愕然的說，拉住她的手，把她拉進了臥房。

終於，又是他們兩個的『兩人世界』了。永琪拉著她的手，深刻的凝視她，不明白自己為什麼這樣喜歡她？連她的霸道，她的不講理，她的吃醋，她的尖銳……他都喜愛。好怕好怕，有一天會失去她！

他搖搖頭，語氣溫柔而帶著命令意味：

『以後再也不許這樣！不許懷疑我，不許半夜跑到御花園去淋雨，不許剪頭髮，不許鬧得我天下大亂，不許出走……』

小燕子看著他，看到他的黑眼圈，看到他的憔悴，看到他眼底的深情，看到他那種只有對自己才流露的溫柔……她的心，因感動而痛楚，立刻情不自禁，投進了他的懷裡，一疊連聲的嚷：

『是！是！是！你不許的事，我都不做！你是「大貓」，我是服侍你的「小人」，我服了，我都聽你！』

『還有一件事！』

『什麼事？』

永琪臉色鄭重，語氣誠懇：

『自從我知道妳的身世之後，我心裡也有許多矛盾和痛苦，我必需說服自己，娶妳是對的！並不是只有妳，在矛盾嫁我我對不對？妳不能為我設身處地去想，最起碼，不能再誤會我！所以，媳婦就是媳婦，不管怎樣，妳好歹都是我的妻子，是皇阿瑪的兒媳婦！這已經是個不能改變的事實！不許對皇阿瑪不敬，不許記殺父之仇！人前人後，都要尊稱一聲皇阿瑪！不許亂給皇阿瑪編綽號，不許動不動就紅眉毛，綠眼睛，張牙舞爪！』

小燕子推開了他，看了他好一會兒，終於輕聲的，誠摯的，忍痛的說了一個字：

『是！』

永琪這才鬆了一口氣，把她緊緊一抱。吻就像雨點般落在她的頭髮上、面頰上、眼睛上、眉毛上、唇上。

為了讓『花瓣澡』的事不再重演，永琪去了慈寧宮，晴兒早就把話帶到了。太后看著有備而來的永琪，心裡有點七上八下。晴兒站在太后身後，幫太后搧著扇子。

永琪直挺挺的站在太后面前，帶著一股正氣，毅然決然的說：

『老佛爺！我已經聽從了您的命令，娶了知畫！現在，宮裡上上下下，也都尊稱知畫一聲「福晉」，這對先進門的小燕子，實在是一種侮辱，但是，小燕子無力反駁，我也等於默認了！我和小燕子，能夠做到這一步，已經是仁至義盡！希望老佛爺對我們，也睜隻眼，閉隻眼，不要逼得太緊！關於我房中的事情，就請老佛爺不要再過問了！桂嬤嬤那幾個奴才，如果再來向老佛爺報告我的生活，我會把他們痛

打一頓，趕出宮門！我說到做到，請老佛爺三思！」

太后大震，目瞪口呆的看著永琪。晴兒也十分震撼的看著他。

永琪繼續說：

『關於小燕子的身世，如果老佛爺要告訴皇阿瑪，也聽憑老佛爺自便！我不在乎了！反正，我看，皇阿瑪對小燕子已經很失望，知道真相之後，說不定恍然大悟，瞭解小燕子為什麼行為失常，反而諒解了她！』

太后再也沒有想到，會被永琪反將了一軍，不禁大急，說：

『如果皇帝知道了，他怎麼可能讓小燕子留在宮裡，死罪就算逃掉，活罪難免！如果皇帝把小燕子廢掉，趕出皇宮，或者充軍，你要怎麼辦？』

『小燕子留，我留！小燕子走，我走！』永琪堅定的說：『如果小燕子有什麼閃失，或者，有人要對小燕子不利，那麼，皇阿瑪也失去了我！抱著這樣的信念，我還有什麼可害怕的？我要說的話，都說完了！老佛爺去定奪吧！永琪告退！』

永琪說完，行禮如儀，太后還沒從震驚中恢復，永琪已經掉頭而去。

太后震住了，動也不動。

晴兒看著永琪的背影，眼中閃著佩服的光彩，心中想著：

『好厲害！永琪抓住了老佛爺的弱點，已經有「王者之風」了！』

這晚，永琪沒有在新房裡度過。自從知畫進門，這是第一次，他留在小燕子的臥房裡過夜。

室內一燈熒熒，薰爐裡飄著裊裊的煙霧。小燕子身穿著一身白色繡花的水衣，披瀉著一肩長髮，眼

神中帶著夢似的光彩，站在床邊。永琪也卸下了厚重繁複的衣服，只穿著白色的裡衣，擁著她，用手撫弄著她的頭髮。他看著她，見她消瘦了好多，心裡充滿了憐惜，重新擁著她，更讓他充滿了珍惜。他柔情萬縷的說：

『好像有幾百年，沒有跟妳在一起！』

是啊！幾百年！幾百年的分離，幾百年的折磨⋯⋯她忍不住低問：

『你每晚跟她在一起，到底做些什麼？』

『什麼都沒做：看書，寫字，談天⋯⋯看著帳子頂發呆，然後各睡各的！』

『可是⋯⋯她每晚都為你解紐釦吧？』她酸酸的問。

他楞了楞，擁著她的胳臂，不自覺的僵了僵。

『好不容易跟妳在一起了，我們一定要談這個嗎？』

『可是⋯⋯我還是不信耶，這麼多日子，你夜夜在她房裡，她長得那麼美，你們都穿那麼一點點，她還幫你洗澡擦背⋯⋯你說從來沒有和她怎樣⋯⋯我不信耶！』

『是不是要我以血起誓呢？』他故意作態：『我去找刀！』

『好，好，不談不談！管我信不信？信也是信，不信也是信！』她嚷著，把他一把抱住，熱情奔放的喊：『這些日子，我過得好辛苦！又氣你，又恨你！』

『我比妳更辛苦，因為我知道妳氣我，恨我，想我！我天天看著妳，想跟妳說話都沒機會，我真想跟妳說⋯⋯』

『想說什麼？』她急急追問。

『不說了，』他笑著搖頭：『說不出口，有點肉麻！』

『說什麼？』他嗆住了。

她膩著他，黏著他，祈求的，央求的…

『說嘛！說嘛！又沒有別人在旁邊，桂嬤嬤她們也不敢偷聽了……說嘛！好久沒聽你說肉麻的話了！』

他就俯在她耳邊，一連串的說：

『愛妳，愛妳，愛妳，愛妳，愛妳，愛妳……』

小燕子聽得如癡如醉，什麼花瓣澡，什麼解紐釦，什麼鴛鴦比目魚……都飛到九霄雲外去了。她的眼裡心裡，都只有他！她的『大貓』，她心甘情願為他受苦，為他犧牲，為他當一輩子的『小人』！她踮著腳尖，主動送上了她的唇。

他被她這樣的熱情，燒得渾身滾燙，他們緊擁著倒上了床。

34

學士府裡，一門歡欣。

東兒完全恢復了，活活潑潑的滿室奔跑，笑得咯咯咯咯的。一會兒撲進福晉懷裡，一會兒撲進爾康懷裡，一會兒撲進紫薇懷裡，一會兒撲進福倫懷裡……簡直沒有片刻的安靜，好像要把病中睡掉的動力，全部找回來似的。嘴裡大聲的嚷著：

『我騎大馬，馬兒來囉……駕……駕……駕……讓路讓路……』一頭撞在福倫身上，抬頭嚷：『爺！爺！』

福倫愛極的抱起他，親著他光滑的臉蛋：

『哎，我們家的寶貝，又活蹦亂跳了！瞧，臉上光光的，一個麻子都沒留！帶出去，誰都不相信他出過天花！』

『多虧紫薇呀！守在床邊那麼多日子，自己瘦了一大圈，東兒反而胖了！』福晉笑著說，憐惜而寵愛的看著紫薇。

『不是我一個人的功勞，不要只誇我喲！』紫薇幸福的笑著說：『阿瑪、額娘和爾康，都非常辛苦！總算這個天花沒有傳染到宮裡去，家裡的人，也沒傳染！』看著爾康問：『不知道北京城裡，是不是流

行得很厲害？』

『今天去上朝，說是病情已經控制住了！皇阿瑪被東兒嚇住了，命令太醫學院劉裕鐸院使，研究一種「種痘」的辦法，想控制天花病！嘿！』他笑了起來⋯『人定勝天！說不定我們東兒這一病，會造福未來的許多人！將來，天花在人類的生活中絕跡，那才好呢！』

『可能嗎？好像不太可能吧！』福晉不相信的說。

『我覺得人類太聰明了，沒有什麼不可能的！』爾康說⋯『以前，家裡有一個人害天花，一定個個傳染，現在，已經懂得怎麼防止傳染，這就是一種進步了！未來的世界，不可限量！』

正說著，外面一陣喧鬧。家丁大聲通報⋯

『五阿哥駕到！還珠格格駕到！』

眾人大喜，紫薇尤其興奮，忍不住喊著說⋯

『小燕子來了⋯⋯小燕子耶，幾百年沒看到她了！』

紫薇就往門前衝去，還沒到門口，小燕子和永琪歡笑著奔了進來。紫薇大喊⋯

『小燕子！』

『紫薇⋯⋯我想死妳了！』小燕子拉住紫薇的手，上看下看，左看右看⋯『妳怎樣？氣色很好，就是好瘦啊！』

『妳也是！』紫薇也打量著小燕子。

福倫、福晉趕緊行禮。

『五阿哥吉祥！還珠格格格格吉祥！』

『秀珠，冬雪⋯⋯趕快砌茶！』福晉嚷著⋯『秋天了，還是這麼熱，拿幾杯酸梅湯來！』

丫頭們答應著，忙忙碌碌，奉茶奉水端點心。

永琪對福倫福晉點頭招呼，眼光就落在爾康臉上，笑著說：

『恭喜恭喜！總算有驚無險！』

福晉心情愉快，看著永琪，想到什麼，急忙說：

『五阿哥！這東兒一病，鬧得我們全家大亂，我都來不及進宮，跟你去賀喜，真是恭喜了……』

爾康突然『咳咳咳……』的大咳起來，拚命打斷福晉的話：

『咳咳咳！咳咳……額娘，妳去看看，廚房有沒有點心可吃？』

小燕子眼珠一轉，走了過來，對爾康嚷著：

『爾康！你著涼了？還是嗆著了？這永琪娶了知畫，在宮裡是件大事，伯母恭喜他一聲，也沒說錯，要你又咳嗽又打岔的？』

爾康看了小燕子一眼，見她神清氣爽，若無其事，實在有些納悶。

『哦？看樣子我咳嗽咳錯了！』爾康再去看永琪，困惑的問：『五阿哥！看小燕子的神情，你們過得還不錯是嗎？』不禁肅然起敬起來……『我對你佩服得五體投地！看樣子，皇阿瑪的工夫，你是得到真傳了！你到底……』

爾康話沒說完，輪到永琪一陣大咳，一面咳，一面說：

『咳咳咳……咳咳……爾康，你少說兩句，那個……酸梅湯，酸梅湯……我很渴，快給我一杯！』

紫薇和小燕子交換著視線，紫薇笑著說：

『他們兩個傳染得到快，一個咳完一個咳！』

小燕子瞥了永琪一眼，做了個鬼臉，就走過去抱起東兒，驚嘆的喊：

『哇！東兒，你更漂亮了！臉蛋這麼光滑……眼睛這麼亮，長大了一定是個美男子！還好，不怕你被別人家搶去，我已經預定了紫薇，爾康……你們不許賴，東兒將來是我的女婿，我們一言為定哦！』

紫薇喜上眉梢，問……

『小燕子，妳有好消息了嗎？』

『那有好消息？』小燕子臉色一沉。『問問知畫有沒有好消息倒是真的！』

永琪呆了呆，嘆了口氣，自言自語……

『又來了！什麼信也是信，不信也是信，明明就不信！』

爾康看看這個，看看那個，忽然拍拍手，說……

『我有一個提議，我們四個，好久沒有聚在一起了！我和紫薇，最近天天關在家裡照顧東兒，簡直悶死了！你們兩個，關在宮裡出不來，大概也快悶壞了！我們何不到郊外去騎騎馬，痛痛快快的狂奔一下？』

『好呀！騎馬！我們去幽幽谷！』小燕子喜悅的大嚷。

於是，四個人離開了學士府，騎上了馬，在草原上好好的奔馳了一陣。大家好久沒有這樣放鬆過了，這一陣策馬疾馳，才讓大家又『活過來』了。經過了東兒的死裡逃生，經過了永琪的盛大娶知畫，經過了簫劍的受困和遠走，經過了小燕子身世大白……他們四個，再聚在一起，真有說不完的話。

一段奔馳之後，四人放慢了馬，策馬徐行，邊走邊談著，每個人都又說又聽，說的動容，聽的也動容。然後，他們到了幽幽谷。

紫薇四面一看，無限感慨的驚呼著……

『幽幽谷！好久沒有來了！』

爾康凝視著谷中的景致，和紫薇勒馬並立：

『紫薇，還記得當年，妳失蹤了，我在這兒找到妳的情形嗎？那天的一切，經常在我眼前重演，妳坐在那塊大石頭上扯花瓣，看到了我，妳撒掉花瓣向我跑來，我也向妳飛跑過去，然後，我抱住了妳……沒想到，這樣一抱，我就再也無法放開妳了！』

紫薇回憶前情，臉上不禁湧現甜蜜的微笑。

小燕子和永琪也慢慢的騎馬過來。

『幽幽谷！』小燕子回憶著：『還記得那天，找到了紫薇，我們就在這兒定計，決定把紫薇送進宮……那是幾年前的事了？』

『七年了！這七年，我們大家的變化好大，經過了太多的事！』

『記得我生病快死的時候，作了一個夢，在這兒，我們有個大團圓的聚會！蒙丹、含香、爾泰、塞婭、金瑣、柳青、柳紅、再加我們四個，全部聚在一起！夢裡的含香，還在這兒招蝴蝶，整個山谷，都是蝴蝶！現在，這個夢還要多加兩個人，晴兒和簫劍！不過，這個夢越來越遙遠，不知道那一年才會實現了！』紫薇感慨起來。

『讓我們抱著希望，總會有實現的一天！』爾康看看大家：『來吧！我們下馬，好好的分析一下現在的局面！』

四人就紛紛下馬，馬兒到草地上去吃草，四人就在石頭上一坐。

爾康打量永琪，無法置信的說：

『我簡直不能相信！你說，你和畫，到現在都是掛名夫妻，老佛爺說不定心裡也有數？』

永琪點頭。紫薇一臉的不可思議，小燕子嘟著嘴，半信半疑。爾康想了想，越想越擔心，盯著永

琪，皺皺眉說：

『這樣不大好吧？我覺得你在玩火，當心被燒得體無完膚！老佛爺一時之間，可能招架不住，只能忍著。但是，知畫不是普通人家的姑娘，是陳邦直的女兒耶！陳邦直今年之內，一定會進宮看女兒，假若他們知道知畫這麼委屈，他們會沉住氣嗎？他們一定會氣死的，那時候，又是一番驚天動地，所有的祕密，還是保不住！』

『如果我們乾脆向皇阿瑪招了呢？』永琪忽然發出一句驚人之語。

『不能招！一定不能招！』爾康嚴重的說：『皇阿瑪的反應，我們根本不能預估！我們要有一個最後的方案……』他認真的看著小燕子……『小燕子，別讓簫劍和晴兒白白分手！萬一皇阿瑪知道了，我要找出靜慧師太，證明妳根本不是簫劍的妹妹！到時候，妳要跟我們合作！』

『我不要！』小燕子震動的喊。

『妳理智一點，為什麼不要？』紫薇問：『簫劍說得很有理，說不定妳根本不是他妹妹，其實，我和爾康，老早就在懷疑這一點！反正，事情不穿，大家都瞞著，萬一穿了，說法要一致！靜慧師太那步棋，是一定要走的！』

『好！就這麼辦！爾康，你負責去找靜慧師太！』永琪說。

爾康點點頭，嚴肅的看看永琪……

『知畫這件事，你的做法，我在感情上是佩服的！但是，理智上，我覺得太危險，也太不人道！』

『那你要我怎樣？』永琪急了……『和她成為真夫妻嗎？』

爾康鄭重的點頭……

『你娶她那一天，就應該這樣做！』他再看小燕子……『小燕子，知畫嫁給永琪，才換得簫劍的自由，

現在，簫劍走了，永琪卻不履行承諾，好像有失君子風度！人家知道，這樣欺負人家，也不像五阿哥的作風！」

小燕子一聽，就跳起身子，煩躁的嚷：

「我怎麼欺負她了？我才被她欺負！一會兒幫永琪解紐釦，一會兒幫他洗澡，一會兒靠在他懷裡哭……每晚跟他同床睡覺……我就是生氣嘛！要我不吃醋，根本不可能！」

爾康聽得匪夷所思，看永琪：

「這麼說，知畫和你，也有「肌膚之親」了？你預備讓她將來怎麼辦呢？」

永琪煩惱的一捶頭：

「事情沒發生在你身上，你根本不瞭解我的苦！」

「我瞭解！我非常非常瞭解！」爾康急忙說：『但是，瞭解是一回事，應該怎麼做是另外一回事！你們都沒有為知畫設身處地想過嗎？」

紫薇深思著，忍不住看著永琪，接口說：

「永琪，我服了你！你和知畫結婚那晚，我以為你們已經成其好事，對你還滿生氣的！現在，才知道你居然坐懷不亂，讓我刮目相看！」

「不要刮目相看了！」永琪苦笑，坦白的招了：『我本來也想「勉為其難」，結果……就是做不到！這才知道，真正的愛，身與心是合而為一的！」

「我站在小燕子的立場，為你的「做不到」而感動，但是，站在知畫的立場……就有點代她悲哀。」紫薇想著，誠實的嘆了口氣：『她才十七、八歲，要應付這種局面，大概也慌了手腳。你也有點殘忍啊！」

『你們怎麼回事？為什麼都站在知畫的立場去說話？』永琪急了。

『我不是站在知畫的立場，是站在正義的立場！』爾康說：『想想看，她不是在普通的情況下嫁給你的，是在我們大家走投無路的時候，挺身而出，為我們解圍的情況下嫁給你的！我們曾經有求於她，不該過河拆橋！這件事不是單純的感情問題，還包涵了責任和道義！』

小燕子聽來聽去，這時，再也無法沉默了，就去推永琪，嚷著說：

『我知道了！我欠了知畫，你也欠了知畫，好嘛好嘛，你去跟她圓房！我一定不再吃醋了，我會忍受，忍得了也忍，忍不了也忍！你去你去……爾康和紫薇說得對，我不該這麼任性，我應該對知畫報恩的，我不報恩，還欺負人家！是我錯！永琪，你今晚就跟她圓房去！』

永琪差點被小燕子推到水裡去，站起身來，煩惱的喊：

『我好不容易把事情擺平了，老佛爺也不追究了，為什麼還要圓房呢？』

『因為，這樣太不光明！因為，知畫太可憐！』爾康深謀遠慮的說：『因為……這事充滿了後顧之憂！萬一知畫想不開，一條繩子上吊了，那怎麼辦？』

永琪嚇了一大跳，睜大了眼睛：

『上吊？她會上吊？』

爾康不語，紫薇有同感，也不語，小燕子驚悟著，也不語。

永琪環視眾人，他知道，爾康句句都說到重點，不禁跌腳大嘆：

『我怎麼會弄成這樣？當初怎麼會答應這種條件？誰能把我從這個困境裡解救出去呢？』

這晚，小燕子又站在窗前看月亮，心事重重的深思著。爾康說的話，句句在她腦海裡迴響。進宮這

麼多年，她也成熟了很多，不再是以前那個不用大腦的小燕子。但是，當她用大腦來想這件事的時候，她的心就跟著痛楚起來。

明月、彩霞在鋪床，不時悄眼看小燕子，暗中揣測著，今晚的五阿哥，不知是睡『新房』還是『舊房』？正在猜測中，永琪推門進來了。

小燕子回頭一看，衝口而出：

『你走錯房間了吧？』

永琪一怔，苦笑著說：

『難道這不是我的房間嗎？』

明月、彩霞相對一看，都笑開了，明月就熱心的喊著：

『當然是！當然是！五阿哥！這兒坐！』

明月把椅子上的坐墊拍了拍，拉著永琪坐下來。彩霞也嚷著：

『沒走錯！沒走錯！五阿哥！喝茶喝茶！』

彩霞急忙倒了一杯茶過來，放在小几上。兩個丫頭就請了一個安，看了小燕子一眼，雙雙退下，細心的關好房門。

永琪起身，走到小燕子身邊，柔聲喊：

『小燕子！怎麼不說話？』

小燕子轉過身子來，凝視著永琪，看了好久好久，然後，就誠摯的、懂事的說：

『今天在幽谷，爾康和紫薇的一篇話，敲醒了我！我想了很多很多，覺得我真的不應該跟知畫吃醋，不應該想單獨霸佔你！那天，皇阿瑪說過，將來，你還會有知梅、知蘭、知菊、知竹……什麼的，

我必須接受！如果，我連對我有恩的知畫，脾氣這麼好的知畫，都不能接受，我一定會遭到報應……

『算了吧！』永琪煩惱的打斷……『什麼知梅、知蘭、知菊、知竹……一個知畫，我已經弄得亂七八糟了，那敢再來？沒有了！那是不可能的！至於知畫……』

『我不生氣了，也不吃醋了……』小燕子搶著說：『今晚，你去她房裡，辦完你早就該辦完的事！去吧！』

永琪瞅著她：

『妳不吃醋？妳真的不吃醋？』

『你心裡有我，就可以了！』她點頭，深深切切的看著他：『我願意和她共有一個你！我不吃醋了。』

永琪嗒然若失，悵悵的說：

『妳不吃醋，我反而有些失落……妳真的不吃醋了嗎？那是不是表示，妳不在乎我了？妳要把我讓給別人了？這樣的小燕子，我有點不習慣呢！』

小燕子睜大眼睛，驚喊：

『永琪！你不要得了便宜還賣乖啊！』

『不要趕我走！』他攬住她的腰，凝視著她，充滿感性的說：『我答應妳，會對知畫負責任，可是，我今晚還沒有準備好！明天再說！』

『什麼沒有準備好？你要準備什麼？這事還要準備嗎？』小燕子越聽越奇怪。

『是！爾康他們雖然說服了妳，我還沒有說服自己！讓我再想一想！』

小燕子堅定的看著他。

『不要想了！你今晚就過去！什麼明天再說？明天之後還有明天，你要拖到那一天？我只要想到前些日子，我所受的苦，就覺得，我沒有權利讓知畫也受這種苦！』她定定的看著他⋯『爾康說得對，我們不能無情無義！你去吧！』

小燕子說著，就把他往門口推去。他著急起來，一個勁兒的說⋯

『我真的還沒準備好⋯⋯真的沒準備⋯⋯』

她踮起腳尖，捧住他的臉，用力的吻了他一下。她的眼睛濕漉漉而亮晶晶，美得讓人目眩神馳，她的聲音裡，沒有暴躁，沒有懊惱，只有無比無比的溫柔⋯

『我知道你的心，感激你對我這麼好，想起前些日子，一直冤枉你，一直跟你生氣，就覺得自己太沒風度了！我現在，誠心誠意的希望，你幫我了了這個責任，我欠了知畫，請你幫我還債！請你「勉為其難」，謝謝你！』

小燕子說完，就把他推出房門，把房門關上了。

剩下永琪，怔怔的走到迴廊上，站在那兒發呆，心裡像燒滾的油，又熱又燙又煎熬。他的理智告訴他，小燕子想明白了，爾康紫薇分析得都對，為了大局，為了小燕子，為了仁義，為了無辜的知畫，自己確實應該去完成丈夫應盡的責任。想著，他就往新房走去，走到門口，但是，但是，但是⋯⋯心裡就有好多個『但是』，眼前閃耀著的，依舊是小燕子濕漉漉亮晶晶的眸子。他正思前想後，舉棋不定，桂嬤嬤從新房出來，一眼看到永琪，就驚喜的喊著⋯

『五阿哥！走了！走了！』突然想起那個要打她的五阿哥，馬上害怕的退開⋯『奴婢走了！走了！』就急急忙忙的逃走了。

桂嬤嬤這樣一喊，就驚動了在房裡看書的知畫，她的眼睛驀然閃亮了。房門一開，她翩然出房來，

抬眼熱烈的看著永琪，她幽幽的說：

『你來得正好，我看到一首詩，有些不明白，你講解給我聽，好不好？』

『什麼詩？誰的詩？』永琪心不在焉的問，心裡還在抗拒著。

『在這兒，我正在看……』知畫就挽著永琪進房來。

知畫關上房門，就去把書拿來，遞給永琪看。她站在他身邊，離他好近好近，頭髮幾乎拂著他的面頰，身上帶著淡淡的清香。她指著書上的文字：

『就是這首！』

永琪目不斜視的看著書，唸著書上的句子：

『誰伴明窗獨坐？我和影兒兩個，燈盡欲眠時，影也把人拋躲，無奈無奈，好個淒涼的我！』他頗為震動，憐憫的看知畫，喃喃說：『這不是詩，這是詞。』

知畫眼裡，漾起一層淚霧，她輕柔的說：

『不管是詩還是詞，唸了幾百次，就有些犯糊塗！』她抬眼看他，帶淚的眸子裡，盛滿了哀懇。她的聲音，悽婉而幽怨：『永琪，我知道你心裡沒有我，我也知道，我以後的生命，就是這樣；「誰伴明窗獨坐？我和影兒兩個！」我不敢怨，不敢奢求，更不敢和姐姐爭寵。你儘管去愛她……但是……請你讓我也能有一點期待，將來，也能有一些回憶好不好？』

永琪呆呆的看著知畫，對這樣的知畫，不能不充滿了憐憫，犯罪感就像海浪一樣，對他席捲而來。

『知畫，對不起……』

『不是你的錯，你不用說對不起！我明知道這是一個虎穴，我還是進來了！』

『妳應該拒絕的！』他無力的說。

『是！我知道……但是，我進來了！』她就拉著他的手，把他拉到床邊，開始幫他解紐釦，一面解，一面低低說：『你說，每天演戲，你不想演了，我也不想演了！我們不要再演戲，我請求你，讓我有個孩子！這樣，就算我要每晚獨守空閨，最起碼，不是「誰伴明窗獨坐」，而是「我和孩子兩個」！』

永琪呆呆的、被動的站著，心中，充滿惻然的情緒。知畫細膩的，溫柔的為他脫下衣服，就開始解自己的紐釦，一面解，一面不勝嬌羞的看永琪。她的臉龐湧上了紅潮，她的聲音，帶著深深的渴盼，和怯怯的哀愁：

『只要給我一個孩子，我就滿足了，我不會糾纏你！我謝謝你，感激你……』

永琪眩惑著，凝視著她那美麗、哀愁、嬌羞、渴望的臉龐，在強大的犯罪感中，無法動彈。知畫褪下了衣服，就彎腰一口吹滅了桌上的燈，她拉著永琪倒上床。

那夜，永琪終於『勉為其難』，讓知畫成了他的新娘。

35

兩個月後。

這天，太后要去碧雲寺上香，爾康、福倫、永琪帶著衛隊護送，小燕子、紫薇、晴兒、知畫和令妃都陪同著來了。整個隊伍，浩浩蕩蕩。到了廟前，民眾夾道，爭先恐後的伸長腦袋觀看。福倫不斷喊著：

『大家讓一讓，老佛爺的轎子到了！』

幾乘華麗的大轎和馬車，陸續停下。

爾康維持著秩序，下馬，對民眾嚷著：

『大家後退！老佛爺來上香，沒有什麼好看，不要擋著路！退後，退後！』

民眾就是不退，更加向前擠。官兵用棍子攔著老百姓，老百姓興致高昂，爭先恐後的叫嚷著。研究著誰是老佛爺？誰是還珠格格？誰是紫薇格格？在大家的叫嚷聲中，從馬車內，轎子內，陸續走下太后、晴兒、知畫、小燕子、紫薇、令妃和嬤嬤宮女們。一千女眷，簇擁著太后，向廟宇走去。嬤嬤們、宮女們、太監們前呼後擁。

早有廟內的師父們，夾道迎接。

『貧僧智明恭迎老佛爺！老佛爺千歲千歲千千歲！』再一一招呼：『五阿哥吉祥！額駙吉祥！福大人吉祥！』

『師父！香燭都準備了嗎？民眾太多了，老佛爺上完香就要回去！不能停留！』

『準備了！準備了！這邊走！』

知畫和令妃，一邊一個，扶著太后。桂嬤嬤和宮女嬤嬤們提著供籃，跟隨在後。

小燕子、晴兒、紫薇三個，落在後面。小燕子最愛熱鬧，看到這麼多人，跟隨在後。

『好不容易出來一趟，只是上香！這麼多人看熱鬧，使我想起南巡那一路，真是精彩呀！最近，我快悶出病來了！最好再來一次南巡，宮裡好無聊！』

『妳少說兩句吧！當心老佛爺聽見，妳看，知畫就不覺得無聊，陪著老佛爺，也笑得很開心！妳應該跟她學學！』紫薇說。

『哼！她那一套我學不會！』小燕子嘰咕著：『她當然不無聊，平時在宮裡，她也很忙！唸書，背詩，出口成章！畫畫，寫字，好厲害！』

『小燕子！』晴兒看著小燕子，由衷說：『妳實在不容易，以前看妳打打鬧鬧，對什麼事都大而化之。這次的知畫事件，讓我看到另外一個妳，妳的愛心和忍讓，我自嘆不如！』

『我也自嘆不如！』紫薇接口。

小燕子眼眶一紅，酸酸的看兩人：

『妳們多嘆幾次氣，多說幾個「不如」，讓我心裡舒服一點吧！我怎麼會這麼做？到現在都還有點糊裡糊塗！』

三人邊走邊聊，爾康和永琪就繞到後面來，默默的保護著。爾康低問永琪：

『你這個「齊人之福」享受得怎麼樣？』

永琪瞪他一眼：

『都是你！大道理一大堆，我準會被你陷害！不知道爲什麼，每天都覺得膽戰心驚，好像要出事！』

『別自己嚇自己了！一路走來，都是情勢所迫，相信我，你沒做錯！』

『是嗎？我就是不大相信你……』

這時，人群中，有個衣衫襤褸的老人，也在伸頭看熱鬧。老人杵著柺杖，白頭髮披散在臉上，遮住了半張臉，白鬍鬚長長的垂著，被擁擠的人群，擠得東倒西歪，忽然間，群眾一仆，老人站立不穩，從人群中摔了過來，正好跌倒在晴兒、小燕子、和紫薇面前。老人呻吟著…

『哎喲！哎喲……哎喲……』在地上爬著，無法起身。

『不要嚇著格格！』官兵們大喊。

許多官兵就去抓老人，老人剛剛搖搖晃晃站起來，被官兵一衝，又摔倒在地。手中柺杖，滾到晴兒腳前。老人呻吟不止，大叫…

『哎喲！撞死人了！哎喲……哎喲……』

人群都擠過來看。小燕子忍不住對官兵大嚷…

『你們不要那麼兇，沒看到他走路都走不穩嗎？』

晴兒睜大眼睛，瞪著老人，不知怎的，心臟就是怦怦跳，整個人都繃緊起來。她慌忙撿起柺杖，去遞給老人。聲音顫抖著…

『老先生！你的柺杖！』

『阿彌陀佛！姑娘好心！祝福姑娘，事事如意……』

老人一邊說著，一邊接枴杖，眼光和晴兒一接。手已經閃電般迅速，塞了一張紙條到晴兒手裡。晴兒大震，緊緊的握著那張紙條，眼光定定的看著老人。兩人電光石火間，交換了柔腸寸斷的一瞥。原來，那個老人，竟是簫劍喬裝的！

永琪和爾康沒認出簫劍，生怕有閃失，急忙飛竄過來，一邊一個，去攙扶老人。

『老伯伯，摔了那裡？站得起來嗎？』永琪關心的問。

老人顫巍巍的站了起來。對永琪、爾康、紫薇、小燕子、晴兒等人，眼光一掃。

『各位阿哥格格心腸好，菩薩保佑，大家長命百歲，阿彌陀佛！』

幾個人個個大震，目瞪口呆，這才發現老人是簫劍偽裝，大家都嚇得變色了。爾康第一個恢復鎮定，一把抓住簫劍，低吼著：

『快讓開！走那邊……那邊……』拉住簫劍的胳膊，把他一直拉進人群裡，對他低低說了一句：『你瘋了！好大的膽子！快走！』

『是！是！是……』簫劍一疊連聲的應著，一鑽，就鑽進人潮中，消失了。

晴兒、紫薇、小燕子三人對看，個個驚怔著。紫薇低聲說：

『不要露出破綻，大家笑笑吧！』一邊笑，一邊談，自然一點！』

小燕子就笑了起來，笑得有點誇張，聲音顫抖著：

『哈哈，哈哈……紫薇，好紫薇，親親紫薇，妳今晚一定要進宮，我們一起睡！我的心現在跳到喉嚨口，快要從嘴裡跳出來了！』

晴兒驚魂未定，神志不清的低語：

『我……我……我的心已經跳得不見了……我要去燒香！我要去拜菩薩……我要去給菩薩磕頭……』

她語無倫次的說著，一面把紙條塞進衣服口袋裡。

這樣一場小騷動，一點都沒有驚擾到太后，大家魚貫的進了廟，開始燒香祈福。太后虔誠的上香，

虔誠的祝禱：

『但願菩薩保佑我大清，國泰民安，風調雨順！謝菩薩保佑東兒，度過難關，保佑北京城，沒有被

天花奪走太多人命！阿彌陀佛！』

令妃跟著上香，也低低祝禱。

然後，知畫、小燕子、紫薇、晴兒一起上香，默默祝禱。各有各的心事，臉色都怪怪的。永琪和爾

康在後面看，兩人不時交換著緊張的視線，生怕簫劍再出現。

廳內香煙繚繞。檀香的味道，彌漫在空氣裡。

知畫虔誠的默默祝禱著，忽然間，一陣暈眩襲來，胃裡頓時冒著酸水，要吐，急忙用手蒙住嘴，喃

喃的說了一句：

『菩薩，對不起……』

知畫就奔出上香行列，急往廳外衝去。太后一驚，問：

『怎麼了？知畫？』

『老佛爺別著急，我去照顧她！』令妃說，追了過去。

知畫一直衝到廳外，站在廟宇那大大的天井中，呼吸了幾口新鮮空氣，終於把那反胃的不適克服

了，她扶著柱子站著，臉色有些蒼白。令妃關心的扶住她，急問：

『不舒服嗎？』

『對不起！讓娘娘操心了！』知畫歉然的說：『這兩天一直這樣，胃不舒服！剛剛是香味太重了，

給煙一薰，就想吐！」

令妃眼睛一亮，仔細看她。問…

「知畫，妳是不是有好消息了？多久了？」

知畫臉一紅，頭低了下去，無法掩飾那份喜悅，低低的說…

「還不知道……是不是呢？別說！」就湊在令妃耳邊，說了兩句悄悄話。

令妃頓時眉開眼笑，驚喜莫名，喊著…

「那就是了！怎麼不說呢？老佛爺到這兒來燒香，也是為了妳呀！這可是天大的好消息！」

令妃就牽著知畫回到大廳。

眾人早已燒香完畢，都看著知畫。只見知畫笑吟吟，羞答答。令妃滿臉的笑。

「知畫，還好吧？」太后關心的問。

「沒事沒事！」知畫羞澀的笑著，眼睛亮晶晶的。

令妃忍不住報喜…

「老佛爺！好消息好消息！老佛爺大喜了！」說著，就回頭看永琪，再說…『五阿哥！好不容易，這次一定不會出問題了，恭喜恭喜！你要做阿瑪了！』

永琪一震，看知畫，知畫也看過來，對他悄悄的點了點頭，垂下眼瞼，抿著嘴角，展開一個幸福的微笑。

太后大喜過望…

「哎呀！哎呀！太好了！趕快……」素齋也不吃了，茶也不喝了，急急的吩咐…『備車回宮！讓知畫好好休息！可別動了胎氣！給知畫準備一輛小轎子，她不能乘馬車，馬車顛得厲害！』

太監們大聲應著：

『喳！奴才遵命！』一群人都奔出去備轎。

小燕子聽著看著，目瞪口呆了。紫薇和晴兒，看著小燕子，臉色都暗淡下來。

永琪趕緊回頭，搜尋著小燕子的眼光。兩人的眼光一接，小燕子眼睛裡盛滿了失意。他只能用自己的眼神，祈諒的、哀懇的、無奈的注視她，想把自己那矛盾的歉意和不變的愛意，傳達到她的『心』裡。小燕子沒有接到這份『傳達』，因爲，她的『心』不管用了，在一陣撕裂般的痛楚之後，還『劈哩叭啦』的裂成許多碎片，原來，『心碎』是有聲音的！事實上，那陣『劈哩叭啦』是廟祝在放鞭炮，討好老佛爺、五阿哥、和知畫福晉。

從碧雲寺回宮，已經是晚上了。太后迫不及待，就把知畫帶進了慈寧宮。

永琪、爾康、紫薇、小燕子、晴兒五個人，都回到景陽宮，進了小燕子的臥室，大家急急忙忙，把一扇扇的窗子全部關上。再把房門緊緊闔上，他們有太多的話要談。爾康看看四周，不放心的問…

『五阿哥，你這個景陽宮到底可靠不可靠？我們說話，會不會有人偷聽？』

『這個⋯⋯我可沒把握，大家聲音低一點！』永琪說，眼光還是注視著小燕子。

晴兒還陷在和簫劍見面的緊張和興奮裡，說：

『我想，宮裡任何地方都不可靠，但是，景陽宮還比較好！上次五阿哥對桂嬤嬤她們發了一頓大脾氣，非常管用，現在，她們都不敢偷聽了！』

紫薇看著晴兒：

『妳不回慈寧宮，老佛爺會不會起疑心？』

『她現在高興得昏了頭，知畫又陪在那兒，她來不及要告訴知畫各種要小心的事，又知道妳在這兒，

我一定會來，反正她沒什麼害怕的事，樂得去管知畫，不管我了！』晴兒說。

小燕子聽了，心中真是百味雜陳，哀怨的看了永琪一眼。

『哼！要當阿瑪了！』她酸酸的說，對永琪雙手抱拳，一揖到地⋯『恭喜恭喜！我做不到的事，總

算有人幫你完成了！』

永琪看著小燕子，眼裡除了歉意和祈諒，還有溫柔和無奈。他低聲的、求饒的說⋯

『小燕子⋯⋯我⋯』

小燕子眼眶一紅，打斷：

『不要說了，我⋯⋯不想聽！』就轉身子。

永琪一急，攔住小燕子，激動起來：

『不想聽也得聽！』他看大家⋯『你們大家，說我忘恩負義，說我殘忍，說我不負責任⋯⋯把我一

步一步，逼上梁山，你們如果再跟我生氣，我算什麼？我看，我現在就出宮，去把簫劍揪出來！都是為

了他，才把我陷進這種困境，他居然沒有離開北京，還膽敢公然出現，簡直氣死我了！』

『噓！噓！聲音低一點！』紫薇上前，拉住小燕子，說：『現在，別忙著吃醋，好不好？簫劍沒走，

這個震撼實在太大了！』

『就是就是！不過，我現在想一想，這還真是簫劍的作風，他說過，最危險的地方，就是最安全的

地方！』爾康說。

晴兒就奔過去，擁抱了小燕子一下。興奮的、喘息的喊：

『小燕子！不要生氣嘛！等會兒關了房門，妳再單獨的審五阿哥，讓他跪算盤，讓他罰站⋯⋯什麼

都可以，現在，先看看這個！』

晴兒說著，就從口袋裡掏出那張紙條，攤開來看。

小燕子眼睛一亮，驚喊：

『他給了妳一張紙條？』

大家全部圍攏，爾康移過來一盞燈，一齊讀簫劍的信。只見信上寫著：

『晴兒，自從別後，魂牽夢縈，一日三秋，苦不堪言。可嘆咫尺天涯，竟難以飛渡！儘管漫長等待，耗盡心力，卻日日夜夜，從未放棄希望！宮中一切皆知，燕子永琪等之付出，痛徹我心！紫薇爾康等之友誼，念念難忘！相逢有日，再見可期，務必堅持信念，守得雲開見月明！紙短情長，言不盡意！珍重珍重，知名不具。』

眾人看完，大家抬起頭來，個個情緒激動。

晴兒含淚，更是一讀再讀。她震動已極，眼中閃亮，自言自語：

『務必堅持信念，守得雲開見月明！還會有雲開的時候嗎？還會有月明的時候嗎？我還能堅持信念嗎？還能抱著希望嗎？』

小燕子眼中充淚，興奮的說：

『能能能！晴兒！為了我哥，妳一定要堅持！』再看看信箋，大罵：『什麼哥哥嘛！明知道我也會看的信，四個字四個字的寫，看得我頭昏腦脹，累死我了！不過，我也看明白了，原來，他還沒有死心，他還在等機會！』她拉著晴兒的手，熱烈的嚷：『晴兒，我哥哥真好，是不是？他才是最懂感情，最堅定的男人！』說著，又看看爾康：『爾康，你也是，你對紫薇，也是好得不能再好！』

永琪注視小燕子，一肚子的話，不知從何說起，搖搖頭，一語不發。

晴兒把信紙壓在胸前，又喜又悲的喊：

『他一定等這個機會，等了幾百年！才等到我們去上香……』忽然臉色驟變，驚喊：『糟糕！不行呀！不行！』

『什麼東西不行？』紫薇緊張的問。

『我發過重誓，我對老佛爺發過毒誓，如果我再和簫劍來往，簫劍會……會……會……』她說不下去，顫抖起來。

爾康看看晴兒，有力的說：

『晴兒，不要怕！妳發誓是不得已的事！老天不會跟妳認真的！』他看著眾人，分析著：『簫劍藏在北京，我們已經知道了！但是，他沒有跟我們任何一個聯繫，連柳青都不知道他的下落，可見他也非常小心！他這人，到處有朋友，老歐好像也在北京附近！只要他不被監禁，他有的是辦法！我們可以不必擔心他！他既然沒有放棄希望，他一定還會有舉動，我們只有處處提防，靜觀其變！』

『這不是很危險嗎？』永琪說：『下次，他不知道又用什麼身分冒出來？今天，他的化裝非常好，把我都唬住了，沒有近看，真的看不出來！不過，在這麼多人面前出現，他實在太大膽了！』

『雖然大膽，也是仔細計劃過的，我想，很多幫手，都藏在人群裡！』爾康說著，看晴兒：『倒是晴兒，妳在老佛爺面前，千萬不要露出痕跡，這封信，我相信妳已經會背了！給我！我要把它燒掉！免得小燕子又要吃信紙！』

『哎呀！妳不要傻了！』小燕子喊：『那種毒誓，根本不會應驗的！我發過好多誓，什麼毒誓都有！最常說的是，如果我再撒謊，我就變成烏龜王八蛋！妳看，我有沒有變？』

『可是……我還是很害怕，真的很害怕！我發誓的時候，是誠心誠意的！』

爾康伸手給著晴兒，晴兒不捨，終究還是理智的遞給他。爾康把信箋放在燈上，信箋轉瞬就燒掉了。

晴兒看著那封信變成灰燼，眼中淚汪汪，惋惜的說：

『他冒了這麼大的危險，只為了要見我一面！好不容易送張字條給我，又被燒掉了！』

『不止要見妳一面，他還送來一個信息，就是要我們大家知道，他仍然和我們在一起，不管是他的心，還是他的人！字條燒掉有什麼關係？這份心燒不掉！』紫薇安慰著她。

小燕子吸了吸鼻子，眼中也是淚汪汪，說：

『晴兒！妳掉什麼眼淚？妳太幸福了！雖然我哥不在妳身邊，可是，他的心是妳的，他的人也是妳的！那像我，熬了這麼多年，熬到半個人！』她再看永琪一眼，想到畫已經懷孕了，更是酸楚……『我這兒只有一半，人家那兒，快要變成一個半了！』

小燕子左一句，右一句，句句刺向永琪。永琪被深深的刺痛了，忍不住說：

『反正我裡外不是人！如果妳一直這樣夾槍帶棒的罵我，我還是走開算了！』

爾康一把拉住了永琪，說：

『你走到那兒去？不是你走！是我們該走了！晴兒，妳回慈寧宮，我和紫薇，也要回家了！』他拍拍永琪的肩，示意要他安慰小燕子……『你和小燕子，大概也有話要談吧！』

『紫薇！說好的，妳要在我這兒過夜的！』小燕子喊。

紫薇笑著，歉然的說：

『不行呀！東兒自從生了一場大病，就離不開我，每晚，一定要我親親抱抱，才肯去睡，現在已經不早了，我得趕回去跟他親親抱抱！』

小燕子一聽，心中的酸楚就決了堤，頓時淚盈於睫，顫聲的說：

『親親抱抱，有兒子真好！我就沒這個福分……』小燕子說得心酸，大家都呆住了，感染著她的傷心。永琪凝視著她，立即覺得，自己簡直是『罪該萬死』，犯罪感又排山倒海般湧上心頭。

爾康一招手，紫薇和晴兒，就都跟著爾康出門去。

『小燕子！我走了！妳要好好的，知道嗎？』紫薇叮囑。

『小燕子！我明天再來看妳，保持好心情！知道嗎？』晴兒也叮囑。

爾康開門，三人出門去了。

永琪看到大家都走了，就奔上前來，把小燕子一把抱住。激動的，熱情奔放的，坦誠的喊：

『我知道妳現在有多恨我，我知道妳心裡的矛盾和痛苦，要妳假裝快樂，那是不可能的！我不能為自己說什麼，過去的事，都已經成了事實，我無從改變，但是，我發誓，我再也不會跟她上床了！她問我要一個孩子，我給了她！算是我還了債！以後，我的生命裡，只有妳！只有妳！』

小燕子睜著帶淚的眸子，看著真摯而著急的永琪，心中絞痛，啞聲的說：

『我知道我不應該這樣，可是……我嫉妒！我發瘋一樣的嫉妒！永琪！我沒辦法再說好聽的話，我沒辦法控制自己了！我吃醋，發瘋一樣的吃醋！』

『我明白！我都明白，我後悔，發瘋一樣的後悔！不過……我只跟妳生孩子！我發誓！我發誓！』永琪吻著她的鬢角，她的面頰……『我們還有那麼多的時間，我們也可以有很多孩子！以後……我只跟妳生孩子！我發誓！』

小燕子不說話，柔腸百折，深深的看了他一眼，就倚偎在他懷裡。再多的怨，再多的恨，再多的嫉妒……都抵不過那份不捨和愛戀。她的頭，情不自禁的靠在他肩上。他用下巴貼著她的鬢角，雙手緊緊的，緊緊的摟著她的腰。此時此刻，任何語言都是多餘的。她的心，依舊痛楚迸裂，但是，她已經可以

聽到他的心聲了。他的心，在反覆的低喊著她的名字！

晚膳之後，知畫才從慈寧宮回來。桂嬤嬤、珍兒、翠兒、和幾個嬤嬤宮女，簇擁著她走進大廳，後面跟著一排太監，捧著各種賞賜，魚貫進房。桂嬤嬤像捧著一件珍貴的磁器一般，呵護倍至，小心翼翼的說：

『福晉小心，這兒有門坎，別絆著了！』

珍兒翠兒就奔過去，把椅子放在正中，扶著知畫坐下。後面的一排太監，紛紛站定，就有一個太監，大聲報著：

『皇上有旨！景陽宮接賞！』

永琪和小燕子，聽到聲音，詫異的走進大廳來。明月、彩霞、小鄧子、小卓子也驚奇的進房，站在一角觀看。只見太監們，把一件件的東西呈上，放在大廳的桌子上，每呈一件，報一件：

『皇上有旨，賜燕窩十二盒給福晉進補！』

『皇上有旨，賜靈芝十二株給福晉進補！』

『皇上有旨，賜人參十盒，給福晉進補！』

『皇上有旨，賜海參十盒，給福晉進補！』

『皇上有旨，賜珍珠十二串，給福晉賞玩！』

『皇上有旨，賜觀音玉佛一尊，保福晉平安！』

『皇上有旨，賜吉祥如意鎖一片，保福晉平安！』

『皇上有旨，賜百子被一條，保福晉母子安康！』

太監報告完畢，賞賜物已經堆滿一桌。

知畫站起身來，在桂嬤嬤和珍兒扶持下，要跪拜。說：

『知畫謝皇阿瑪賞賜……』

太監急呼：

『皇上有旨，福晉身子重要，免禮！』

桂嬤嬤和珍兒，趕緊扶著知畫站起身。太監此時才對永琪小燕子行禮：

『五阿哥吉祥！福晉吉祥！還珠格格吉祥！奴才告退！』

太監們行禮完畢，全部魚貫退出。

永琪看得發怔。這番排場，把宮廷裡的勢力表露無遺，賞賜中一句也沒提到小燕子，太監退出時，把『福晉』說在『還珠格格』前面，一些小小的地方，都可以看出太后和乾隆的心意。永琪實在代小燕子難過，眼光就不由自主的轉向小燕子。

小燕子卻強忍著傷痛的情緒，走到知畫面前，說：

『知畫！恭喜恭喜！總算心想事成了！』

知畫急忙給小燕子行禮，臉紅紅的，羞澀的說：

『真不好意思，不知道皇阿瑪為什麼要賞賜這麼多？只是一件小事嘛，鬧得整個皇宮都驚動了，弄得我好緊張。姐姐兩個孩子都沒保住，我現在是大步都不敢跨，大氣都不敢出，什麼叫做「身負重任」，這下才明白了！』

知畫說得謙虛，卻難掩得意之色，小燕子更是『情何以堪』了。張著嘴，還想說幾句漂漂亮亮，瀟瀟灑灑的祝福話，誰知，一句都說不出口。要她誠誠懇懇去『恭喜』另一個女人，因為她懷了自己丈夫

的孩子，她怎麼也做不到。她忽然醒悟，那個樂觀的、沒心機的、快樂的小燕子，已經不知去向了。

永琪看看小燕子，看看知畫。在小燕子臉上，看到了無盡的落寞，在知畫臉上，看到了深深的幸福。他深吸了一口氣，覺得必需了斷，就神色嚴肅的對知畫說：

『知畫，我們回房間去，我有話要跟妳說！』

知畫似乎嚇了一跳。她抬眼看永琪，看到他神色凝重，她的心就狂跳起來。眼神裡，頓時充滿了戒備和恐懼。她順從的跟著他，走進了房間。永琪細心的關上房門，就回過身子，面對著她。他正視著她，柔聲的說：

『知畫，首先，我要恭喜妳，妳想要一個孩子，總算讓妳稱心如意了！』

知畫睜著一對黑白分明的眸子，一瞬也不瞬的凝視著他。

『我下面要說的話，很難啓齒，但是，我卻不能不說！』他頓了頓，嘆口氣再說：『妳是一個很好的姑娘，嫁給我！從一開始，我就沒有騙過妳，我和小燕子，是患難知己，我對她，一直都是心無二志的，這些，妳早就明白了！現在，妳有了孩子，我希望是個兒子，那麼，妳以後也有了依靠！萬一是個女兒，一定像妳一樣，冰雪聰明，可以跟妳作伴！我想，我對妳只能付出這麼多，請妳諒解……以後，如果沒有事情，我大概就不會再到這兒來……』

知畫聽到這兒，臉色刷的就變白了，她往前一邁步，急急打斷：

『別說了！我明白了！』

永琪住口，看著她。只見她眉毛一抬，眼神變得非常悽厲。她沉重的吸口氣，緊盯著他，清清楚楚的說：

『讓我告訴你，今天，在慈寧宮，太醫證實我確實有了身孕，老佛爺高興得不得了，皇阿瑪也賞賜

多多，我暈陶陶像夢一樣，覺得我是天下最幸福的女子！以爲回到景陽宮，你會多麼開心，畢竟，這也是你的孩子呀！我一直想，你會怎樣？會不會對我特別好？會不會說些好聽的話？會不會期待這個孩子？會不會急著給孩子取名字？會不會這樣，會不會那樣，我想了幾千幾萬種！我心裡這樣想著，就急得不得了，只想趕快回來！結果，我回來了，你卻來告訴我，你要把我打進冷宮，讓我以後，靠著這個孩子度日！這話，是你說得出口的嗎？人間怎有像你這樣絕情的人？你這一盆冷水，眞澆得我透心澈骨的冷！你太狠了！』

永琪跟蹌一退，被知畫的話，逼得冷汗涔涔了。他吶吶的說：

『對不起……我很慚愧！妳有了身孕，我當然是高興的！我已經不小了，早就該做阿瑪了。不過……我想讓妳明白的，是我的感情！我抱歉，我不是那種可以把自己的感情，分成好多份，一人給一份的那種人……』

知畫冷冷的打斷，有力的說：

『你這麼愛姐姐，當初爲什麼要答應娶我？只爲了要我救簫劍嗎？救完了人，就可以把我一腳踢開了嗎？』她重重的點頭，語氣裡盡是悲憤：『飛鳥盡，良弓藏，狡兔死，走狗烹！這就是你五阿哥的作風！你不怕傳出江湖，被天下人恥笑嗎？我沒有做錯任何事，自認對得起你，對得起皇阿瑪，對得起老佛爺，對得起你們愛新覺羅的列祖列宗！你這樣待我，你對得起自己的良心嗎？對得起我的爹娘嗎？對得起我嗎？你心裡只有一個小燕子，還有沒有天理呢？』

知畫字字句句，鏗鏘有力，永琪從來沒有看過她這種神態，驚得怔住了。

『我以爲妳瞭解……我以爲我給妳的，已經夠了，妳不是要個孩子嗎？妳不是要福晉的身分地位嗎？這些都給妳，不能給的，只是我這個人而已……』

知畫臉色一變，忽然變得非常溫柔了，幽幽一嘆，她淒涼的說：

『永琪……不要傻了，沒有你，身分、地位、孩子、金錢、皇宮……這一切的一切，對我都是空的！會讓我義無反顧的嫁給你，就是你這個人呀！會讓我心甘情願懷你的孩子，要給你生兒育女，也是你這個人呀！你難道一點體會都沒有嗎？你怎麼忍心這樣對我呢？』說著說著，淚珠就湧進了眼眶，她走上前去，拉住了他的手。『你的話，實在讓我萬箭鑽心，痛不欲生！就算你不喜歡我，也可以虛情假意，敷衍敷衍我，為什麼要對我這麼冷酷呢？我到底做錯什麼呢？』

永琪又驚又痛的瞪著她，毫無招架之力，只覺得自己差勁透了。

知畫看了他好一會兒，忍辱負重的，委曲求全的說：

『不要再說了！我們還有一生一世要過。我會忘掉你今晚講的話，這間房間，你願意進來就進來，不願意進來，我也無法勉強！但是，我會期盼著你，即使不做夫妻，我們也可以談談詩詞，談談戲曲，畫畫寫字……無論如何，你是我孩子的阿瑪！是我生命裡最重要的人！』

知畫時而凌厲，時而溫柔，每句話都說得擲地有聲，言之成理。永琪不知該如何應對，只能被動的看著她。覺得自己被困住了。一種無助的感覺兜心而來，不知道怎麼會弄成這樣？她不是什麼都不要嗎？怎麼又要起他這個人來了？她那句『我們還有一生一世要過』，簡直讓他不寒而慄！這『一生一世』，夾在她和小燕子之間，他怎麼過？他掉進陷阱裡去了，這個陷阱，深不見底，他可能要付出一生來掙扎，這一生一世，還有眼前這兩個女人！她們一個也逃不掉，他怎麼辦？就在他左右為難，跟著他一起沉淪的，不知所措的時候，一件大事發生了。這件事，改變了所有人的命運，也改變了永琪的命運。這件事就是，清緬戰爭爆發了！

36

這天，一隊快馬，來到宮門前。傅恆滾鞍下馬，跟著爾康，直奔乾隆的書房。

乾隆正在寫字，福倫和數十位大臣在旁觀，永琪也侍立在側。

外面傳來太監大聲的通報：

『傅大人到！額駙大人到！李大人到！紀大人到……』

這麼多大臣突然來到，必有大事！乾隆一驚起身，只見傅恆、爾康帶著眾大臣，急急忙忙走進，全部行禮如儀。乾隆看到個個大臣的臉上，都是一臉的嚴肅，趕緊擱筆起身，說：

『傅恆，你們這麼多人急沖沖趕來，希望沒有壞消息！』

『皇上聖明！』傅恆拱手說：『消息確實不好，緬甸國王猛白帶著大軍，分東西兩路進攻，打進雲南！西路已經攻佔了打樂、猛遮、九龍江一帶！東路也打進橄欖壩、整欠、猛阿一帶！』

乾隆大驚，急問：

『怎會這樣？劉藻在幹什麼？他前一陣不是還有捷報傳來嗎？』

永琪再也忍不住，往前一步，急急說：

『皇阿瑪！兒臣在幾個月前，就分析過，劉藻是儒將，不能帶兵！上次的捷報，多半是假的！不可

相信！』

『五阿哥說的，就是臣要稟報的！』傅恆點頭說：『劉藻實際是打了敗仗，卻以敗報大捷！』

乾隆怒不可遏，一拍桌子說：

『豈有此理！劉藻不想活了嗎？』就急切的看著傅恆：『那麼，現在那兒的情況怎樣？照你這麼說，不是邊境許多城市都丟掉了嗎？』

爾康一步上前。急忙稟告：

『皇阿瑪不要著急，在普洱，我們還有一員大將守著呢！總兵劉德成很會帶兵打仗，一定會死守普洱！我們趕快調兵救援，和緬甸宣戰！勢必把他們趕出雲南！』

乾隆被提醒了。

『是啊！還有劉德成呢！普洱情況如何？』

『好像劉藻和劉德成意見不和，自己就鬧了一個誓不兩立！』傅恆說：『劉德成提出的許多建議，劉藻全部不聽！劉德成拿劉藻沒辦法……』他雙手一拱，著急的說：『皇上，臣請旨，帶兵去雲南！』

『傅六叔！』永琪開口了，最近幾個月，他都在研究雲南問題，對清緬邊境的情況，相當瞭解。『只怕劉藻也不會聽你的！必需要有一個身分不同的人去制他！你知道，將在外，君命有所不受！』

福倫也急步而出：

『兒臣福爾康請旨，帶兵去雲南！』爾康就急急接口。

『臣福倫也請旨，和爾康一起去！』

『皇阿瑪！』永琪慷慨激昂的說：『恐怕爾康的身分也不夠，還是兒臣去，最為理想！我從小就練武，這兩年，對邊疆問題，也研究了很多，尤其緬甸的問題！請允許兒臣走這一趟！這是我應該做的！』

爾康急忙接口：

『五阿哥去，我也去！我和五阿哥情同手足，這些年，也一起面對過許多大事，我可以保護五阿哥！』

乾隆看看永琪，看看爾康，也覺得他們兩個，是最佳人選，卻有擔憂和不捨。但是，如果要立永琪爲太子，先讓他上戰場歷練一番，也是件好事。就怕戰場上，有所閃失。爾康這個女婿，更是寵愛有加，上戰場和護駕不一樣，他能帶兵遣將嗎？乾隆還在猶豫，永琪再上前一步，積極的說：

『如果要帶兵去打，事不宜遲！從這兒到雲南，大軍開拔過去，到了雲南，恐怕就是冬天了！皇阿瑪！您沒有多少時間來考慮！我知道您對我和爾康，還有很多不放心，也有很多捨不得。但是，沒有經過烈火的鍛鍊，怎麼會成大器呢？兒臣有信心，一定會打贏這一仗！』

乾隆沉吟再三，終於點頭了。說：

『傅恆，你陪著他們兩個去！你經驗多，還是主將，朕命你爲征南大將軍！永琪和爾康是你的左副將和右副將！至於福倫，你兩個兒子，都不在身邊，你就留在京裡吧！』

永琪、爾康、傅恆、福倫全部行禮，大聲應道：

『兒臣／臣遵旨！』

爾康要和五阿哥一起上戰場！學士府裡，頓時亂成一團。福晉完全無法接受這件事，緊張的對福倫說：

『要去雲南打仗？三天以後就開拔？怎麼這麼突然？準備東西都來不及……你怎麼不稟告皇上，爾泰在西藏，家裡就一個爾康，我們需要他呀！』

『別說傻話了，這是爾康自己請旨的！』福倫義無反顧的說：『我們福家，世代武將，爾康被皇上選中，封為右將軍，帶兵打仗，這是件光彩的大事！不要婆婆媽媽，趕緊幫他準備行李吧！』

紫薇趕緊把東兒交給奶娘。急急的說：

『額娘，我來準備！上次南巡，也是我在準備行裝，我知道要準備些什麼！』

爾康看著紫薇，已經離愁萬斛了。說：

『紫薇，這次跟南巡不一樣！南巡還有遊山玩水的性質，這次是打仗！平時都穿盔甲和官服，那些平日的服裝，能省就省了，輕騎簡裝為原則！』

『是！』紫薇應著，眼裡頓時充滿了淚水，對兩老匆匆請安：『那……我進房去準備！』

紫薇就轉身奔進房去。爾康看她這種樣子，心裡一抽，也跟進房去。到了房裡，就看到紫薇用手蒙著臉在哭，雙肩抽動著。他衝上前來，一把握住她的雙肩。

『紫薇，不要這樣子……不要哭！』

紫薇急忙拭去了淚，抬頭，笑著。說：

『我沒哭，沒哭……就是有點措手不及……和你結婚以來，從來沒有分開過，上次南巡，也跟你在一起，現在，突然之間，聽說你要去打仗，就有些手忙腳亂了！你一定會打個勝仗回來，一定會所向披靡，把敵人打得落花流水！我……哭什麼？傻裡傻氣！』

爾康深深的凝視她，柔聲說：

『我知道妳很擔心，很害怕，又很捨不得！妳心裡的千言萬語，我早已聽得清清楚楚！紫薇，妳放心！我會平安的去，平安的回來！自從和妳共同面對東兒的病，和幾乎失去東兒的恐懼，我就知道，

「活著」是多麼重要，在有人愛你的時候，生命是最最寶貴的東西，人，要為那些愛你的人而活著！紫

薇，妳不要害怕，不要擔心，我會為妳，為東兒，為阿瑪和額娘……好好的愛護自己！』

爾康說完，紫薇就抓住他的手，熱烈的瞅著他。

『這是你的承諾！你一定要記住！戰場上危機四伏，你不要太神勇，什麼都不怕！刀槍都不長眼睛，你一定要為我和東兒，安全回家，如果你失信了，我一生一世都不會原諒你！』她頓了頓，又鄭重的，加強語氣的說：『不止一生一世，我來生來世，也不會原諒你！』

『是！』爾康鄭重的承諾：『我知道了，我會時時刻刻提醒自己，『紫薇，自從認識妳到今天，這麼多年以來，妳在我心裡已經根深蒂固，我們也沒有遠別過，我也……實在捨不得離開妳！我想，我不在妳身邊的日子，我的魂魄也會飄到妳身邊來！』

紫薇聽到『魂魄』字樣，忽然背脊發冷，機伶伶的打了一個冷戰。爾康警覺到自己用詞不當，趕緊說：

『不要胡思亂想！我的意思是說，我在夢裡也會和妳相會！我一直很喜歡妳寫的那首歌，夢裡！』紫薇就把他緊緊一抱，熱烈的嚷：

『不管是醒著睡著，不管是夢裡夢外，不管是白天黑夜……我都記著你的承諾！我在家裡照顧東兒，照顧阿瑪和額娘，等你回來！』

爾康眼裡濕濕的，把她緊緊緊緊的抱著。此時此刻，真是聚也依依，別也依依！

學士府裡，是一片離愁別緒，景陽宮裡，也是一團紛亂。

乍然得到消息，是一片離愁別緒，景陽宮裡，也是一團紛亂。

乍然得到消息，知畫嚇得手裡的茶杯，都掉在地上打碎了。

『打仗?去雲南打仗?要去多久?什麼時候回來?』她心慌意亂的問。

『打仗的事,誰也說不定!』永琪說:『不過,從北京到雲南,路上就要走一個月……戰事順利,說不定幾個月內就回來了,如果不順利,打上三年五載也有可能!』

小燕子滿臉驚慌的站在那兒,聽到永琪這樣說,就想也不想的大喊……

『明月,彩霞!趕快去收拾行李,我的衣服也要裝箱!』

『是!』明月、彩霞應著,立刻出房去。

『還有我的簫,我的劍,和我的鞭子……算了,我自己來收!』

小燕子向外就走,永琪一把拉住她。

『妳要做什麼?』

『我跟你一起去!我也學了一身工夫,以前的技術不好,現在已經好多了!騎馬打仗都難不住我!你去雲南打仗,要我在宮裡等你三年五年,我才不要!而且,那個雲南,不是有個大理嗎?說不定還可以去大理看看!』

『不行!妳不能去!』

『為什麼我不能去?』

『妳用用思想,用用腦筋!』永琪著急的說:『皇阿瑪讓我當左將軍,是將軍呀!我的身分又是阿哥,怎麼說,都是帶頭的人,如果我打仗,還把老婆帶在身邊,那所有的軍官、士兵都要跟著學,人人帶老婆,還打什麼仗?不可以!這是絕對不行的!』

『那……』小燕子怔了怔說:『我悄悄跟在你後面。我女扮男裝,不會讓人注意,這總行了吧?』

『也不許!』永琪凝視她,認真的說:『小燕子,妳讓我去打一場轟轟烈烈的仗,這是我期待已久

的事，是我義不容辭的事，妳不要破壞我，好不好？不要讓我有後顧之憂！』

小燕子呆著，不說話了。

知畫一直看著永琪，聽說這一去，可能三年五載，心裡已經亂成一團。本來，和小燕子爭寵，已經處於下風，還想慢慢培養感情，現在，他居然要去打仗！他走了，她要怎麼辦？想著，就一臉悽慘無助的神色，走了過來問：

『永琪，我可以幫什麼忙？』

永琪驚覺過來，看了知畫一眼，體會到她的茫然失措，也有些感動，有些不忍。

『不用了，軍中人手很多，什麼事都有人做！妳們真的不用忙。』他凝視知畫：『妳是有身孕的人，以後，好好照顧自己，照顧那個孩子吧！』

『你放心！我會的！』

知畫就走到小燕子身邊。說：

『姐姐，我來幫妳，一起給五阿哥準備行裝！』

『不需要了，妳現在是很重要，很尊貴的人！』小燕子拚命搖頭：『收箱子，搬行李……萬一動了胎氣怎麼辦？』

永琪看看小燕子，看看知畫，忽然覺得隱憂重重。自己一走，留下這樣兩個女人在宮裡，誰知道會發生什麼事？小燕子有身世的祕密，又心無城府，個性衝動。偏偏知畫知道這個祕密，卻很有城府，深藏不露。她們相處得好，或者還能維持表面的平靜，萬一相處不好，說不定會有大禍！這樣想著，他一個激動，就一步上前，一手拉住知畫，一手拉住小燕子，誠摯的說：

『妳們兩個，聽我說幾句話！妳們雖然都住在景陽宮，雖然都跟我成了親，但是，妳們是友是敵，

我弄不清楚，說不定，妳們自己也弄不清楚！如果我在這兒，無論如何，可以緩衝妳們的戰爭，化解妳們內心的不平。但是，我要走了，剩下妳們兩個，要面對老佛爺，面對皇阿瑪，還要面對妳們彼此……我，還真不放心！」他轉向知畫，深刻的說：「知畫，小燕子粗心大意，但是，對誰都沒有壞心眼！她不像妳這麼細心周到，也不像妳能夠討好老佛爺和皇阿瑪的歡心，妳，要照顧她！」

永琪說完，兩個女人都變色了。小燕子背脊一挺，衝口而出：

「不用了！我那裡需要知畫照顧，我又不是小孩子！」

知畫聽出永琪言下之意，是她比小燕子厲害，比小燕子有心機，還是口口聲聲，護著小燕子。她心有不平，卻按捺住自己的不滿，凝視永琪，柔聲說：

「永琪，你的意思我明白了！你放心，我不會和姐姐變成敵人，我們是姐妹！至於姐姐和皇阿瑪之間的矛盾，和老佛爺之間的矛盾，我都會盡我的力量去化解！你安心的打仗去！需要你擔心的，是前線的敵人，是緬甸人，不是我們！」

知畫說得誠懇，永琪就如釋重負的鬆了口氣。又十分不放心的看著小燕子。

「小燕子……答應我，要跟知畫和平相處！」

「我們不是一直很和平嗎？幹什麼要這麼嚴重的叮囑我？難道你怕我欺負她？」小燕子早就被離愁弄得心煩意亂，又被他們這番話弄得更加難過。見永琪一直盯著她，就飛快的說：「好嘛好嘛！我答應就是了！」她心中一酸，轉身就衝出房。「我去收拾東西！」

小燕子一跑，永琪丟下知畫，也跟著衝出房。剩下知畫，悵然的站著。

明月、彩霞正在房裡收一口大箱子，春夏秋冬的衣服都往裡放，看到小燕子和永琪進房，明月就急急問：

『格格！春夏秋冬的衣服是不是都得準備著？轉眼就是冬天了，皮襖皮帽都得帶著！』

『是呀！萬一真要要在外面過三年五載，衣裳必需帶夠才行……那，這一口箱子不夠，要再去搬幾口箱子來！』

小燕子聽到這話，眼眶就濕了。永琪對兩個丫頭揮揮手：

『妳們先出去，讓我跟格格說說話！』

『我們再去找箱子……』

『不要再找箱子了，這口箱子我也不帶！我帶著大隊人馬行軍，是準備去吃苦的，不是去當皇子的，打仗的時候，誰幫我扛箱子？不要亂忙了，軍隊裡有軍衣軍氅，什麼都有！』

小燕子驀然轉身，奔過來拉著永琪的手，熱烈的喊：

『讓我陪你一起去，求求你！我一定不會闖禍，我現在不是以前的小燕子，我懂事了，長大了，知道分寸了！我打扮成一個小兵，跟在你身邊，幫你打雜服侍你！我發誓會遵守所有的紀律，絕對絕對不闖禍！』

『小燕子啊！』永琪誠摯的說：『我也想帶著妳，我也捨不得跟妳分開！可是，這次真的不行！這是我有生以來，第一次去前線打仗，第一次負擔這麼重的責任，第一次被皇阿瑪重用，我全心全意想打贏這一仗。妳跟在我身邊，別說有多少的不妥，最重要的，是妳會讓我分心，讓我無法專心作戰！妳想想，這麼多年以來，只要妳跟著我，我的一顆心，就懸在妳身上，怕妳闖禍，怕妳衝動，怕妳被人打死！這樣，我怎麼有力氣去打仗？如果妳真的長大了，懂事了，妳就會瞭解我的苦衷，留在宮裡，等我回來！』

小燕子凝視著他，聽他說得這麼誠懇，知道他說的都是實情，怪只怪自己的個性，老是闖禍，才讓他對她失去信心。但是，身為將軍，帶著她確實不妥吧！她愁腸百折，卻懂得他的意思了。

『那……你要早點回來，頂多半年，假若真的要等三年五載，等你回來，我一定早就斷氣了！』

『妳能不能講一點好聽的呢？』他依依不捨的盯著她。

『是！』她的眼睛濕濕的。『可是……我想不出來什麼好聽的！我心裡亂七八糟！』

他深深看著她，真是千不放心，萬不放心。他叮囑的說：

『我還是對妳不放心！在我離開的日子裡，妳千萬不要和老佛爺皇阿瑪起衝突，到時候沒有人救妳，我不在妳身邊，免死金牌又被皇阿瑪收回了……妳要為我，保護好自己！……』他捧起她的臉，拍了拍她的頭：『妳這顆腦袋，我喜歡得不得了，妳千萬要留著它！』

小燕子感動極了，眼裡淚汪汪。

『我知道了，我答應你，我會放下和皇阿瑪的仇恨，專心等你回來！我也會和知畫和平相處，幫你照顧你那個沒出世的孩子！』她的眼神堅定起來，勇敢起來：『你去把那些「麵店」收服，打他一個落花流水！我不讓你操心，我會表現得很好，絕對不會讓你丟臉！』她摸摸永琪的臉，也拍了拍他的頭：『你這顆腦袋，我也喜歡得不得了，你也要為我，保護好這顆腦袋！』

永琪微笑起來，重重的點頭說：

『我們一言為定！』

兩人手握著手，眼睛對著眼睛，長長久久的互視著。

第二天晚上，乾隆在宮裡，為三位將軍餞行。

戲台上，一隊穿著盔甲的武士，正在表演一支『英雄出征舞』。武士們舞動旗幟，隨著雄壯的節奏，舞蹈得雄赳赳，氣昂昂。

舞台下，一桌一桌的酒席。乾隆和永琪、爾康、紫薇、小燕子、知畫、晴兒、太后、令妃、傅恆、福倫、福晉一桌。其他妃嬪貴婦和皇室貴族等人，坐滿了台下的桌子。出征舞告一段落，眾人瘋狂鼓掌。乾隆起身，舉杯大聲說：

『後天，傅恆、永琪、和爾康就要出發，為我們大清去打一場很辛苦的仗！讓我們大家乾一杯，預祝他們凱旋歸來！』

全部的人，都早已起立，眾人舉杯，全部乾了杯子。齊聲祝賀：

『皇上洪福齊天，預祝傅將軍，五阿哥，福額駙，馬到成功，凱旋歸來！』

傅恆、爾康、永琪趕緊舉杯，一飲而盡。永琪說：

『謝謝皇阿瑪！謝謝大家，希望我們不負眾望！』

大家坐下，宮女們像穿花蝴蝶般上菜上酒。

太后不捨的看看永琪，看看爾康，埋怨的說：

『皇帝！朝裡那麼多大臣，你誰不好派去打仗，偏偏派了永琪和爾康，他們兩個這麼年輕，跑到那麼遠的地方去，這一去，不知道要走多久？人家小夫妻，也在熱頭上，就讓人家分離，你怎麼捨得呢？』

太后這樣一說，知畫、紫薇都不好意思的垂下頭，只有小燕子睜大眼睛，神思恍惚。乾隆看著紫薇等女眷，頷首沉吟：

『老佛爺說的也是！好像有此殘忍啊！』

爾康就笑著說：

『老佛爺，妳不要心疼，我們這些年，也玩夠了！是該磨練我們，考驗我們的時候了！我們不去，別人也要去，幾萬大軍，個個家裡都有妻子，也一樣要忍受別離之苦！如果我們受不了，他們又怎麼受得了？』

乾隆讚賞的看爾康。說：

『爾康，說得好！希望紫薇也跟你一樣瀟灑，沒有在心裡罵我這個皇阿瑪！』

紫薇臉一紅，趕緊強笑著接口：

『皇阿瑪！別嘲笑我了！爾康去打仗，是義不容辭的事，皇阿瑪重用他，我只為他感到驕傲！』

『好！』乾隆看向知畫。『知畫！妳呢？』

知畫凝視乾隆，半帶憂慮半帶愁，沉吟的說：

『皇阿瑪！這兩天，我確實寢食不安！如果我說我沒有離愁，皇阿瑪也不會相信的！我一直在想，以前不瞭解岑參的詩，「將軍金甲夜不脫，半夜軍行戈相撥，風頭如刀面如割」是什麼情景？現在可以想像了！』

永琪生怕太后聽了更加心痛，趕緊接口：

『但是，我們應該是這首詩的最後三句「虜騎聞之應膽懾，料知短兵不敢接，車師西門佇獻捷」！皇阿瑪，老佛爺，不要擔心了，我們一定會打一個勝仗回來！』

乾隆大笑，由衷的讚美：

『好好！好！真是朕的好兒女！真是文有文才，武有武才！』就喊：『永璇！你代表弟弟妹妹們，敬兩位要出征的哥哥一杯！』

隔壁一桌的永璇就站起身，恭恭敬敬的舉杯說：

『永璇代表其他的阿哥和格格，敬兩位哥哥，祝你們攻無不克，戰無不勝！凱旋歸來！』

永琪和爾康，都一口飲乾了杯子。然後，令妃舉起了酒杯：

『來來來！讓我代表宮裡的娘娘們，也敬三位英雄一杯！』

傅恆、永琪、爾康都惶恐的舉杯，連說不敢，乾了杯子。令妃才坐下，晴兒就接著舉杯說：

『我也要祝傅將軍和兩位英雄，把敵人打敗就好，窮寇莫追！要早去早回！記住這兒有好多的人，在等你們回家，要寫信報平安喲！』

『晴格格說的，就是我想說的！希望你們每到一站，都派快馬回家，一定要讓家人知道你們的情形呀！』福晉含淚說。

福倫笑了，不好意思的說：

『皇上別見笑，她們女人的心思，就和男人不一樣！』回頭看福晉：『前線打仗都來不及，那有時間寫家書呢？別為難他們了，讓他們安心的打仗吧！』

爾康看看兩老，看看紫薇。

『我會寫信的！放心，只要有時間，我會隨時寫信報平安！』

乾隆笑著說：

『福學士，你不要操心了，有紫薇在家，要他不寫信都難！』

『皇阿瑪，怎麼總是取笑我呢？』紫薇羞紅了臉，低聲的說。

『哈哈！小兩口感情好，是件好事！朕說的是實情，那有取笑？』

眾人見乾隆興致高昂，也附和的笑。

永琪一直心事重重，若有所思。此時，就很擔心的看著太后，委婉的開口說：

『老佛爺，知畫有了身孕，拜託老佛爺照顧！還有⋯⋯小燕子的一切，一切的一切，請老佛爺看在我出門在外的份上，多多包涵她一點⋯⋯』他暗示太后，對小燕子的身世，千萬要保密。

太后一嘆，認真的，誠懇的看著這個心愛的孫兒⋯

『永琪，你安心的去打仗吧！你的意思我明白了！其實，我也很疼小燕子的！』

小燕子看到永琪這樣放心不下她，已經叮囑了知畫，叮囑了自己，現在又叮囑太后。真是心心念念都是她！他擔心的，不是自己在戰場上的安危，而是她在宮裡的安危。這份愛，還能懷疑嗎？體會到這點，她那顆炙熱的心，就更加沸沸騰騰了。

『皇阿瑪！我要敬您一杯酒，請您原諒我這些日子以來，對你不禮貌的地方，對乾隆誠摯的說⋯一個激動之下，她突然起身，對乾隆誠摯的說⋯不能再讓他操心我，我會約束自己，不再讓你生氣！』她嘆了口氣，強忍內心的掙扎。一咬牙說⋯『皇阿瑪，請記住我的好，忘掉我的錯，至於上輩子的債，我也不算了！』

小燕子說得委婉謙卑，永琪、爾康、紫薇、太后都聽得十分動容。但是，聽到最後一句，大家都嚇了一跳。乾隆見小燕子低聲下氣的認錯，又是意外，又是感動。聽到最後一句，也是一臉的錯愕。

『太難得了！小燕子也會認錯！』乾隆納悶的說⋯『可是⋯⋯朕聽得有點糊裡糊塗，什麼叫做「上輩子的債」？』

太后和知畫交換視線，永琪睜大眼睛，好著急。

不料小燕子眼珠一轉，解釋著⋯

『我常常聽人說，兒女都是父母的債，我被皇阿瑪認做女兒，發生好多希奇古怪的事，又常惹皇阿瑪生氣，不知道是不是來討債的？如果我是，這筆債我就⋯⋯我就⋯⋯不討了！』

乾隆楞了楞，大笑起來⋯

『哈哈哈哈，原來是這樣，妳放了朕一馬！希奇呀，希奇！』他皺皺眉頭，想了想，再說：『朕覺得，朕常常被妳弄得團團轉，確實欠了妳！好吧！這個債咱們都不要算了！希望妳快點變回原來那個小燕子！』

『是！』小燕子順從的說，坐了下來。

永琪和爾康等人，聽得提心吊膽，此時，才鬆了一口氣。大家坐下，喝酒吃飯。

台上音樂一變，節奏強烈雄壯，武士們長劍揮舞，虎虎生風。眾人都被舞台上威武的表演吸引了。

舞蹈者邊舞邊歌，歌聲慷慨激昂：

『旗正飄飄，馬正蕭蕭，

長戈直指向匈奴，鐵騎如風意氣高！

莫爲離別苦，當爲英雄笑！

征人遠去，就在今朝！

凱旋歸來，就在明朝！

男兒征戰去，女兒縫征袍！

一身轉戰三千里，贏得千秋萬世豪！』

旗正飄飄，馬正蕭蕭，

轉眼間，就到了離別前一晚。

在學士府，爾康初試武裝。他穿著一身鑲紅旗的盔甲，站在室內，看來雄姿煥發。紫薇、福倫、福

晉圍繞著他，上上下下的看著。福晉問：

『不錯！滿合身的！這樣穿，真是帥氣得不得了！明天出發，就穿這樣嗎？』

『是！這次三旗的隊伍一起出發，都要穿三旗的軍服！』

紫薇摸摸盔甲的這兒，又摸摸那兒，強忍離愁，關心的問：

『這胳臂舉得起來嗎？領子會不會太緊？盔甲是特製的，我不會做，沒辦法為你縫征袍，可是，那兒不合身，我還來得及把鐵片拆下來改……到了戰場，可不能因為盔甲不舒服，打得不順手。』

『都好都好！每個地方都合身！』

福倫拿了一把劍，鄭重的走了過來。

『爾康！這是你第一次帶兵出征，我有信心，你會勝利歸來！這把劍，是我隨身的佩劍，跟著我二十幾年，我在京裡用不著它，我就把它移交給你了！』

爾康神情一正。雙手接過了劍，撫摸劍柄上的『福』字。說：

『這是福家的劍！我知道，這把劍對阿瑪的意義，我會用這把劍誓死殺敵，絕不讓福家這把寶劍蒙羞！』他堅定的、有力的說：『劍在，我在！劍亡，我亡！』

爾康話一出口，紫薇和福晉都有此變色，爾康卻渾然不覺，意氣風發的抽出劍來，寒光一閃，『喇』的一聲，劍已入鞘。爾康便把劍佩戴在身上，更顯威風凜凜。

福晉忍不住，眼中充淚了，奔上前來，握住爾康的手。

『我知道你滿心想殺敵，我知道你要報效國家，保護國土……可是，爾康……為了我們，為了紫薇，為了東兒，千萬千萬要保重！』

『額娘！妳放心！我會的！一定會的！』

福倫就拉了福晉一把。

『我們出去吧！小倆口就要分離了，也給他們一點時間去話別呀！』

『是！是！』福晉含著淚，跟著福倫出房去了。

福倫福晉一走，爾康就把紫薇一攬。

『紫薇，我們說好的，今晚不許掉眼淚！』

『是！我沒掉眼淚！來，先把這件盔甲脫下來……』她對爾康笑著，神祕的說：『你這件盔甲不要給別人穿，我在盔甲裡，縫了一個平安符！還有一個小祕密！』

爾康脫下盔甲，換回便裝，驚奇的問：

『是嗎？在那兒？我一點感覺都沒有！什麼小祕密？』

紫薇拿起盔甲，翻開衣領，給爾康看。原來，在衣領內側，繡著一朵紫薇花。

『一朵紫薇花！在紫薇花裡面，是我從觀音廟裡求來的平安符！我雖然不能和你一起去，但是，這朵紫薇就是我，會天天陪伴著你，我的平安符，會天天保佑著你！這還不夠，還有這個！』說著，就從自己脖子上，取下用紅繩綁著的吉祥制錢。『這兒，是皇阿瑪給我的吉祥制錢，我在上面，用彩色的絲線，纏了好多層，做了一個同心結！我叫它「同心護身符」，請你一定要貼身戴著，連洗澡都不可以取下來！』

紫薇一面說，一面把那個吉祥制錢，套上了爾康的脖子。

爾康拿起那個制錢看了看，珍惜的，鄭重的，把它塞進衣領裡。

『我一定隨身戴著，絕不取下來！這樣，妳是不是比較安心了呢？』

紫薇把他攔腰一抱，把頭埋進他的肩窩裡。熱情澎湃的喊……

『我不會安心的，我絕對沒辦法安心的！從現在，到你回家，我會時時刻刻記著你，惦著你，想著你……我恨不得化成那個制錢，那麼我就可以讓你貼身戴著，和你一起上戰場，保佑你平安！哦！爾康……你記住記住，一定要平安回來！』

爾康被她的熱情感染著，激動的說：

『有妳的紫薇花，有妳的平安符，還有妳的吉祥制錢！我全身都包裹在妳的期待和熱情裡，我怎麼可能不平安呢？放心，我會非常非常小心！我對妳和東兒，還有未了的責任，我一直是個負責任的人，我會負責到底的！放心，放心……我絕對不會辜負妳！放心，放心……我會毫髮無傷的回到妳身邊！』

兩人對看，離愁依依，深深注視，再緊緊擁吻。

37

終於到了出發這一天，在太和殿前，黑壓壓的站著送行的人潮。乾隆帶著眾多的大臣、親王、阿哥、嬪妃……全部站在殿前。

永琪、爾康和傅恆，都穿著全副戎裝，帶著三旗將領，騎在馬背上。大殿前，馬隊、儀隊、軍樂隊、士兵隊……陣容壯大的羅列著。本來，由北京到雲南還有漫漫長路，將軍是不用穿全副武裝出發的，但是，為了讓軍容整齊，也為了乾隆的親自送行，大家都披掛上場。永琪的一身鑲白旗，像白雲般瀟灑。爾康的一身鑲紅旗，像火焰般明亮。傅恆帶著鑲藍旗，以主帥身分，站在正中。三人站在大軍前，真是雄姿英發，壯懷激烈！

乾隆走到三人面前。聲如洪鐘的喊道：

『傅恆！永琪！爾康！』

三人朗聲回答：

『臣在！』

『永琪在！』

『爾康在！』

『朕封傅恆為征南大將軍，是這次出征的主帥！帶領鑲藍旗一萬大軍，出征雲南！五阿哥是左將軍，帶領鑲白旗一萬大軍！福爾康是右將軍，帶領鑲紅旗一萬大軍！雖然左右將軍，是皇子駙馬，但是，仍然要以傅將軍為主！軍令如山，服從第一！傅恆身經多戰，經驗豐富，左右將軍，初次出征，切忌輕舉妄動！』

永琪和爾康就齊聲回答：

『永琪／爾康謹記在心！』

『等你們勝利回來，朕一定親自到城外去迎接你們！』乾隆豪氣干雲的說，一揮手⋯『去吧！』

號角齊鳴，鼓聲震天，傅恆、爾康、永琪都向乾隆行軍禮，然後，傅恆手一揮。

『出發！』

壯大的隊伍，就開拔向前。

文武百官，全部彎腰恭送，喊聲震天⋯

『祝三位將軍，百戰百勝，凱旋歸來！』

小燕子和紫薇，站在女眷之中，拚命揮手，眼看永琪和爾康，帶著隊伍浩浩蕩蕩出門去。她們兩個，淚眼相對一看，小燕子就拉著紫薇的手一奔。

旗幟飄飄，馬蹄雜沓。壯大的軍隊，在永琪、爾康、傅恆的引領下，迤邐向前，蜿蜒數里，轉眼間就出了北京城。

隊伍到了荒野，忽然有兩匹快馬，從後面飛奔而來。隱隱約約的喊聲，跟著快馬傳了過來⋯

『永琪！永琪！等一等⋯』

薇！

永琪大驚，勒馬回頭。爾康跟著回頭，看著那兩匹快馬，狂奔而來，馬背上，赫然是小燕子和紫

『是小燕子！』永琪驚喊。

『還有紫薇！』爾康更驚。

傅恆趕緊舉起手來，停止隊伍。對永琪和爾康說：

『左右兩位將軍，去跟夫人話別吧！隊伍可以暫停一下！』

永琪和爾康，雙雙一夾馬腹，疾奔上前，去迎接小燕子和紫薇。

四匹馬在山邊相遇，大家勒住馬互視。爾康驚愕的說：

『紫薇，妳們怎麼跑到城外來了？』

永琪更是擔心，看著小燕子，急切的說：

『小燕子，妳出宮有沒有得到批准？妳就這樣溜出來了？』

小燕子奔得上氣不接下氣，喘著氣嚷：

『你們不要緊張，我是問過皇阿瑪的，他特地答應我們，到城外來送你們一程！你看，傅雲帶著一

隊人馬，在遠遠的保護我們！』

果然，遠處有一隊騎著馬的官兵，站在那兒遙望著。

紫薇對爾康歉然的笑著。說：

『沒辦法，我被小燕子說服了，想再見你一面的念頭，把所有的理智都趕走了！還是跟著她來了！』

爾康看著這樣的紫薇，真是千般不捨。四人就下了馬背，走到山壁旁。

小燕子急急的，把自己脖子上的『吉祥如意鎖』，套在永琪脖子上。

『紫薇說，他給了爾康好多保佑的東西，又是平安符，又是吉祥制錢！我傻傻的，什麼都沒幫你準備，所以趕了過來，把皇阿瑪給我的吉祥如意鎖給你，讓它保佑你！』

『永琪，爾康！』紫薇接口…『你們兩個，在戰場上要彼此幫忙，最好不要分開……千萬不能落單……』

『就是就是！你們要發揮所有的作戰能力，把敵人打得天翻地覆，落花流水……』小燕子喊著喊著，忽然說…『哎呀！紫薇，我不回宮了，我就這樣跟著他們一起去！妳一個人回去吧！』

『不可以！』永琪驚呼…『絕對不可以！小燕子，每次，我都聽妳的，這次，妳一定要聽我的！』

爾康看看在等待的大軍，著急的說…

『紫薇，小燕子，妳們珍重！五阿哥，我們不能再這樣拖拖拉拉了，今天是第一天出發，我們就延誤進度，實在不好！』他伸出手去，緊緊的握住了紫薇的手…『紫薇，代我親親束兒！告訴他，我已經開始想他了！紫薇……珍重珍重，保重保重！』

『你也是，你也是！要寫信給我……要注意安全……要小心身體……』紫薇急切的叮囑，還有沒說的千言萬語，全部卡在喉嚨口。

『我知道，我知道！妳也要小心身體，自己身子不是很好，萬事不要逞強！』

小燕子和永琪，也是兩手相握，四目相對。小燕子忽然想到什麼，趕緊把馬背上一個大袋子，拿了起來，翻開袋子，急急的搬出裡面的東西，一件一件的往永琪手裡塞去…

『我給你們準備了一些吃的，這是吃的，這是宮裡醃製的陳皮梅，給你路上吃！這是牛肉乾，也給你路上吃！這個金橘乾，很甜的，吃了就不渴！這個炸鍋巴，好好吃！路上餓了可以吃……這是柿餅，這是蘋果乾，這是核桃酥，這是雪片糕，這是瓜子，晚上聊天可以吃……』

永琪用手捧著，轉眼間，食物已經堆到他的下巴。他目瞪口呆，喊：

『幫幫忙，小燕子！我不是去游山玩水耶！一路上，都有伙夫燒飯，我要跟大家一起吃大鍋飯……那有一個將軍，一路吃零食的呢？』

小燕子的眼眶驀然紅了，淚珠在眼眶中打轉，她哽聲的說：

『你帶著你帶著嘛！路上總會餓的嘛……餓著肚子怎麼打仗嘛……』

永琪凝視著小燕子，她一個勁兒把東西繼續往他手裡堆，還在那兒絮絮叨叨的說著，這是什麼，那是什麼……永琪什麼都聽不見了，只看到那對含淚的眸子，那兩瓣動來動去的嘴唇，還有那無盡無盡的不捨……他的手一張，所有大包小包都掉到地上去了，他一奔上前，用手臂緊緊緊緊的抱了她一下。如果不是那頭上的帽子太礙事，如果不是傅雲在遠遠隨侍，他真想對她吻下去。

爾康和紫薇，也是難捨難分的，爾康知道，必需上馬了，但是，紫薇握住他的手，就是不放。他用雙手，把她的雙手圈在手中，緊緊一握，說：

『我必需去了！』

『是！』紫薇應著，慢慢的，不捨的鬆了手。

永琪和小燕子，正在撿地上的大包小包，紫薇和爾康趕快幫忙，七手八腳，把那些東西都裝回大袋子裡，永琪把它掛上馬背，不能再耽擱，讓整個軍隊看笑話，他一躍上馬。喊著：

『紫薇，請妳時時刻刻進宮，幫我照顧小燕子！』

『是！我會帶著東兒，隨時去景陽宮小住！』

爾康也一躍上馬，忽然覺得衣服下襬被人攙著，低頭一看，紫薇攙著他的衣角。他伸手過去，紫薇立即放開衣角而重新抓住他的手。

『紫薇，』他深深的凝視著她：『我會守著對妳的承諾，我會言而有信！讓我走吧！』

永琪看這樣耽誤，未免太兒女情長了，一咬牙，舉起馬鞭，一鞭抽在馬背上，馬兒一聲長嘶，撒開

四蹄，疾馳而去，永琪的聲音，隨風而至：

『小燕子……再見！爾康，快走！』

爾康再深深看了紫薇一眼，忍心的用力一抽手。紫薇握不住，兩手乍然鬆脫，爾康就一揮馬韁，急

馳而去。不住口的喊著：

『珍重！珍重！珍重……』

小燕子和紫薇，站在那兒，忍不住瘋狂的揮著帕子，喊著：

『勝利！勝利！一路勝利！』

『平安！平安！一路平安！』

永琪回首，但見紫薇和小燕子，兀自站在那兒，不斷不斷的揮著帕子。隊伍走了好遠，他們再回首，還

看到那兩個身穿紅衣的女子，像兩個小小的紅點，嵌在山頭。

永琪和爾康奔回隊伍，大隊人馬，立刻出動。儀隊、馬隊、輜重隊……浩浩蕩蕩向前行去。爾康和

小燕子和紫薇，是一直等到大隊人馬都看不見了，才黯然回宮去。

後來，紫薇寫了一首歌，常常坐在窗前，彈著琴唱著：

『人兒遠去，山山水水路幾重？

送君千里，也只有一聲珍重！

多少叮嚀，耳邊聲聲在飄送，

想必今後，呼喚都在夢魂中！

最怕離別，千絲萬縷情切切！
馬蹄翻飛，只怕鐵衣冷如雪！
號角聲裡，英雄壯志當激烈，
莫忘深閨，有人望穿雲和月！』

永琪和爾康，開始了一份和以前截然不同的生活。

行行重行行。為了趕時間，隊伍幾乎沒日沒夜的趕路。再也沒有錦衣玉食，再也沒有詩情畫意，生活是緊張的，忙碌的。前線的狀況，不斷傳來，都是一些不利的消息。三位主將，越來越著急。走著走著，秋意漸濃，常常一陣大雨，淋得大家渾身濕透。雨後，氣溫也驟然降低。紫薇的歌唱對了，『馬蹄翻飛，只怕鐵衣冷如雪，號角聲裡，英雄壯志當激烈！』這樣走著，趕著，日夜不停，總算在一個月後，走到了雲南境內。雲南的氣候並不冷，但是很潮濕。這對長大在北京的爾康和永琪來說，總有許多不適應。對軍人來說，仗還沒打，已經兵困馬乏，水土不服了。

這天，大軍在離邊境一百里的郊外紮營，傅恆就帶著一隊精銳部隊，去探聽戰事情況。永琪和爾康，留守在營地。

黃昏時分，落日懸在天邊。

在一個帳篷中，爾康、永琪正在吃飯，一些勤務兵在侍候。兩人一面吃，一面研究地圖，分析戰事情況。

『總算走到雲南了，還好，雲南一點都不冷！不過，怎麼沒有看到劉藻的軍隊來迎接呢？大軍這樣入境，先頭部隊也已經到了雲南，他老先生總不會不知道吧？』永琪說。

『我覺得，這事不妙！劉藻這個人，年紀大了，難免貪生怕死，說不定帶著大軍潛逃了！』永琪說。

『不至於吧！他好歹是個雲貴總督！手下的人馬，有兩萬人呢！就算打了敗仗，也不可能全軍覆沒！』

『等到傅六叔回來，就可以知道一個大概！我想，我們不可能期望劉藻能幫什麼忙，都要靠自己了！』

爾康沉吟著，點了點頭：

『我們先讓士兵們休息夠，這一路夠辛苦了，再來計劃怎麼打這一仗！看這地圖，越到邊境，路越難走，山上好像根本沒有路，馬和輜重，能不能過去，糧食夠不夠，如何運輸到前線，都要計劃！軍隊要打仗，絕對不能餓肚子！』

兩人正討論著，有個士兵進來，大聲報告：

『報告兩位將軍，外面有個百夷人求見！』

『百夷人？』永琪一怔：『那是雲南的土著！雲南地區，主要的民族就是百夷人！』說著，就狐疑起來：『百夷人來軍營幹什麼？恐怕有詐，不得不防！』

『他一個人來？還是有人一起來？』爾康問士兵。

『報告將軍，只有一個人！』

『他一個人來，會有什麼作為？』爾康藝高人膽大：『我們兩個在這兒，還怕什麼百夷人，不怕！讓他進來吧！』

『是！』

士兵才出去，帳篷一掀，只見一個渾身穿著白衣，頭上綁著白色頭巾的百夷人，大步進入帳篷。用清楚的漢語，朗聲說：

『百夷人游鵬勞拜見兩位將軍！』兩手一拱，笑了：『兩位別來無恙！』

爾康和永琪大驚，目瞪口呆。什麼百夷人，原來是簫劍！

『哇！百夷人？好一個百夷人，你……』永琪脫口驚呼。

爾康急忙把永琪一撞，對帳篷中的士兵說：

『你們全體到外面去守著，有任何人來，都要通報！』

『是！』士兵們退出帳篷。

爾康四面檢查了一下，這才一掌拍在簫劍的肩膀上。說：

『你好大膽子，單槍匹馬闖軍營！還好傅六叔不在，要不然，一定把你抓起來，當作奸細給殺了！』

簫劍有恃無恐，從容不迫的說：

『你們那個傳六叔從來沒有見過我，不知道簫劍是誰。有百夷人來投效，自願當嚮導和軍師，為什麼要殺呢？不過……我從北京跟你們到這兒，今天才現身，已經夠小心了！』

『你真是千變萬化，你現在的名字叫什麼？游什麼？』永琪驚喜不勝。

『游鵬勞，倒過來唸就明白了！』

永琪眼珠一轉。明白了！是小燕子的遊戲嘛！

『哦！原來是「老朋友」呀！』

三人這才相視而笑，久別重逢，興奮不已。爾康就追問：

『你說什麼嚮導和軍師？你要加入我們，去打緬甸人嗎？』

『可不是！你們兩個，一個是我的生死之交，一個是我的妹夫！我不為了你們的幫主，也要為你們，

共同來打這一仗！何況，我在雲南長大，精通百夷話，雲南話，對這兒的地形山勢，也瞭如指掌，你們

缺乏一個嚮導和軍師，我正是那個可以當嚮導和軍師的人！』

『那太好了！你來了！我們是如虎添翼！』永琪不禁大喜。『等到傅六叔回來，我們就把你引見給

他，就說，你是毛遂自荐的百夷人，已經通過我們的安全檢查了！』

『就這樣！』蕭劍豪氣干雲的說：『那些緬甸人，也欺人太甚！讓我們三個聯手，打一場漂亮的

仗！』笑容忽然一收，低問：『晴兒怎樣？』

『還能怎樣？』爾康瞪他一眼：『那天，被一個白鬍子老公公弄得神魂顛倒，現在，和宮裡其他幾

個女人一樣，在那兒過著望穿秋水的生活！』

蕭劍一嘆，看著永琪，又問：

『小燕子怎樣？你那個知畫，有沒有喧賓奪主？』

永琪臉色一暗。皺皺眉說：

『你一來就踩到了我的痛腳，夾在兩個女人裡生活，我真是苦不堪言！關於這個，我們慢慢再談，

還是先來談談軍情吧！』

『談軍情以前，先喝一杯酒，慶祝我們三個的重逢！』

爾康倒了三杯酒，三人興奮的碰杯。

『為了重逢！』爾康說。

『為了友誼！』永琪說。

『爲了勝利！』蕭劍說。

『爲了在北京等我們的女人！』永琪再說。

三人『叮』的一聲，清脆的碰杯，再仰頭一飲而盡。

北京那等待中的女人，確實度日如年。

這天，紫薇進了宮，完全不顧平日的優嫻貞靜，一路穿花拂柳，飛奔進了景陽宮的院子。不住口的喊著：

『小燕子！小燕子！小燕子……』

小鄧子、小卓子迎上前來。小鄧子驚愕的問：

『格格！怎麼跑得上氣不接下氣？什麼時候進宮……』

『小鄧子，小卓子，』紫薇急忙說：『你們趕快去慈寧宮，把晴格格請到這兒來，就跟老佛爺說，我進宮了，好想跟格格聚一聚！』

『喳！我知道了，我想辦法把她找來就是了！』小卓子說，飛奔而去。

小燕子聽到聲音，迎了出來。看到紫薇就興奮的喊：

『哇！紫薇，想死我了！怎麼沒帶東兒來？』

『誰說沒帶？東兒跟著奶娘和秀珠，慢吞吞的下馬車，東張西望，摸摸這個，踢踢那個……我可等不及了，就一路跑了過來！』她興奮的抓住小燕子的手，激動的說：『小燕子！爾康有信來了！』看看屋裡，壓低聲音：『還有永琪給妳的信……還有一個奇事……我們進去談！』

小燕子眼睛一亮，脫口喊：

『永琪的信？眞的？跟爾康的信一起，送到學士府……』

小燕子話沒說完，知畫衝到院子裡，帶著一臉的期盼，急切的看著二人。問：

『永琪有信來？是不是？』

紫薇趕緊捏了小燕子的手一下，示意她別說。臉色一變，掩飾的說：

『沒有沒有！是爾康有信回來，提到永琪而已，他們很好，已經到達雲南了，還沒遭遇到緬甸兵，

所以，還沒打仗！可是……』她想了想，計算了一下：『快馬傳書，也傳了十幾天才到，現在，他們一

定交兵了！』

『我們進去說話！趕快來我房間！』小燕子知道永琪有信給自己，那兒還沉得住氣，拉著紫薇，不

由分說就往裡面跑。

兩個格格就掠過知畫，衝進房間去了。

知畫站在那兒，臉色頓時暗淡下去。她聽到了幾句，也猜到了幾分，不禁自言自語，自怨自艾起

來：

『寫信到學士府，卻不送進宮，明明就不想寫信給我，才會這樣！他把我當成什麼？他心裡，眞的

完全沒有我嗎？我就不如這個小燕子嗎？』

她站在院子裡發呆，也顧不得小院風寒，深秋露冷。桂嬤嬤急急的拿了一件披風出來，披在她的肩

上，說：

『福晉！我的主子！這院子裡風大，妳是有身孕的人，怎麼可以吹風呢？萬一著涼怎麼辦？趕快進

去吧！』

知畫不動，沉思著。

這時，晴兒飛奔而來，急忙忙的衝進院子。小鄧子、小卓子跟在後面跑。晴兒看到知畫，趕緊放慢腳步，不好意思的笑笑。說：

『知畫！紫薇來了是不是？我去跟她們聊天去！』

晴兒說完，一溜煙就掠過知畫，進房去了。桂嬤嬤納悶的說：

『幾位格格，怎麼都是這樣急沖沖？』她看看知畫：『福晉不跟她們聊天去？』

桂嬤嬤提醒了知畫，她笑笑，若有所思的說：

『是啊！這晴格格和紫薇格格來到景陽宮，就都是我的客人，我也該盡一盡地主之誼嘛！』她立刻打起精神說：『桂嬤嬤，準備一點吃的！豌豆黃、芸豆卷、小窩頭、千層糕、炸酥盒、肉末燒餅……都拿一點來！』

『喳。』桂嬤嬤趕緊照辦。

晴兒衝進了小燕子的臥室，小燕子就奔了過來，一把拉住她，興奮的嚷：

『晴兒，晴兒！永琪給我寫了一封信……』小燕子把信箋壓在胸前。『我真想他！現在，才明白他對我有多好……』

『先別說妳那一封信！晴兒，妳看這個！』紫薇喊，就拿出一張信箋，攤在桌子上，給晴兒看。『這個字跡，妳當然認得，這張信箋，和爾康的信，封在一個信封裡！妳看！』

晴兒急忙對那張信箋看去，一眼看到那熟悉的字跡，她的心已經『怦怦怦』的狂跳起來，拿起信箋，只見上面題著四句話：

『回首向來蕭瑟處，也無風雨也無晴，遙望雲深不知處，又是風雨又是晴。』

晴兒悲喜交集，唸著信箋。左唸一遍，右唸一遍：

『回首向來蕭瑟處，也無風雨也無晴，遙望雲深不知處，又是風雨又是晴。』她不能喘氣了…『蕭劍！難道他們在一起？這是他的筆跡，這四句話，嵌著蕭字和晴字，他是寫給我的呀！』

『是啊！』紫薇熱烈的說…『這四句話裡，有對妳的思念，也有對妳的擔心！他們生怕家書落在別人手裡，所以不敢明寫，但是，妳看……』她把爾康的家書拿給晴兒看。『爾康在這兒寫著，「幸有故人來，如虎添翼」，又寫「猶記辛未狀元，共度患難之日」，看到了嗎？「辛未狀元」就是當初簫劍帶妳私奔時，留給我們那個字謎的謎底！』

晴兒喜出望外，眼睛閃亮。激動的低喊…

小燕子更是樂不可支，抓住晴兒的手，又搖又喊…

『是他！就是他！』一點疑問都沒有，他們寫得非常明白了！小燕子，太好了！他們又在一起，並肩作戰了！哎呀，紫薇……』她眼中充淚，唇邊帶笑，簡直無法隱藏自己的感情…『知道了他的下落，我夜裡作夢都會笑！』

『我就說嘛，他們去雲南打仗，那根本就是我哥最熟悉的地方，他等於回家了！我想了好多年，要去那個有水有花的地方，就是去不成，現在，他們三個，我們三個，卻都關在這個回憶城裡，動也不能動！哎，我真想他們！』

這時，門上傳來敲門的聲音，大家都緊張起來。只見彩霞伸頭進來說…

『紫薇格格，東兒少爺來了！妳們儘管聊天，我和明月、奶娘他們帶著他玩！等他找額娘的時候，再帶過來！』

『好好好！妳們照顧著他，當心他摔跤！』紫薇說。

彩霞還沒關門，房門突然被衝開了，知畫笑吟吟，帶著珍兒、翠兒、桂嬤嬤，手捧各色點心，送進

房來。知畫笑著說：

「紫薇格格和晴格格來，都是景陽宮的客人，來來來，一些小點心，一邊吃一邊聊……」把手裡的點心放上桌，一眼看到桌上攤著的信，就伸手去拿。『信！是永琪寫來的吧！姐姐，不要小器，我也可以看看吧……」

三個格格大急，全部撲過來搶那封信。小燕子速度最快，一個箭步，就直衝上前來，伸手搶走了信箋。大叫：

「那不是永琪的信，是爾康寫給紫薇的信，妳怎麼看別人的信呢？」

小燕子這一搶，衝得很急。知畫一閃，不知怎的，撞到桌子上，把點心『哐啷』一聲撞下地，只聽到知畫慘叫一聲，摔倒在地，痛喊出聲：

「哎喲……姐姐……」

桂嬤嬤嚇得尖叫起來：

「福晉！小心肚子裡有孩子呀！福晉……妳怎麼不小心……」

「福晉！傷了那兒，要不要緊啊？」珍兒急問。

珍兒、翠兒嚇得把點心盤子一放，全部奔過來扶。

「格格手勁大，有工夫的……妳怎麼不避開啊？」翠兒急喊。

知畫躺在地上，用手摀著肚子，仍在哎喲哎喲慘叫。

「哎喲，哎喲……好痛……好痛……哎喲……」

晴兒和紫薇，也嚇得面無人色了。晴兒俯身下去察看，著急的問：

「知畫，嚴不嚴重？」

『很痛……很痛……』知畫的眼淚掉下來，眼神裡盛滿了恐懼。『我很害怕……』她用手壓著肚子。

『孩子……孩子……永琪不在，如果孩子……』

晴兒知道嚴重性，萬一知畫失去這個孩子，小燕子大概也性命難保，她的臉色頓時慘白，急呼：

『傳太醫！趕快傳太醫！小鄧子！小卓子！趕快傳太醫……』

桂嬤嬤、珍兒、翠兒、和趕進來的明月、彩霞也一路喊了出去：

『傳太醫！傳太醫！傳太醫……』

整個房間裡，立刻亂成一團。桂嬤嬤和珍兒翠兒，扶起知畫，一步一停的往新房走去。知畫一直摀著肚子，又是呻吟，又是哭泣。

小燕子呆呆的看著知畫離去，一臉的驚愕和困惑。轉頭對紫薇說：

『我根本沒有碰到她……她怎麼會摔了下去？』

紫薇震驚的看著小燕子。

太后幾乎和太醫一起趕到，接著，新房裡一陣忙亂。太醫出出入入，太監們拿著藥方去御藥房抓藥、熬藥，丫頭們穿流不息的奉湯奉水，嬪妃們得到消息紛紛前來慰問……到了晚上，太醫和嬪妃們才陸續出房去，孩子總算保住了。

知畫躺在床上，看起來弱不禁風。桂嬤嬤端著藥碗，侍候著她吃藥。

太后坐在床沿上，拉著知畫的手，不勝憐惜的拍撫著說：

『還好還好，有驚無險！總算沒有大礙，嚇死我了！妳也小心一點呀，自己的身子，自己要注意嘛！那個小燕子，以前曾經從屋頂上跳下來，手裡拿著煙火棒亂舞，把我的衣服都燒起來……妳呀，和她離

開遠一點，知道嗎？」

知畫委曲求全的說：

「老佛爺，請妳不要責備姐姐，她只是不小心，不是故意的，是我不好，看到紫薇格格來，晴格格又來了，就有點興奮……」說著，落淚了，說不下去。

太后看著知畫發楞，桂嬤嬤就低聲說：

「老佛爺……福晉心腸好，有苦都往肚子裡嚥！據奴婢看，格格是有意撞傷福晉，她自己生不出孩子，也不願意福晉有孩子！您想，格格的身手和力氣，如果她存心使壞，福晉實在不是對手！」

「胡說！」知畫趕緊阻止。『桂嬤嬤，不可以這樣說姐姐，她只是粗心大意而已！絕對不會有壞心！」

太后看看知畫，看看桂嬤嬤。嚴重的說：

「知畫！妳最好小心一點，知人面不知心，尤其女人妒嫉起來，是一點理性都沒有的！小燕子對妳，一直就妒嫉得厲害，現在，永琪又不在這兒，沒人保護妳！如果這個景陽宮住不下去，還是先搬到慈寧宮去，等永琪回來再過來吧！」

「老佛爺，不好吧！」知畫搖頭，說：

「我已經嫁進景陽宮了，就應該在景陽宮等永琪！和姐姐處不好，是我的失敗……如果我搬去景陽宮，大家一定說我有老佛爺撐腰，享有特權似的。老佛爺放心，我會繼續努力，讓姐姐喜歡我！好在，孩子保住了！」

「但願菩薩保佑妳！」

「妳還想讓她喜歡妳？」太后不可思議的看著知畫，拍拍她的手，一副悲天憫人的樣子，嘆息的說：

太后離開知畫的房間，走進大廳，紫薇、小燕子、晴兒都圍了過來。

『知畫還好吧？』晴兒急忙問。

『妳想呢？』太后看了晴兒一眼。『雖然太醫說，沒有動到胎氣，可是……她嚇都嚇死了！永琪不在家，她有個什麼事，妳們大家對永琪怎麼交代？』

小燕子、紫薇、晴兒聽太后語氣嚴厲，都呆了呆。小燕子衝口而出：

『我又沒有怎麼樣，她自己站不穩，就摔下去了！』

太后大怒，手在桌子上重重一拍。

『妳沒有怎麼樣，知畫的孩子都差點保不住，如果妳有怎麼樣，大概知畫小命都難保了！』

小燕子聽了，氣得差點昏倒，晴兒和紫薇也雙雙變色。

『老佛爺！』小燕子跳起身子，往前一衝。『知畫說是我推她了？我撞她了？我找她對質去！』

小燕子往裡面就走，太后大聲喊：

『回來！』

紫薇和晴兒，趕緊攔在小燕子身前。紫薇就對她使眼色：

『不要沉不住氣，今天，本來大家都很開心……想想好的一面，知畫的事，是個意外，只要大事化小，小事化無就好！妳不要再去打擾她，讓她休息吧！』

『就是就是！』晴兒也跟小燕子使眼色：『看在辛未狀元啦，又是風雨又是晴的份上，不要計較了！』

太后走到小燕子面前，有力的說：

小燕子呆呆的站著，胸口劇烈的起伏著，拚命按捺自己，氣呼呼。

『妳不要去冤枉知畫了，剛剛在知畫房裡，她可是苦苦的求我，要我不要責備妳，不要怪妳，說都是她自己的錯！』她嘆了一口氣：『小燕子！妳應該慶幸，知畫是這麼有修養有教養的姑娘，才會息事寧人，妳也寬厚一點，得饒人處且饒人吧！我那個力氣，我早就領教過了！』她回頭看著晴兒和紫薇說：『晴兒，跟我回慈寧宮去！紫薇，妳勸勸小燕子，心胸要寬大一點，知畫肚裡的孩子，好歹是永琪的！如果有任何差錯，我都不會原諒小燕子！』

小燕子聽著太后一句一句的話，眼睛越睜越大，最後，連嘴巴都張開了，就差沒有嘔死。紫薇也聽得一肚子的不平，卻不敢再說什麼。晴兒著急萬分，生怕小燕子再頂撞太后，心想，還是早走早好。就急忙攙住太后，說：

『老佛爺，我扶您回去！紫薇，妳照顧小燕子，我明天再過來！』

小燕子還想說話，紫薇拚命拉住她。

『別說了，別說了！』

晴兒就扶著太后往門口走去。

就在這時，知畫在桂嬤嬤攙扶下，捧著肚子，顫巍巍的走進大廳，嚷著：

『老佛爺，您好好走！當心路上滑……』

太后站住，回頭驚問：

『妳怎麼不在房裡躺著，又跑出來幹什麼？』

『我出來送老佛爺……』知畫虛弱的笑。

小燕子看到知畫這樣，忽然忍無可忍的爆發了，大叫著對知畫衝去…

『哇！我要瘋了！我要憋死了！我要氣死了！我要冤死了……妳說說清楚，到底妳是怎麼摔的……』

小燕子這樣一衝，知畫嚇得臉色慘白，雙手保護著肚子，尖叫出聲：

『救命……救命……老佛爺……』

『救命……救命……老佛爺……救命……』

紫薇一看不對，想也沒想，就衝上前去攔小燕子，這一攔，就和她迎面撞在一起。正好摔到茶几上，茶几倒了，茶杯茶壺碎了一地，發出一陣碎裂的巨響。明月、彩霞驚叫著，趕緊奔上去攙扶她。小燕子急忙收住了步子，驚怔的看著摔得七葷八素的紫薇。

太后嚇得渾身發抖。喊著：

『這我可親眼看到了！我明白了！這個景陽宮，怎麼還能住？桂嬤嬤，珍兒，翠兒，扶著妳們主子，立刻跟我回慈寧宮去！東西也別收了，明天再拿！知畫再待下去，遲早會被弄死！快走！』

『喳！奴婢遵命！』桂嬤嬤大聲答應。

『老佛爺……』桂嬤嬤猶豫的、顫抖的喊。

『還猶豫什麼？走！馬上走！』太后就去拉知畫。

桂嬤嬤、珍兒、翠兒趕緊扶著。知畫就在眾人簇擁下，跟著太后，滿臉餘悸猶存的樣子，一起出門去了。晴兒無奈的看了紫薇和小燕子一眼，也跟著去了。

轉眼間，大家都走了，紫薇坐在一堆碎片裡發怔。明月，彩霞也傻住了。

小燕子看著地上的紫薇，一下子失去渾身的力量，往地上一坐，坐在紫薇身邊。雙手托著下巴，沉重的吸著氣，好像她已經快要窒息了。紫薇凝視她，輕聲說：

『小不忍則亂大謀……妳又忘了！』

『這個小人和大貓，我知道……可是……知畫怎麼變成這樣？』她睜大眼睛看紫薇。『她冤枉我，

我發誓，我真的沒有碰到她，是她自己摔的……」她想想，痛楚忽然淹沒了她：『我弄砸了，我又弄砸了，永琪臨走的時候，對我說了幾千幾萬句，要我跟知畫和平相處……紫薇，怎麼會這樣呢？那個大貓，實在太難養，我不會養，我養不起啊！」

小燕子脆弱的說著，眼淚終於掉了下來。紫薇一把抱住她，兩人依偎在一起。半晌，紫薇震動的，深思的，低低的說：

『或者，知畫沒有變，她可能一直是這樣一個人，我們說不定通通中計了！她步步為營，進宮，征服了老佛爺，說服了我們，當了五阿哥的福晉，懷了永琪的孩子……想想看，這是好難的一條路，她都做到了！她沒想到的，是永琪會在這個節骨眼，上了戰場……」說著說著，她忽然打了一個冷戰。

小燕子抬頭看她。

『妳在說些什麼？』

『我希望，是我想太多了！』紫薇搖搖頭，不說了。眼中露出擔憂和恐懼。

小燕子似懂非懂，以她那單純的心，要瞭解紫薇的分析，還是不容易的。她看著紫薇，因為紫薇的擔憂而驚怔起來。

38

在雲南的永琪和爾康，開始了他們這一生的第一場戰爭。

他們是一清早從邊境出發的，在出發前，早已研究好了策略。傅恆這次帶著一位皇子，一位駙馬出來打仗，壓力實在很大。探子來報，敵軍正在打猛籠，葫蘆口只有少數緬甸軍在駐守，他就做了第一仗的安排。

營地一早拔營，無數清軍，身穿盔甲，整裝待發。傅恆、永琪、爾康、簫劍、和幾位武將，都全副武裝，站在營地正中，傅恆以統帥身分，分配了任務：

『就這麼決定，我們兵分兩路，我帶著楊坤參將去攻猛籠！左右兩將軍，有總兵劉德成協助，去收復葫蘆口！不管勝敗，日落時分，一定收兵，兩軍都要在奇木嶺營地集合，根據戰績，再研究下一步的戰略和路線！』

『就這麼辦！』永琪一點頭，看著傅恆，瞭解的說：『不過，傅六叔把簡單的工作交給我們了！葫蘆口聽說已經沒有緬軍，說不定很輕鬆就收復了！倒是猛籠，都是山路，地勢險惡，傅六叔要小心！』

『那也不一定！』爾康說：『猛白神出鬼沒，誰都不知道他在那兒！我們都聽傅六叔吩咐，就沒有錯！大家都盡力而為吧！』

傅恆看看這兩位皇室貴冑，不放心的叮囑：

『兩位將軍，安全第一，切忌輕舉妄動！如果遭遇了猛白的正規軍，最好先退回營地，不要交鋒！劉德成有經驗，讓劉德成帶路！』他看了簫劍一眼：『軍師，聽說你武功高強，又熟悉地形，務必保護兩位將軍！』

簫劍已經換上了白色軍服，英姿颯颯。抬頭挺胸說：

『傳將軍放心！我誓死保護兩位將軍！』

『就這樣！大軍出發吧！』

永琪一躍上馬，喊：

『祝兩路人馬，都馬到成功！』

軍號大作，所有軍人，各就各位。永琪、爾康、簫劍、劉德成縱馬向前。帶著西路軍，大軍浩浩蕩蕩的出發了。

軍隊走了大約兩個時辰，距離葫蘆口已經近了。永琪帶著鑲白旗，爾康帶著鑲紅旗，紅白相映，旗幟飛揚，軍容浩大，聲勢非常驚人。走著走著，永琪忽然覺得有些不對勁。舉起手來，喊著：

『停一下！聽！這是什麼聲音？』

大軍暫停，隱隱間，有如悶雷的聲音傳來。爾康大喊：

『斥候兵！去前面看看，有什麼動靜？』

幾個斥候兵騎馬往前奔。奔了一段路，雷聲更大，斥候兵跳下馬，伏在地上，用耳朵貼著地傾聽。只聽到雷聲逐漸加大，天搖地動。斥候兵驚愕抬頭，只見前面煙塵大作。塵土飛揚中，一片黑壓壓的鳥雲從地上席捲而來。

永琪勒馬站在那兒，引頸翹望，忽然感到恍如地震，步兵們的槍枝都震得嘎嘎作響。他大驚……

『這是什麼東西？』

『好像是地震！』

『地震？不可能！那一片黑雲是什麼東西？』簫劍說。

大家都注視著前面，那片黑雲轉眼間已到面前。簫劍明白了，急呼……

『我知道了！是大象！大家注意，準備武器，象兵來了！』

簫劍喊聲中，只見煙霧騰騰裡，無數的象兵奔馳而來。身先士卒的一個，正是緬甸王猛白，騎著大象，舉著戰斧，十分威武。

『衝啊……衝啊……』猛白聲如洪鐘，大喊。

跟在猛白身邊，是個面貌清秀的青年軍官，也騎著大象，舞著長劍。那青年軍官風度翩翩，年少英俊，個子嬌小，卻行動迅速。揚著長劍大喊：

『衝啊……殺啊……』

隨著這兩個敵人的出現，象腳巨大而沉重的踩過泥土。象鼻左掃右掃，掃向空中。巨象抬頭長嘶，象腳踩上斥候的身子，狼狽奔逃。只見象鼻一捲，捲起一個斥候，拋在空中。

永琪、爾康、簫劍三人，看得目瞪口呆。永琪揮舞著長劍，回頭大喊：

『我大清的部隊，什麼都不怕，還怕幾隻大象嗎？衝啊！』

永琪就身先士卒，對著象兵衝了過去。爾康大叫：

『五阿哥！千萬不要冒險！傅六叔特別交代，萬一碰到猛白，不可輕易交手，還是先撤退，研究了

戰略再打！』

爾康的聲音，淹沒在一片震耳欲聾的象鳴聲中，大象轉眼已到眼前。

簫劍大吼一聲：

『爾康！殺吧！撤退已經來不及了！』說著，一劍刺了過去。

爾康倉卒應戰，和那個青年將軍交手。青年高高的坐在象背上，爾康的戰馬，只有大象一半的高度，雖然爾康武功了得，但是青年居高臨下，爾康備受威脅。連續幾次交手，爾康都沒佔到好處。那青年一面打，一面用漢語大喊：

『我是緬甸王子慕沙！你們趕快投降！』

原來他是猛白的兒子，怪不得武功這麼好，還會漢語！看樣子，緬甸入侵，早有預謀了。爾康一面迎戰，一面大聲喊了回去：

『緬甸王子又怎樣？我還是大清駙馬呢！』說著，一劍刺去。

那緬甸王子慕沙，竟然口齒伶俐，邊打邊喊：

『駙馬是什麼馬？馬遇到大象就變成小白兔了！』

『你才是小白兔！』爾康大怒：『長得就像隻小白兔，看你年紀那麼小，武器拿得穩嗎？』大叫：

『我來了！』

爾康眼看，大象和馬，不能齊頭作戰，就施展武功，從馬背上飛身而起，落在慕沙身後的象背上，持劍就一劍直刺慕沙。人到劍到聲到：

『緬甸小白兔，碰到滿清駙馬，是你倒楣！』

慕沙沒想到這個駙馬，居然會飛到自己的象背上，大驚失色，急忙返身，持劍一擋。兩劍相碰，迸

出火花。同時，慕沙手一揚，數十支金針已經對爾康飛去。爾康大叫：

『還會暗器！不得了！』

爾康長劍舞成一個閃亮的大圓，把暗器全部打落地。

慕沙看得目瞪口呆。忍不住讚美：

『你這匹馬，好厲害！』

慕沙拍拍象頭，象鼻忽然舉起，掃向爾康。爾康只顧得和慕沙交手，完全沒有防備大象也能作戰，被象鼻掃了一個正著，站立不穩，幸好武功高強，翻身落地。他這一下怒不可遏，伸手一把抓住慕沙的腳踝，將他也拖下象背。

慕沙大驚，一連串的緬甸話衝口而出：

沙……』

『該死的死馬，從那兒跑來的？居然敢用手拉我，你不要活了，我不打死你，我就不是八王子慕

爾康聽不懂他的緬甸話，也不再拌嘴，兩人就在地上纏鬥起來。

爾康和慕沙打得難解難分的時候，永琪正和猛白交手。

猛白是個天生的武士，身材高大，相貌堂堂。手持戰斧，居高臨下，銳不可當。永琪用劍，靈活無比，可惜馬太矮小，打得捉襟見肘。猛白邊打邊用漢語喊：

『我是緬甸王猛白，你打不過，趕快投降！』

『我是大清王子永琪，專門打緬甸王猛白！你才趕快投降！』永琪喊。

『你這個王子，今天死期到了！』猛白一斧頭砍下來，直打永琪面門。

永琪閃過武器，心想，這樣打不行，就一劍砍向象鞍，象鞍斷裂，猛白滾落地。永琪躍下馬背，飛

撲過去，長劍直刺猛白。猛白大驚，緬甸話衝口而出：

『那裡跑出這麼厲害的一支隊伍？』

猛白從地上一躍而起，趕緊應戰。兩人打得天昏地暗，日月無光。

簫劍早已看出，用馬隊無法對付象隊，必須找到他們的弱點，才能打贏這一仗。他騎馬一陣衝刺，專門砍斷象鞍，只見象兵紛紛摔下地。他一面衝刺，一面大喊：

『弟兄們不要怕，砍斷象鞍，先把他們從象背上打下來，再交手不遲！來呀！馬隊衝啊⋯⋯砍象鞍！砍象鞍！砍象鞍！砍呀⋯⋯』

許多清軍，就跟著簫劍，一路砍去。象兵紛紛落地，但是，也有許多清軍，被象鼻捲起，摔成重傷，還有許多清軍奔跑不及，被象腳踐踏身亡。

兩方人馬，在漫天的塵土中，短兵相接，殺聲震天。

爾康和慕沙這邊，兩人已經戰出高下，爾康畢竟是從小練武的高手，一番你來我往，短兵相接，慕沙一躲，爾康劍到人到，劍劍進逼。慕沙眼見不敵，回頭就跑，爾康飛身而起，落在他面前，伸腳一絆，把他絆倒在地。爾康長劍直指他的咽喉，慕沙就打得手忙腳亂了。纏鬥中，爾康一劍刺向他的前胸，慕沙一

大叫：

『你投不投降？』

慕沙躺在地上，只見那把長劍，映著日光，在眼前閃閃爍爍，他不禁大駭。舉起雙手，一疊連聲喊：

『我投降！我投降⋯⋯』

爾康回頭大喊⋯

『劉總兵！趕快把這個王子綁起來！』

就有幾個清軍，衝上前去壓住慕沙。爾康長劍一收。豈料，慕沙手一揚，一排暗器，清軍紛紛倒地。

一隻大象快速奔來，衝上前去壓住慕沙。爾康長劍一收。豈料，慕沙手一揚，一排暗器，清軍紛紛倒地。

『大清駙馬，要我投降，那有這麼容易？這次不玩了，下次再打！』慕沙喊著，騎象狂奔而去。爾康那裡肯放過他，躍上一匹馬，急追。

『你跑那裡去？我不殺你，你居然詐降使壞！』

『你還追我？』慕沙回頭喊…『你那個穿白衣服的兄弟，已經被我爹殺死了！你看！』伸手一指。

爾康本就在牽掛永琪，一聽之下，急忙看去。只見永琪和猛白打得天翻地覆，那兒有被殺死？爾康這一分心，只覺眼前一暗，竟被慕沙那隻大象的象鼻捲入空中。慕沙大笑，樂不可支的喊…

『你這個駙馬，快變成死馬啦！』

爾康急忙用手中長劍，一劍刺向象鼻。大象一痛，長嘶一聲，把他拋落地。爾康滾了兩滾，才一躍而起。只見慕沙和大象，已經奔出重圍。慕沙一面飛奔，一面用緬甸話，大喊著…

『爹！他們好厲害，我們不要再打，會吃虧的，快走……』

猛白和永琪，正打得難解難分，猛白從來沒有遭遇過這麼厲害的對手，怎麼打都打不贏，心裡正在煩躁，聽到慕沙的喊聲，無心戀戰。一陣衝刺後，就退向大象身邊，象鼻一捲，猛白上了象背。猛白用緬甸話大喊：

『緬甸部隊撤退！大家跟我來！』

永琪持劍就追。喊…

『不要逃！有種就打！』

蕭劍快馬奔來，大喊：

『五阿哥，不要追！我們的弟兄傷亡很重，趕快整理軍隊，看看傷亡情形再說！』

永琪站住，看著象兵部隊快速撤退，看著滿地狼藉。爾康也奔了過來。

『永琪，蕭劍，你們怎麼樣？有沒有受傷？』爾康關心的問。

『還好，我們都沒事，你呢？』蕭劍問。

『抓住了那個緬甸王子，又給他逃掉了！』爾康憤憤的說。

永琪跌腳大嘆。

『我也好可惜！沒有把那個緬甸王給抓起來！如果抓到了緬甸王，這場戰爭就結束了！本來可以速戰速決的，太可惜了！』

三人站在硝煙彌漫的戰場，向前遙望。看到遍地傷兵，呻吟不斷，許多戰馬，倒在地上，不禁觸目驚心。

『那個緬甸王子，我跟他誓不兩立！』

傅恆的情報錯誤，差點把永琪和爾康都送進虎口，真把他驚得一身冷汗。這晚在營地，大家談起戰役經過，依舊扼腕不已。營地上，都是受傷的士兵，軍醫在給眾人包紮，擔架還一個個抬來。

營火上煮著大鍋飯。

傅恆、永琪、爾康、蕭劍、劉德成及參將等，都在視察傷亡情形。永琪看得心驚膽戰，沉痛的說：

『沒想到象兵部隊這麼厲害，弟兄們不是斷手就是斷腳，都被大象踩傷摔傷的！看到弟兄們受傷的情形，我真後悔當時沒有下令撤退！』

『五阿哥不要自責了，』蕭劍說：『當時那個狀況，撤退也來不及，象兵轉眼間就到眼前，除了應戰，沒有第二條路！』

『還好，我們幾個主將都沒受傷！』爾康說：『傅六叔，怎麼沒人警告我們，有個象兵部隊？讓我們措手不及！對於要和大象打仗，我們想都沒想到，一點防備都沒有！』

『奇怪極了！劉總兵，你遭遇過象兵部隊嗎？劉藻是被象兵部隊打敗的嗎？』傅恆問。

『報告三位將軍，這是第一次遭遇象兵部隊，以前，我們只聽說緬甸有象兵，從來沒有見過！大家都以為，那大象笨笨的，怎麼能打仗？誰知道這麼厲害！』劉德成報告著。

『我們必需仔細研究一下，除了象兵部隊，他們緬甸軍隊還有沒有其他本領？那個緬甸王子，會一種細針一樣的暗器，一定有毒，中了暗器的，幾乎都死了！』爾康咬咬牙：『好狠的王子！』

永琪看著著受傷的士兵，交代著：

『劉總兵，帶一隊人馬，明天一早，就把這些受傷的弟兄送到車裡去治療，他們目前，不能上戰場，帶著他們會影響行軍速度！』

『劉總兵，』爾康接口：『要派人督促軍醫，藥品是不是充足，也瞭解一下！治好一個，歸隊一個，我們需要每一個戰士！看樣子，我們要準備長期作戰！』

『是！』劉德成應著。

這時，一個士兵走來，大聲報告：

『報告！晚飯已經準備好了，請幾位將軍到帳篷裡去用膳！』

爾康四面一看，問：

『這些受傷的弟兄，為什麼還沒有用膳？』

『報告將軍，還沒做好！』

永琪就大聲說：

『去把準備給我們的晚飯，先拿過來給受傷的弟兄用！快去！多叫一些人，先侍候大家吃完，我們再吃！』

『是！』士兵趕緊跑走。

傅恆不禁驚看永琪和爾康，眼中露出佩服的神色。忽然領悟到，他們不是皇子駙馬，他們是兩位將軍了。看他們為了傷亡那麼難過，就安慰的說：

『你們也不要難過，劉總兵告訴我，猛白和那個王子，是帶著象兵部隊逃跑了，可見，他們遇到你們，也是招架不住，等於輸了！』

『只能這樣自我安慰了！』永琪苦笑著說。

接下來，清軍和緬軍，有一段辛苦的戰爭歲月。在這段歲月中，永琪、爾康、蕭劍都飽受風霜之苦。紮營、拔營、起營火、滅營火……大軍行軍重行行。風也好，雨也好，太陽也好，軍旅生涯，沒有任何詩情畫意。幾度短兵相接，都分不出勝負。每次面對戰後的戰場，硝煙處處，屍橫遍野，都會帶給永琪相當大的震撼。第一次瞭解到，人命，在戰場上是多麼渺小。他們三個，逐漸變成包紮傷口的好手，尤其是永琪，跟著軍醫，學了許多救人的技術，每次搶救傷患，他都身先士卒。儘管爾康、傅恆、蕭劍苦勸，他都充耳不聞。數月以後，他和軍醫的技術，已經相差無幾。

他們好幾度和緬甸王猛白正面交鋒，幾乎有猛白，就有那個緬甸王子慕沙。慕沙精通暗器，身手不凡。只是說話尖聲細氣，爾康認為他不男不女，每次見面就打，一打就兼吵架。爾康一心想活捉他，來

要脅猛白投降，卻苦於沒有機會。

這天，探子來報，說慕沙單獨紮營在『黃土坡』的山谷裡，爾康和永琪商量之後，就由爾康帶著鑲紅旗人馬進入山谷誘敵。永琪和簫劍帶著人馬在後，分別從山頭、山谷兩邊夾擊支援。

爾康的先頭部隊，才進入山谷，忽然間，喊聲大作，山谷兩壁，衝出大批的緬軍。只見慕沙，身先士卒，殺了過來，嘴裡大喊著：

『哈！駙馬！你居然還沒有死？我來討命了！』

爾康看到慕沙，真是仇人相見，分外眼紅。他策馬衝去，也大叫：

『小白兔！今天非把你活捉不可，今晚加菜，吃烤兔子！』

喊叫中，兩人相遇。慕沙手一揚，一把金針，全部射向馬的眼睛。爾康是防備著他的暗器的，但是，沒想到他會射馬，躲避不及。馬兒受創，人立而起，長嘶著掉進山溝。爾康幾乎摔落地，一個翻身站穩，慕沙已經持劍，一劍刺來。爾康就地一滾，滾到草叢中，動也不動了。慕沙狐疑的看著躺在草叢中的爾康，自言自語：

『死了？太簡單了吧？這樣容易就不好玩了！』說著，他就走過去察看。

爾康手一揚，許多金針射向他。慕沙大驚，狼狽的閃避奔逃，用緬甸話喊：

『好厲害！他居然把我的金針接住了！還用來打我！』

就在慕沙狼狽躲金針的時候，爾康已經飛身而起，一掌劈向他的胸前。這一下又快又準，慕沙閃避不及，就挨了一掌。頓時大怒，喊：

『我要殺了你！』

在山谷上的樹叢中，猛白帶著弓箭手，埋伏在那兒。猛白正用望遠鏡看山谷裡的情勢，看到這一

幕，氣得咬牙切齒：

『這個駙馬夠厲害！我要他償命！』

山谷中，兩軍人馬，早已打得天昏地暗。爾康向慕沙節節進逼，長劍舞得密不透風，外帶中國工夫的拳打腳踢。他一面打，一面眼觀四面，耳聽八方，問：

『你的大象呢？這個山谷進不來是不是？沒有大象幫忙，你還有什麼本領？人家狗仗人勢，你們緬甸人，是狗仗象勢！』

慕沙被打得手忙腳亂，不住看向山谷兩壁，著急猛白怎麼還不現身。再幾招下來，他知道爾康技高一等，看樣子，自己打不過，就急嚷：

『駙馬，駙馬！不打了，我們講和吧！這樣打來打去，大家死的死，傷的傷……不如停戰……』

『講和？』爾康大為心動。『你們把霸佔的土地交回，退出大清的邊境，我可以作主，饒你們一命！』說著，攻勢略緩。

『那麼我們就不要打！坐下來講和！』慕沙一臉的誠懇，嚷著。

『你能作主嗎？你的父親呢？』爾康仍然不敢放鬆。

『你找我爹？好，我就請我爹跟你談！』慕沙忽然轉頭對山上，用緬甸話狂叫：『爹！你還不趕快來幫我！再不動手，我就要吃虧了！』

爾康一怔，剎那間，只見無數的弓箭，射向山谷中的清軍。爾康大驚，急喊：

『弟兄們！大家注意！箭有毒！盾牌！盾牌……』

爾康喊聲中，一支利箭，直射向爾康面門。爾康長劍一揮，硬生生把利箭削成兩段落地。

慕沙滿臉驚愕的看著爾康。

這時，埋伏的緬軍紛紛現身，在猛白領導下，弓箭像雨點般射向清軍。清軍手持盾牌，擋箭的擋箭，中箭的中箭，倒地的倒地，衝鋒的衝鋒。

猛白在山坡的樹林裡，指導著弓箭手。

『準備！射擊！大家看好目標，不要射到自己人！』

猛白正在指揮若定，忽然山頭傳來一聲大喝：

『弟兄們！衝啊……不要心軟，為我們死去的弟兄報仇呀……』

鑲白旗像潮水般捲了過來，緬軍放下弓箭，急忙返身應戰。永琪連續殺了幾個緬軍，直撲猛白。猛白倉卒應戰，手忙腳亂。

大吼：『猛白！你中計了！這叫螳螂捕蟬，麻雀在後！』永琪大喊著，帶著鑲白旗廝殺過來，聲震四野的

鑲白旗和緬軍在山上交戰，鑲紅旗在山谷交戰，兩隊人馬，打得日月無光。

山谷中的清軍，看到永琪和鑲白旗，大喜，喊聲震天：

『五阿哥到了！皇上萬歲！大清萬歲！』

山谷中的清軍如有神助，殺得神勇無比。慕沙大驚，急忙用緬甸話喊：

『緬甸軍隊！立即退出山谷！快退！』

慕沙一邊喊，一邊拚死力戰，往山谷外退去。爾康微笑的看著他，並不追趕。

慕沙帶著許多緬軍，已經退到山谷出口，忽然之間，喊聲大作，傅恆和簫劍，帶著鑲藍旗人馬，迎面殺了進來。簫劍大笑說：

『緬甸王子，你還要向那裡逃？百夷人來了！』

緬軍陷進包圍裡，拚死抵抗。簫劍迎向慕沙，大打出手。爾康喊著：

『簫劍!那個緬甸小白兔,是我的!讓給我!』他衝過來,接手再打。簫劍也和緬軍的一個將領纏鬥起來。

慕沙眼看腹背受敵,眼中,露出祈諒的神色。一面打,一面說:

『大清的英雄,慕沙佩服之至!請手下留情!』

『我上過你的當,再不留情!』爾康喊。

爾康一連幾劍,逼得慕沙只有招架之力,毫無還手的餘地。然後,爾康的劍一挑,慕沙手中長劍飛去。

爾康回劍一劍刺下,慕沙大駭,倉皇後退。

慕沙一退,竟然退到簫劍身邊,簫劍刺倒了敵人,回身伸手一抓,就像老鷹抓小雞般,提起慕沙盔甲的衣領,把他整個拎了起來。大喊:

『爾康!這個緬甸王子,是你的了!你要怎麼發落?』

『我一劍殺了他!』

爾康長劍一指,已到慕沙咽喉,慕沙徒勞的揮舞著雙手,抬眼直視爾康。他的眼裡閃耀著視死如歸的英雄豪氣,正氣凜然的大喊:

『英雄!請一劍畢命,慕沙向你致敬,死在你的手裡,也是我的光榮!』

爾康一楞,長劍停在他的喉嚨口,不忍刺下。爾康這樣一猶豫,慕沙亂動的袖口中,突然飛出無數金針,直射爾康。

爾康完全出乎意料,這一次,躲得不夠快,許多金針刺向胸前,幸有盔甲擋住。但是,一根金針卻插在爾康眉心,他只覺得眼前一黑,就砰然倒地。簫劍這一下,嚇得魂飛魄散,雙手舉起慕沙,向山壁上一砸。急呼:

『爾康！』他撲向爾康，一把抱起他，扛在背上，狂呼…『爾康！爾康！爾康……』

蕭劍那一砸，力道十足，也是慕沙命不該絕，當他的身子飛向山壁時，正好有個緬甸軍倒下，給慕沙做了墊背。但是，慕沙依然被摔得七葷八素，狼狽的爬起身。只見蕭劍扛著爾康橫衝直撞，發瘋般的大喊…

『軍醫！軍醫……你在那裡？傅將軍，不好了！額駙受傷了！』

就在這時，忽然悶雷似的聲音又響起，山谷外，又見煙塵滾滾。清軍驚喊…

『象兵部隊！象兵部隊……不好，象兵部隊又來了！』

傅恆見爾康受傷，象兵又至，無心戀戰，急忙喊…

『大家不要慌，從後面撤退！快！撤退……』

蕭劍顧不得打仗了，扛著爾康沒命的往山谷外奔去。

山谷中，情勢大逆轉。清軍奔逃，撤退。大象進了山谷，象腳踐踏著武器傷兵，嘶吼著橫衝直撞。

一個黑影忽然掠到蕭劍面前，幾包藥丟在爾康身上。慕沙喊著…

『一個時辰一包！用水灌下去！要緊！要緊！』

蕭劍一怔。慕沙已上了象背，不見了。

這場戰役，雙方都有死傷，打得都很狼狽。

晚上，清軍的營地上，營火熊熊。一個一個帳篷林立著，士兵全副武裝的在守夜。

在爾康的帳篷裡，永琪、蕭劍、傅恆、軍醫都圍著床，著急的搶救爾康。爾康正陷在昏迷裡，兩個士兵抬起他的頭，蕭劍捏住他的下巴，把藥粉倒進他嘴裡。拿起一碗水，再灌進他嘴裡。永琪和傅恆擔

心的站在旁邊看。永琪拿起那包藥粉的紙，湊在鼻子上聞了聞，懷疑的說：

『你怎麼敢給他灌這個藥？我覺得大有問題，那個緬甸王子為什麼要給你解藥？如果這是毒藥，怎麼辦？中了毒針，再吃毒藥，那還有救嗎？軍醫，你認為如何？』

軍醫惶恐說：

『稟告將軍，臣對這種毒針完全沒有研究，也不知道這個藥可靠不可靠？』

『你相信我這個百夷人，好不好？』蕭劍說：『雲南和緬甸一帶，盛產各種有毒的花花草草，可以淬煉成各種毒針毒藥，我從小看到大……這藥，如果不是解藥，額駙一個時辰以前，就該沒命了！』

『軍師的話不錯！』傅恆點頭：『上次中了毒針的人，沒有一個活著！我們已經沒有辦法了！不管有效沒效，只好試一試！』

話說中，蕭劍已灌完一碗水。士兵放下爾康的頭，起身走開。

爾康仍然昏迷著，臉色蒼白。永琪坐在床邊，目不轉睛的看著他，著急的說：

『爾康！你快點醒來！我們的仗還沒打完，紫薇還在家裡等你，如果你有個三長兩短，我如何回去面對她們？』

傅恆焦灼的走來走去。嘆息著：

『今天，這場仗本來打得很順利，以為那三天象，絕對進不了山谷，誰知道，象兵部隊還是來了，功敗垂成！還讓額駙受了傷……我應該守在旁邊的！』

『守在旁邊也沒用，我就守在旁邊，眼睜睜的看著他受傷，就是救不了……』蕭劍說，想到那個慕沙王子的奸詐，恨得牙癢癢。可他奸詐之外，又送了解藥，實在希奇！但是，如果這不是解藥是毒藥呢？

蕭劍正在胡思亂想，爾康喉嚨中，忽然咯咯作聲，大家趕緊撲上去看。看到他眉頭一皺，眼睛睜開了，呻吟著。

『咳咳！咳咳咳……』他忽然作嘔。

『趕快拿盆子，他要吐！』蕭劍急喊。

爾康一翻身，幾乎滾下地，永琪急忙扶住，爾康『哇』的一聲，吐出一口黑水，永琪閃避不及，都吐在永琪衣服上。爾康呻吟著，歉然的說：

『五阿哥……對不起，弄髒了你的衣服……』

永琪看到爾康醒來，神志清醒，還知道為弄髒他的衣服來道歉，真是喜不自禁了。把爾康扶上床，他興奮的喊：

『爾康！你想嚇死我是不是？弄髒衣服有什麼關係？主要的，是你醒了！你活了！謝天謝地！還是百夷人比我冷靜，這個藥居然有效！』說著，又一急：『可是，藥都吐掉了，要不要再給他吃一包？』

『再吃一包？那會不會太猛了？』蕭劍看著爾康喊：『爾康……』喊出口才發現傅恆在場，不能和爾康永琪直呼其名，急忙改口：『將軍！額駙！福將軍……你覺得怎樣？』

爾康睜眼看眾人，尋思著：

『我中了那個緬甸王子的毒針？』

『就是！』蕭劍瞪著爾康，看他大概沒事了，就開始生氣起來：『你是怎麼一回事？劍抵著那個小子的喉嚨口，還讓那小子有機可乘！你為什麼不殺他？氣死我了！在戰場上，你還有惻隱之心嗎？』

傅恆趕緊打圓場：

『軍師不要生氣，額駙有驚無險，能夠活過來，真是皇上的洪福！大家慶幸都來不及，不要責備他

了！趕緊弄些吃的來！」

傅恆出去張羅。永琪還是很擔心，看著爾康…

「爾康！看看我的手指頭……」他豎起兩根指頭在他眼前晃：「有幾根？」

「你把我當成幾歲？以為我是東兒嗎？跟我玩這個？」爾康大聲說，坐起身子，一陣頭暈，身子搖

搖晃晃。

永琪一把扶住了他…

「你躺下躺下！還有兩包藥，大概吃完毒才會完全解除！」

「你們那兒弄來的解藥？」爾康驚奇的問。

「你相信嗎？」蕭劍說：「是那個緬甸王子給的！他用毒針傷了你以後，丟了幾包藥，還交代一個

時辰一包！我們看你昏迷不醒，只好死馬當作活馬醫，給你灌了三包，居然有效！」

爾康精神一振，急喊：

「軍醫！」

「臣在！」軍醫急忙答應。

「趕快拿一包去研究一下，到底是什麼成分？對於中毒箭的人，有沒有作用？我想，這一定是一種

花草的種子……找一找雲南有沒有這種花草？如果你一個人研究不出來，和其他軍醫聯合起來研究！限

你們明天給我答案，快去，緊急緊急！」

「這樣不好吧！」永琪要阻止…「你身體裡的毒素還沒清乾淨，你把藥拿去研究，你吃什麼？」

「我沒事了！那緬甸小子，受我不殺之恩，報以不殺之恩，這人也很有意思！他絕對沒有想到，我

會拿藥去研究，說不定破解了毒箭的威脅！」

『說得很有道理！』蕭劍就拿出一包藥，交給軍醫。軍醫急急的去了。

爾康搖搖晃晃的站起身來。蕭劍和永琪一左一右的護著他。

『你怎樣？』蕭劍問。

『好像暈船一樣，但是，我一定死不了！』爾康說。

永琪這才笑了，拍了爾康的肩膀一下，說：

『你最好死不了，看到你中了毒針，昏迷不醒，我已經在打腹稿，如果你死了，我見到紫薇要怎麼

說？』腹稿沒打完，想到紫薇可能的反應，我就從頭到腳冒冷汗！』

爾康趕緊警告：

『寫家書的時候，不許提到我受傷的事！紫薇膽子小，受不了這個！』

『是！遵命！』永琪笑著嚷。

爾康逃過一劫，蕭劍和永琪如釋重負，三人相視，都笑了。

39

前線好久沒有消息，紫薇帶著東兒進宮，到景陽宮小住。

這天，紫薇和小燕子在御花園裡，和東兒玩捉迷藏。東兒笑得咯咯咯咯的，在御花園中到處奔跑。

紫薇怕他摔跤，過來牽著他。

小燕子用帕子蒙著眼睛，張著雙手，在那兒大聲數著：

『一、二、三、四、五、六、七、八、九、十……快點躲好喲！我要來捉你囉！我是大老鷹喲……

我是大老虎喲……』就學老虎叫：『啊嗚……啊嗚……』

紫薇拉著東兒，一會兒往石頭後面躲，一會兒往樹叢後面躲。明月、彩霞、小鄧子、小卓子和奶娘都笑嘻嘻在看熱鬧。紫薇每鑽進一個地方，就低聲問東兒：

『躲在這兒好不好？』東兒搖頭。『不好？那……躲在這兒好不好？』東兒又搖頭。『也不好……

好了！這兒這兒！』

紫薇就躲在小鄧子身後，把手指放在嘴唇上，示意東兒別說話。

『好了沒有？好了沒有？』小燕子大聲問。

『好了！好了……』東兒喊得好大聲，紫薇趕緊蒙住東兒的嘴。

小燕子聽到東兒的聲音，就循聲摸索過來。

『啊嗚……大老虎來囉！啊嗚……』

東兒咯咯咯的笑著，拉著小鄧子的衣服，把臉孔往衣服裡埋去。

小燕子摸索到了小鄧子面前，小鄧子把身子蹲下來，小燕子矮下身子，伸長了手一摸，就摸索到小鄧子的光頭。小燕子的手在光頭上摸了摸。

『東兒，你的腦袋怎麼變得這麼大？你一下子就長大了，我這個姨媽真該打，都不知道你長得這麼快……這是什麼……』她摸到小鄧子的辮子。大驚：

『哇！好長的辮子！你怎麼有辮子了？』

明月、彩霞、小卓子、奶娘全部笑得東倒西歪。小燕子覺得有異，一把拉下帕子，才發現自己扯著小鄧子的辮子。

東兒這一下，笑得前俯後仰。紫薇看到東兒笑得那麼高興，也跟著笑。

就在這一片笑聲中，知畫和晴兒走來。知畫的肚子已經隆起，手裡拿著一個風箏，帶著珍兒翠兒，一路笑嘻嘻的。走到大家面前，她就溫柔的喊：

『東兒！知畫阿姨知道你來了，特地來找你呢！你看，我幫你紮了一個風箏！好不好看？讓小鄧子帶你去放風箏，可好玩呢！』

東兒眼睛一亮，驚喜的嚷：

『風箏！風箏！』

『風箏……額娘，大風箏！』他接過風箏，笑著，拉著小鄧子……『小鄧子，放風箏！』

『好好好！我陪你去放風箏！』小鄧子應著。

東兒拉著小鄧子就跑，小卓子、奶娘都趕緊跟著跑。紫薇伸長脖子嚷……

『奶娘，看好他啊！別讓他摔了！』

東兒跑走了，知畫才趕緊對小燕子和紫薇請安。柔順的說：

『兩位姐姐吉祥！我在慈寧宮，聽說紫薇姐姐進宮了，就趕過來了！』她看著兩人，笑容一收，變得非常誠懇，看著小燕子，低聲下氣的說：『姐姐！妳還在生我的氣嗎？』

小燕子臉色一僵，咬了咬嘴唇，沒說話。

『姐姐，妳不要生我的氣了！』知畫帶著一臉怯怯的笑：『那天，是我不好！妳知道，那一陣我害喜害得很嚴重，剛剛有身孕，就怕孩子出問題，每天都緊張兮兮，看到一片樹葉掉到頭上，我都怕被砸到，會影響孩子，所以……那晚我就緊張得失常了，害得妳被老佛爺誤會，這些日子，我每天都跟老佛爺解釋，老佛爺也明白了！』

晴兒在一旁，就點頭說：

『知畫說的是真的，她確實每天都跟老佛爺解釋，說是她自己摔倒的，不是小燕子撞的，當時沒弄清楚狀況而已。』

紫薇看著知畫，看到她一臉的真誠，眼光澄澈，就有些懷疑自己的揣測了。

『這樣啊？』紫薇說：『知畫也別太嚴重了，誤會解釋清楚就好了！小燕子早就不生氣了，對不對？』

小燕子瞄了紫薇一眼，又看了晴兒一眼，兩人都跟她眨眼睛，示意她講和。小燕子想起永琪臨走前的千叮囑，萬叮囑，再也強硬不起來，就笑了笑說：

『如果紫薇和晴兒，都聯合起來幫妳說話，我就是有氣，也變得沒氣了！現在，操心永琪他們在戰場的情形，都來不及了，那兒還有心情來生氣？』

晴兒就急忙問紫薇：

『爾康有沒有快馬傳書給妳？』

紫薇臉色一暗。

『好久都沒有他們的消息了，今天進宮，也想問問妳們，有消息沒有？』

『我聽老佛爺說，消息不是很好，他們收回了一些地方，可是打得很艱苦！戰事陷進了膠著狀態！

看樣子，他們今年，沒辦法趕回來過年了！』晴兒說。

紫薇、小燕子臉色都一暗。

『過年都不回來啊？那……今年過年還有什麼意思？』小燕子神色悵然。

『這是七年以來，第一次過年的時候，沒有爾康！』紫薇充滿失落。

知畫抬起眼睛，看著遙遠的天邊，帶著滿腹真誠的感情，虔誠的說：

『但願他們個個平安，身體健康！只要平安回來，晚一點也沒關係！』

紫薇心裡一抽。在這一剎那間，她體會出來，不論知畫跟小燕子之間，有多少矛盾衝突，現在，這深宮裡的四個女子，卻是心意相通，同病相憐的。

這晚，晴兒來到景陽宮，和小燕子談知畫的問題。紫薇在旁邊打邊鼓，幾句話一說，小燕子就不耐煩了，激動的對晴兒嚷著：

『妳要我去慈寧宮，把知畫接回來住？我為什麼要這樣做？我不要！』

『妳聽我說，老佛爺今天接到了消息，陳邦直夫妻，馬上就要到了，他們特意來看知畫，要在宮裡和知畫一起過年。』晴兒說。

『哈！』小燕子眉毛一抬：『有爹有娘真好，看樣子，爹娘也要來撐腰了！他們到了，一起住在慈寧宮就好了，難道還要住在景陽宮不成？』

紫薇深思，知道太后的難處了。說：

『陳邦直夫妻，住在什麼地方，根本沒有關係！關係是，知畫住在那兒？』

『就是這個意思！』晴兒點頭。

『是她自己搬去慈寧宮的！老佛爺生怕我會殺了她，把她急急的帶走，現在回來，不怕我是老虎，半夜把她吃了嗎？』小燕子氣呼呼。

『妳也聽到知畫在御花園的解釋了，那天是個誤會，她還特地跟妳道歉，妳就乘這個機會轉圜吧！我想，老佛爺現在也有一點尷尬，陳家兩老來了，看到知畫不住在五阿哥的景陽宮，而是妳一個人住。知畫大著肚子，跟老佛爺住，明擺著就是妳容不了知畫……雖然說五阿哥去打仗了，這事也是妳不合規矩的！』晴兒婉轉的說。

小燕子站定了，看著晴兒說：

『我懂了，老佛爺覺得事情不妥，又要我收回知畫，是不是？』

紫薇也看著晴兒，懷疑的問：

『知畫怎麼說呢？她也願意回來住嗎？』

『我想也是！知畫說，她一直寫信回家，說宮裡人人都對她很好，現在爹娘要來了，她很怕引起不必要的誤會！我覺得，她實在很懂事，不是那種會用心機的人！』

『難道是我們誤會了她？那天的事情，說不定是我們太激動了！』紫薇沉吟著。

『我仔細的分析過了，知畫嫁給永琪，一路都是被動的，說她有預謀，恐怕是冤枉了她！』晴兒由衷的說。

『說的也是！最近幾次在老佛爺那兒碰到她，她都是謙和有禮，態度誠懇，對東兒也好得不得了，

實在不像會耍手段的人！」紫薇不得不承認這點。

小燕子瞪大眼睛，輪流看兩人：

「妳們兩個，又被她收服了？」

「不是被她收服！」晴兒誠摯的看小燕子，語重心長：『是希望妳能收服大家！平常，妳給人的印象，總是比較霸道，這次知畫搬去慈寧宮，大家也說是因爲妳小心眼，嫉妒知畫！假若現在，妳去迎接知畫回來住，老佛爺一定如釋重負，大家也會覺得妳賢慧，識大體！」

小燕子看著二人，突然哀聲的說：

「紫薇，晴兒，我跟妳們坦白說，不是我不願意她回來，而是……妳們相信嗎？我居然有些怕她！最近，她住在慈寧宮，我覺得好舒服，她在景陽宮的日子，不知道怎麼回事，我看到她，心裡就毛毛的！」

「那還是因爲五阿哥的原因，妳心裡對她，多多少少是吃味的！妳自己不知道，妳心裡藏不住事，難怪她看到妳橫衝直撞就嚇死了……」

晴兒的話還沒說完，小燕子就毛躁起來，對晴兒吼著：

「搞了半天，妳還認爲是我不對？妳怎麼都向著她？」

晴兒急忙把小燕子的雙手一拉，認眞的說：

「小燕子！我們是什麼交情？我怎麼會幫她？我都在爲妳設想，也爲大局設想，妳和五阿哥是天長地久的，那麼，妳這一生，都逃不掉知畫了！」

小燕子像是挨了一棒，一屁股跌坐在椅子裡。悽然的說：

『我知道了，因爲她和永琪，也是「天長地久」的！』

紫薇和晴兒不語，默認了。小燕子就用手托著下巴發楞。

就在這時，門外一陣騷動。外面傳來太監大聲的通報：

『老佛爺駕到！福晉到！』

三人趕緊跳起身子，面面相覷。只見太后帶著知畫進房來。後面跟著桂嬤嬤、珍兒、翠兒，三人手中，都抱著知畫的衣服、書本、畫冊、畫卷……等物。明月、彩霞跟著進來，張羅茶水。

三人急忙行禮，說『老佛爺吉祥』等話。

太后看著三人，一股息事寧人的樣子，態度溫和的說：

『小燕子，我把知畫送回來了！那晚的事，知畫都跟我說清楚了，大概是我誤會了妳。我想，事情過去就算了，大家都不要記在心上！知畫說，她是景陽宮的人，沒有道理長住慈寧宮，她要回來向妳請罪，妳怎麼說呢？』

小燕子一向『吃軟不吃硬』，知畫這樣一喊，她就算是鐵打的人，也都融化了，反而覺得鼻子裡酸酸的。

小燕子楞在那兒，還來不及開口，知畫就一步上前，拉住她的手，含淚說：

『我錯了！姐姐，請妳原諒我！不要趕我走，允許我回來！』

『那麼，妳不氣我了？』知畫小小聲的問，又看紫薇和晴兒。

『妳說的是什麼話？景陽宮本來就是妳的家，我有什麼資格趕妳走呢？』

『事實上，我們三個正在研究，是不是讓小燕子去接妳回來呢！』晴兒接口。

『小燕子這人，就算有氣，頂多一個晚上就過去了！』紫薇笑笑說。

『是嗎？』知畫有點受寵若驚，眼睛一亮。

小燕子只得點點頭。知畫就含淚而笑，說：

『謝謝妳們，妳們待我真好！』

太后看到事情搞定，就急忙嚷：

『桂嬤嬤、珍兒、翠兒！把五福晉的衣服和東西去放好，還有些在慈甯宮的，也去搬回來！』

紫薇和晴兒對視一眼，晴兒如釋重負，對紫薇頷首，表示這樣做沒錯。紫薇雖然也微笑著，心裡依舊存著疑惑，眼神是若有所思的。

桂嬤嬤、珍兒、翠兒忙著答應，大家就穿花蝴蝶般忙忙碌碌的往裡面跑。

嬤嬤、珍兒、翠兒、明月、彩霞都在侍候，不住把菜和燒餅油條搬上桌。紫薇端著一碗粥，在餵東兒吃。東兒爬上爬下，吃得極不安靜，奶娘也在一邊照顧著。紫薇滿口央求：

『好東兒，求求你啦！不要把飯含在嘴裡，要嚥下去呀！吃多多，才會長胖胖！等到阿瑪回來，看到你變成一個「小壯丁」，多好！』

東兒嚥下了粥，張嘴給紫薇看，笑著說：

『吃多多了！』伸出拳頭，一拳頭打在紫薇鼻子上，嚷著：『壯壯！壯壯！』

『好壯好壯！』紫薇又閃又躲又笑：『真的嚥下去了，東兒好偉大！』

東兒笑著，紫薇趕緊再餵一口，東兒含著飯一滾，滾進了紫薇懷裡，滿嘴的粥，都擦在她的衣服上。紫薇也不在意，抱著東兒直笑。奶娘趕緊去抱東兒：

知畫就這樣，又回到了景陽宮。第二天早上，小燕子、知畫、紫薇三個，帶著東兒一起吃早餐。桂

『還是我抱下去餵吧！在額娘面前，他就會撒嬌！』

奶娘抱著東兒下去了，明月、彩霞急忙拿了帕子，幫紫薇擦拭。

知畫看得目不轉睛，飯也忘了吃。感動的說：

『看到妳們母子這副樣子，真是羨慕！東兒和爾康額駙，簡直像一個模子印出來的！連動作都像！』

紫薇因知畫的感動而感動，笑著說：

『是啊！大家都說，東兒就是一個「小爾康」！現在，爾康不在，我每天看著東兒，都會想著爾康！』

東兒就像爾康的影子，給我好大的安慰。這一代一代的延續，實在太神奇了！』

知畫不由自主，低頭看看自己隆起的肚子。充滿期待的說：

『我還要等五個月，孩子才會出世，好久啊！我都等不及了，真想馬上生下來，不知道孩子像我，還是像永琪？』她快樂的，幸福的笑：『希望他像永琪！不過，永琪說，是個女兒也不錯，他希望生個女兒，長得像我！』

小燕子一直悶著頭吃飯，若有所思，此時，不禁一震抬頭：

『他希望生個女兒像妳？你們常常討論孩子的事嗎？』

『妳說永琪和我？』知畫一怔說：『是呀！他走以前，我們常常討論。他說，他已經老大不小了，才有這個孩子，所以特別高興。我想，每個第一次當阿瑪的人，都會這樣吧！但是……』她甜甜的一笑，心無城府，自然而然的說：『我當然希望生個兒子囉！等到第二個，再生女兒也不遲！』

小燕子大震，看著知畫，衝口而出的問：『我們也計劃過第二個的事嗎？』

『第二個？你們也計劃過第二個的事嗎？』

知畫害羞起來，低下頭去，怯怯的說：

『不是計劃，是討論而已。永琪說，他和我的孩子一定聰明，希望多生幾個。他當然希望孩子多多

益善，畢竟，他是皇子嘛！其實，結婚以後，前兩個月都沒消息，我還真怕自己不能生！』

知畫這話一出口，小燕子神色大變，紫薇也一臉的詫異。小燕子又衝口而出：

『前兩個月？妳前兩個月怎麼懷孕？永琪不是根本沒有碰妳嗎？』

知畫似乎嚇了一跳，睜大了一對黑白分明的眼睛，瞪著小燕子：

『誰說的？那有這個事？這不是太荒唐了嗎？』她掉頭看桂嬤嬤，再問：『桂嬤嬤，宮裡有這樣的

謠言，妳怎麼沒有告訴我？是那兒傳出來的？』

桂嬤嬤趕緊上前，低聲說：

『福晉，宮裡那有這種傳言，大喜第二天，老佛爺就驗明正身，逃都逃不掉！新婚的時候，妳和五

阿哥如膠似漆，人人都知道！這話，大概是五阿哥和還珠格格閨房裡的悄悄話吧！』

知畫眼珠一轉，一股恍然大悟的樣子。就一笑說：

『算了，咱們不要談這個問題，在丫頭們面前，討論這個不大好意思耶！』看著小燕子，充滿抱歉

的再說：『永琪怎麼說，就怎麼算唄！妳聽他的就好了……是我一時失言了！』

小燕子一面聽，一面下意識的挾了一個鵪鶉蛋放進嘴裡，聽到這兒，心裡一嘔，整顆蛋都卡進喉嚨

裡，不禁大咳起來。

『咳咳咳咳咳……我要噎死了……咳咳……』

紫薇急忙幫她拍著，明月、彩霞也急忙上前，拍背的拍背，倒水的倒水。

珍兒、翠兒、桂嬤嬤在一邊旁觀，交換著得意的笑。

『趕緊用力咳，吐出來，趕快吐出來！』紫薇喊，拚命拍打著小燕子的背脊。

小燕子咕咚一聲，把整顆蛋都嚥進了肚子裡，推開碗筷站起身，大聲說：

「那裡吐得出來？我都吞進去了！這早餐，我也不吃了！」

小燕子掉頭就走，紫薇急忙追了過去。只見小燕子衝進臥室，開衣櫃拿出包袱皮，再抱出一些衣服，丟在包袱皮上，開始急急忙忙的把衣物打包。紫薇衝上前去，把她手裡的衣服搶下來。

「妳在做什麼？」

「我去雲南，我去找永琪問個清楚！」

「妳瘋了？」紫薇問：「為了這樣一件事跑到戰場去問個清楚？雲南離這兒有多遠？妳知道嗎？以前我們出門，都有他們幾個保護著，現在，妳要一個人去，誰保護妳？」

「我去找柳青柳紅……」

「不要傻了，金瑣又懷了第三胎，會賓樓生意好得不得了，柳青根本走不開！柳紅聽說也快生了，怎麼陪妳去雲南？」

小燕子聽到這樣，挫敗感排山倒海般湧了上來，瞪大眼睛問：

「怎麼人人都要生小孩？那麼容易就有孩子？不是太奇怪了嗎？」她繼續打包，語氣堅決：「不行！紫薇，我嘔得快要死了，如果我不馬上找永琪問清楚，我會悶死的！妳也知道，當初永琪說，始終沒有跟她圓房，還是我逼他去的……我受不了這個！我一定要去找永琪！我們一起出宮，侍衛以為我去學士府，就不會東問西問，妳去帶東兒，我們趕緊出宮去！」

「妳太不理智了！永琪跟妳那麼多年的感情，妳不去相信他，偏偏要相信知畫……」紫薇拚命搶著小燕子的包袱。

「妳們不是都說，知畫不會用心機，不會耍手段嗎？她講得那麼自然，一定是真的！」小燕子氣得

臉色發青，跺腳大罵：『該死的永琪，為什麼要騙我？左擁右抱就左擁右抱嘛，見一個愛一個，還要在我面前裝模作樣！騙得我團團轉，我氣死了！氣炸了！氣瘋了……』一面說，一面翻箱倒櫃找東西。

『妳安靜一下，聽我說好不好？』紫薇急壞了。

『不好不好！我收拾東西馬上走！』

小燕子把自己的鞭子、簫、劍一樣樣找出來，放進包袱裡。紫薇一急，攔住了她，抓住她忙碌的手。

急促的喊：

『小燕子！妳要中計嗎？』

『中計？』小燕子一怔。

紫薇奔去，把房門窗子都關好，奔過來再拉住小燕子。開始分析：

『知畫說的這些，明明就是要氣妳！妳如果中計，妳就走，說不定她就是要逼妳走！我現在都明白了，她確實步步為營，當了五阿哥的福晉！但是，她沒料到永琪這樣愛妳，妳的地位太穩固了，使她備受威脅，就算皇阿瑪、老佛爺都喜歡她，她爭取不到永琪，她還是輸！所以，最好的辦法，是離間妳和永琪的感情，這比殺了妳還管用……』

小燕子不耐的打斷她：

『我中計，我就是中計了！我沒有辦法和她生活在一個屋簷底下，每天聽她說和永琪多麼多麼恩愛……我要去找永琪，我非找到他不可！』

小燕子說完，把紫薇用力一推。背著包袱，拿著鞭子，衝出房門去了。她一口氣奔進院子，紫薇跌跌撞撞的追在後面喊：

『小燕子！回來……回來！妳答應過永琪的話，妳都忘了嗎？』

『我是傻瓜，才會答應他那些鬼話！』小燕子邊跑邊喊。

明月、彩霞也追了出來，小鄧子、小卓子不知道發生了什麼，一攔。

『格格要去那裡？』

『小鄧子，小卓子，明月，彩霞……攔住她！別讓她走……』紫薇喊。

『是！』

幾個宮女太監就去攔小燕子，明月拉住小燕子的衣袖，彩霞拉住小燕子的衣襬。

『格格！聽紫薇格格的話吧！』明月勸著。

『妳一個人跑出去不行呀……妳忘了翰軒棋社的事了嗎？五阿哥不在，誰去救妳呀？』彩霞嚷著。

小鄧子、小卓子張開雙手，攔在小燕子前面。

『格格心裡有什麼不痛快，在院子裡練練劍就好了！不要往外跑！』小鄧子說。

『就是就是！揮鞭子也可以，要不然，奴才陪格格練工夫，打拳，疊羅漢！』小卓子說。

大家喊成一團，知畫帶著桂嬤嬤、珍兒、翠兒出來看熱鬧。小燕子被眾人糾纏住，不能脫身，大急，一聲大吼：

『誰再攔著我，我跟你們不客氣了！』

小燕子喊著，鞭子一陣揮舞，小卓子、小鄧子、明月、彩霞全部遭殃，哎喲哎喲的摔了一地，小燕子就衝出重圍，往外飛竄。誰知，門外，乾隆帶著幾個太監，正要進門。小燕子一衝，就直撞到乾隆身上。

乾隆大喝一聲：

『小燕子！妳在做什麼？』

小燕子猛然收住腳步，抬頭看著乾隆。

院子裡的一群人，全部手忙腳亂的站起，喊皇阿瑪的喊皇阿瑪，喊皇上的喊皇上。小燕子卻『噗通』

一聲，對乾隆跪下了。哀求的喊：

『皇阿瑪！請你派一隊軍隊給我，我要去雲南找永琪！』

『妳要去雲南找永琪？』乾隆大驚：『妳瘋了？失去理智了？還要朕派一隊軍隊給妳？妳以為妳是

梁紅玉，還是花木蘭？』

小燕子仰頭看著乾隆，帶著一臉的狂熱，迫切的說：

『我會一點工夫，比許多清軍都強，我不要當將軍，只要有人保護我就行了！我一定很勇敢的打仗！

他們打了幾個月，都沒打贏，說不定我一去就打贏了！』

乾隆不可思議的搖頭。抬頭看紫薇和知畫，嚷著：

『太荒唐了！紫薇，知畫，妳們就由著她這樣胡鬧？前線是女人可以去的地方嗎？』

紫薇還來不及說話，知畫一步上前，對乾隆屈了屈膝說：

『皇阿瑪不要生氣，姐姐只是思念五阿哥，情不自禁而已！』

『情不自禁？怎麼動不動就「情不自禁」？』乾隆更氣，嚴厲的說：『小燕子，這宮裡生活的第一

步，就是學會控制妳的感情！妳現在不是剛進宮那個不知天高地厚的小燕子，妳是五阿哥的妻子，是一

位福晉，妳看看妳有沒有福晉的樣子？』

小燕子一聽這話，氣得發抖，從地上站了起來，喊著：

『福晉？我那兒是福晉？這個景陽宮，已經有位「福晉」了！我算什麼？』

『搞了半天，妳又在跟知畫較勁，是不是？』乾隆恍然大悟。

紫薇急忙上前，對乾隆說：

『皇阿瑪！不是你想像的那樣，我們很久沒有前線的消息，小燕子覺得，女人也是人，也可以貢獻自己的力量，一心一意要去幫忙打仗！她並沒有惡意！』

知畫就接口說：

『就是就是！皇阿瑪，小燕子姐姐跟我，情同手足，您千萬不要誤會！看在知畫面子上，別生氣啦！』說著，就嫣然一笑，轉變話題：『皇阿瑪！我最近在練您的字體，練得很有心得耶！我寫了整部《唐詩別裁》，您要不要幫我指點一下？』

乾隆臉孔一亮。盯著知畫，不相信的…

『妳用朕的字體，寫了整部《唐詩別裁》？不可能！』

『真的呀！但是，皇阿瑪的字好難練，我寫得不好！』知畫笑著。

『讓朕看看去！』乾隆興趣來了。回頭對小燕子一瞪：『妳胡鬧到這兒，就夠了！別再鬧下去，讓大家看笑話！如果妳的時間太多，別用在害相思病上！學學知畫，練練字，唸唸書，畫畫畫……心就定下去了，不是很好嗎？』說完，帶著知畫，在桂嬤嬤、珍兒、翠兒的簇擁下，進房去了。明月、彩霞趕緊跟進去侍候。

剩下小燕子和紫薇，站在院子裡。

小燕子臉色慘白，眼睛發直，氣得渾身發抖。紫薇的心，也沉進了地底，但是，她的理智畢竟比小燕子強，她低聲的對小燕子說：

『永琪和爾康他們，在前線打仗，我們在這兒打仗！妳只要一走，就算撤退，就是打輸了，妳好好考慮一下！』

小燕子重重的呼吸，胸部劇烈的起伏著。半晌，才茫然無助的說…

『紫薇，我要怎麼辦？』

『不怎麼辦！和她鬥法！』紫薇堅定的說：『只要妳不生氣，以不變應萬變，她就沒轍了！』

『那……』小燕子可憐兮兮的看著紫薇，毫無把握的問：『萬一她說的都是真話，是永琪在騙我呢？』

『如果妳認為這樣，那麼……她已經贏了！』紫薇嘆息著說：『贏得好輕鬆，不費吹灰之力，幾句話就把妳打倒了！真是……最容易的戰爭！』

小燕子睜大眼睛，眼裡充滿了挫敗、懷疑、和無助。她抬頭看著天空，突然發瘋一樣的想永琪，永琪永琪，你在那裡呢？

40

落日正在沉落，彩霞把半邊的天空，都染成了紅色。極目四望，在地平線上，天與地幾乎都接在一起。綠色的草原和起伏的山巒，被彩霞渲染成紫色的剪影，落日就在兩個山巒間緩緩下沉，景色美得讓人不能喘息。誰能知道，這樣的美景下，卻隱藏著隨時可以爆發的戰爭。永琪站在山頭上，眺望著天空，深深的沉思，幾個月的戰場生涯，已經讓他滿面風霜。

爾康和蕭劍走了過來。

『永琪，在想什麼？』爾康問。

永琪回過神來，坦白的說：

『想小燕子，不知道她和知畫，處得怎樣？總是心神不定，覺得她會出事！家書裡，很多事也不能提！』

『我最擔心的，還不是知畫！』蕭劍說：『我怕小燕子無法擺脫那份「殺父之仇」，見到你們的皇阿瑪，不知如何相處？她在那個皇宮裡，比我們在戰場上還難！我們清清楚楚的瞭解，敵人是緬甸人，她們卻根本不瞭解，誰是敵人？誰是親人？』

『還好有紫薇，她會幫她分析，會站在她的立場去思想！唉！』爾康一嘆：『我們必需趕快打完這

場仗，回到她們身邊去！什麼叫做「英雄難過美人關」，現在瞭解了！原來天天生活在烽火裡，生活在生死邊緣，還是會想她！

『這場戰爭，沒想到這麼難打！』永琪回到現實，擔憂的說：『再過十天就過年了，軍人個個都在想家了！』

『更麻煩的是，糧食已經不夠了！』爾康更加擔憂：『雖然一路徵收糧食，大軍的消耗實在太大，現在，雲南的糧食都吃完了，貴州本來就窮，糧食還不夠自己吃！廣西、四川的糧食，已經第三次征收了！路遠迢迢，運過來還要一段時間，也是遠水不救近火！』

『我們必須想出一個辦法，速戰速決！』永琪著急起來：『再拖下去，軍心渙散，糧食不夠，真是隱憂重重！』他思索著問：『不知道大象怕什麼？』

『聽說大象怕老鼠，也不知道是不是真的，你總不至於要去找許多老鼠來打仗吧？』簫劍也開始沉思。『不過，大象一定有牠的弱點，我們只要把大象的弱點找出來就行了！』

爾康突然有力的說：

『火！大象一定怕火！』

『這算什麼主意？』永琪皺皺眉頭：『大象怕火，戰馬也怕火！再說，我們總不能拿著火把打仗吧！』

『不……我們想想，那群大象，調動一次，也是一件大事，他們到底把大象養在那兒？我們一直忙著收復失地，是不是應該改變策略，去主動出擊？』簫劍不愧為軍師，提出了一個主要的問題。

三人彼此互看，點頭，開始苦思對付大象的策略。

這晚，天空裡只有疏星數點，緬甸的軍營紮在一個山坳裡，四周十分荒涼。暗夜沉沉，象欄中的象群正在休息，或站或坐，一隻一隻，像一幢幢巨大的黑影。

在一座緬軍帳篷中，猛白和慕沙正在用緬甸話吵架。猛白嚷著：

『那個駙馬，妳離他遠一點！不要忘記妳自己是個公主，腳也給他拉過了，胸口也給他打到了……下次他落到我手裡，我一定要他死！』

『不行不行！他是我的，我要親手結束他！』慕沙激動的喊：『不然，這口氣怎麼出？爹，下次遇到他，你不能插手，把他交給我！』

『交給妳？』猛白瞪大眼：『萬一妳放水怎麼辦？』

『放水？我怎麼會放水？』

『如果妳沒有放水，他們怎麼會拿到解藥是什麼，這三日子，地上龍鬚草的根，都被他們的部隊挖走了！聽說那個駙馬中了妳的毒針，為什麼沒有死？』他衝上前去，一把抓住慕沙的盔甲：『妳跟我說說清楚！他為什麼沒有死？』

就在猛白和慕沙吵架的時候，爾康帶著簫劍，已經悄悄的溜到山頭上，幾個巡夜的緬軍，正來來往往的走著。爾康、簫劍和幾個武功高手，無聲無息的掩至，從緬軍身後竄出，勒住脖子，守衛緬軍紛紛倒地。

爾康、簫劍就匍匐在草叢中，拿著望遠鏡向山谷中看去。果然，大象都在象欄裡。爾康察看著大象群，也察看著緬甸軍營。確定山坳中就是象群了，他就舉起手來，低低說：

『開始行動！』

爾康一個手勢，原來清軍準備了炸藥，包在無數的稻草球裡。清軍看到爾康的手勢，便把稻草點

燃，推向山谷。只見山坡上，無數的火球，滾進象欄中，然後，一陣陣轟然巨響，火球炸開，火花四射，群象大驚，悲鳴著，擠來擠去，天搖地動的四散奔逃。

緬軍衝進猛白的帳篷，對猛白和慕沙大喊大叫：

『火球……火球……劈哩叭啦，爆炸……大象跑了！全部跑了……』

猛白和慕沙大驚，衝出帳篷，只見象群四散奔逃。

慕沙拿起望遠鏡，對著山頭看去。不料，在鏡頭裡，居然看到爾康也拿著望遠鏡看過來，兩人在鏡頭裡，都一眼看到了彼此。爾康看到他，就得意的對他揮揮手。然後，放下望遠鏡，帶著一隊人馬，迅速的撤退了。

慕沙丟下望遠鏡，氣得哇哇大叫：

『我要去抓他！我要去追他！我要他的命……我的戰馬呢！』

慕沙衝進帳篷，抓了自己的頭盔，急忙戴好。再衝出來，跳上帳篷外的一匹戰馬，策馬疾馳，狂奔而去。猛白跳腳大喊：

『不要追那個駙馬了，趕快把大象追回來，才是真的！』

慕沙早已奔得不見蹤影。猛白只得急呼：

『趕快派一隊人去保護她！』

一隊緬甸軍，急忙上馬，跟著飛馳而去。

爾康和簫劍帶著一隊精銳的清軍，正在夜色裡疾馳。忽然，身後喊聲震天，慕沙和緬軍追了過來。

慕沙喊著……

『你這個「死馬」！你敢放火燒我們的大象，我要你的命！你往那兒跑？』

『哈！那個緬甸王子，居然追過來了！』蕭劍驚愕的說。

『他真是膽大包天！好像沒幾個人，就這樣追來，不怕我們把他俘虜嗎？』爾康回頭一看，再看看前面的山勢。對蕭劍說：『蕭劍，我把這個慕沙引誘到那邊樹林裡去，你負責斷他後路，擋住緬軍！我們今晚活捉這個緬甸王子！』

『就這麼辦！小心他的毒針！』

蕭劍舉手示意，帶著清軍，隱身於山壁後。慕沙已經飛舞著長劍，追殺過來。

『死馬，你有種就不要跑！』慕沙大喊。

『哈哈！』爾康大笑。『我偏要跑！你有種就不要追！』

爾康一面喊著，一面飛騎奔入叢林。慕沙疾追，也進入叢林。緬軍隨後要追入叢林，蕭劍帶著人馬，大喊著衝了出來。

『來一個，殺一個！來一雙，殺一雙！兄弟們！殺呀！』

蕭劍就帶著人馬，和緬軍大打起來。

慕沙疾馳進了樹林，四面張望，不見爾康身影。

『死馬！你躲到那兒去了？出來！』

只見一棵樹上，綁著爾康的戰馬，慕沙勒住馬，狐疑的四看。

『哼！要佈陷阱是嗎？以為我好欺負？』慕沙一股正氣凜然，大而無畏的樣子…『就算你埋伏了千軍萬馬，我也不怕！』

正說著，爾康大笑著從樹梢飛撲而下。喊著…

『沒有千軍萬馬，只有我一個！今晚，我們大清的駙馬，要單挑你這個緬甸王子！』說著，直撲馬背上的慕沙。

慕沙被爾康一撲，在馬背上坐不穩，滾下地來。他身手靈活的站穩腳步，拔劍在手，看著面前氣定神閒的爾康，怒罵：

『只有你一個人？那你就不是「死馬」，會變成「死人」了！』

『你這個緬甸王子，學了中文，還學了耍嘴皮子！』爾康一劍刺過去：『你不如乖乖投降，歸順我們大清！』

『作你的夢！我看，你長得不錯，武功也有一點，不如歸降我們緬甸！』

『哈哈！看看是誰投降？』

兩人一面拌嘴，一面交鋒，兩人武功都不弱，互有驚險之處，每當驚險時，不禁驚忙互視，彼此都有服氣的地方。但是，畢竟爾康武功了得，慕沙不是對手，越打越吃力，幾次三番，都差點傷在爾康的長劍之下，打著打著，慕沙越戰越心急，眼看不敵，又不見自己的人馬前來支援，不禁著急。突然跳出戰圈喊：

『不打了！不打了！下次再打！』說著，就飛身上馬。

爾康那裡放得過他，飛躍過去，抓住他的腳，把他拖下馬背來。

『想逃？門都沒有！下來！下來！』

慕沙被拖下馬背，又急又氣，急忙橫劍就砍。爾康欺身上前，發現慕沙始終沒有用暗器，更加放膽打了過去。

『你的暗器沒帶出來？那……你是死期到了！』

爾康施出擒拿手，閃電般抓住慕沙胸前的盔甲。這些緬甸貴族，盔甲上有許多像鱗片一樣的裝備，用來抵擋刀箭，也用來區別身分。爾康一抓，就抓住了那鱗片，用力一扯，居然把那盔甲給扯下了一大片。慕沙大驚，驀然變色，急呼：

『你放手！』奮力一掙，一個觔斗翻出去。

爾康長劍跟著急刺而來，慕沙一閃，長劍正好挑起了他的頭盔，頭盔落地，慕沙一頭烏黑的長髮迎風飛舞。

慕沙身子落地，爾康看去，月光下，只見她胸前肌膚似雪，裡面穿著緬甸式半邊肚兜，酥胸半露，長髮飄飄，原來是個絕色女子！

爾康大震，倉皇後退，震驚已極的說：

『原來妳是個姑娘家！怪不得……』

慕沙看到自己衣冠不整，又羞又窘又氣，跳起身子，直撲爾康。

『我殺了你！我非殺了你不可！』

爾康倉卒應戰，伸腳一絆，慕沙跌倒，爾康一劍逼了過去，直刺她的前胸。她倒在地上，已經沒有生路，大眼盈盈的瞪著他，羞窘已極。爾康的劍尖，抵在她胸前，卻不忍刺下去。慕沙羞憤的說：

『我殺不死你，只好讓你殺了我！殺呀！刺呀！殺呀……』

爾康怔著，凝視慕沙。忽然嘆口氣，把長劍一收，說：

『沒想到，緬甸有這樣的奇女子！好男不和女鬥，我放了妳！快走！』

豈知，慕沙卻十分剛烈，打輸了，又弄得這麼狼狽，羞憤填膺之下，拿起自己的劍，就橫劍對自己脖子抹去。嘴裡壯烈的說：

『我是猛白的女兒，身子被你看了，還怎麼活下去？我怎能受這樣的侮辱？不如死去……』

爾康大驚，想也沒想，就一劍直挑過去，用力甚大，把慕沙的劍挑飛了。他瞪著她，被她的氣勢震撼了，義正詞嚴的喊：

『慕沙！妳是英雄人物呀！妳敢跟著妳爹上戰場，妳敢衝鋒陷陣，妳大敵當前，面不改色，妳那兒像個姑娘？妳是緬甸的勇士呀！現在，居然會在乎這些小節？生命怎麼可以隨便放棄？妳起來！快走！我不俘虜妳，也不殺妳，今晚的事，我不會跟任何一個人說！我們清軍，沒有人看出妳是女子，我會保密到底！快走！』

慕沙跳起身子，用手搗著胸前的衣服，呆呆的看著爾康。

樹林外，有馬蹄聲音傳來。爾康急喊：

『妳還不走？等到清軍來，妳要走也走不掉了！是英雄，下次戰場見！』

慕沙再看爾康一眼，心中佩服已極，勇氣和信心，立刻恢復。她大喊：

『你今天不殺我，你會後悔！下次在戰場上相遇，我不會放過你！』

『彼此彼此！後會有期！』爾康笑著喊回去。

慕沙就飛身上馬，疾馳而去。一面疾馳，還一面回頭。爾康仍然持劍肅立，看著慕沙的背影消失。

一陣馬蹄聲，蕭劍帶著馬隊奔來。對爾康喊：

『緬甸軍已經被我們消滅了……怎麼？你沒有活捉那個緬甸王子？人呢？』

爾康回過神來，抬頭看蕭劍，搖搖頭。

『那個緬甸王子，身手實在太好，我們大戰一場，還是給他逃掉了！』

蕭劍惋惜著，看到天色已亮，不想追趕了。

『逃掉也別追了，我們趕快回到營地去吧！五阿哥看我們一夜不回，會著急的！』

爾康一躍上馬，帶隊回程。

關於這次和慕沙的遭遇，爾康非常守信，從來沒有對永琪或蕭劍提起。有時，也會覺得奇怪，怎麼大家都沒有懷疑過這個慕沙王子是公主！

接下來，清軍如有神助，一連打了好幾場勝仗，陸續收復了許多失地。永琪和爾康帶領鑲白鑲紅兩旗去收復普騰。這是永琪、爾康、蕭劍在緬甸的最後一役。這一戰，戰出了生離死別，戰出了天人永隔，戰出了人世最大的悲痛！

這天，幾個主將，決定兵分兩路，傅恆帶鑲藍旗去收復九龍江，永琪和爾康帶領鑲白鑲紅兩旗去收逐漸成爲清軍的主力，連帶兵多年的傅恆，也不能不佩服他們的作戰能力，更對那個神祕的『百夷人』佩服不已。

這天，霧色蒼茫，層雲飛捲，群山重疊。在普騰的郊外，緬甸的一支軍隊，正在山谷中紮營駐守。山谷裡，有幾棟被軍隊征收的農莊草房，還有十幾個帳篷。在帳篷四周，三三五五的緬軍，軍容不整的四散著。還有幾個緬甸兵，正在搬運剛剛運到的糧食，不斷從馬車上，一袋一袋的抬到農莊倉庫裡去。戰馬四散吃草，有種懶散的氣氛。顯然經過久戰，緬軍也已軍困馬乏。

山脊上，無聲無息的，出現永琪、爾康、蕭劍的身影。三人都是一身軍裝，隱在樹叢間，蕭劍拿著一個望遠鏡，在視察敵營。永琪低聲問：

『你看這情勢怎麼樣？沒有象兵部隊，是我們最好的機會！要不要攻下去？』

『慢一點，我聞出一股「誘敵深入」的味道，你們聞到了嗎？』蕭劍四面看。

「儘管有『誘敵深入』的味道，也有『糧食』的味道！看到了嗎？他們一袋一袋的在運送！我們如果攻擊成功，就可以搶他們的糧食，來補我們的不足！」爾康說。

蕭劍在鏡頭中，忽然看見了慕沙，正策馬徐行。他興奮的放下望遠鏡說：

「不止『糧食』的味道，我還看到那個緬甸王子慕沙！」

「慕沙？」爾康一楞。『又是他！』

「慕沙在那兒？」永琪精神一振。『我們只要抓住慕沙，不怕緬甸王不投降！』

爾康搶過望遠鏡一看，鏡頭下，慕沙風度翩翩，悠閒自在。

「我看到了！他在東邊！把他交給我吧！我帶一隊人馬直衝慕沙！」

蕭劍四看，還有些顧慮。

「奇怪，怎麼沒看到他們的弓箭手，他們的毒箭，不能不防！」

永琪看到慕沙掛單，又看到糧食運進糧倉，決心一戰，豪氣干雲的說：

「不入虎穴，焉得虎子？我們趕快打一場漂漂亮亮的勝仗吧！有糧食，有緬甸王子，我們還猶豫什麼？」

「就是這個才奇怪……讓我再研究一下！」蕭劍察看著地勢。

「不要研究了，機會難得！」永琪看二人：『怎樣？戰還是不戰？』

「戰！」爾康重重一點頭，視死如歸的說。

「戰！」蕭劍也收起遲疑，重重的一點頭。

「好！戰！」永琪點頭。『我攻中路！蕭劍，你攻西邊！我們分兩路進攻！』

「蕭劍！你跟在五阿哥身邊，保護五阿哥！」爾康急忙吩咐。『你們一路，我一路！』他盯著永琪……

『不管有多麼危急，你身為阿哥，絕對不能冒險！』

『大家都不能冒險，我們進攻吧！』永琪嚴肅的點頭，也盯著爾康。

三人嚴肅的互看，永琪伸出手掌，三人的手，在空中重重的一擊。

永琪舉起手示意，頓時間，號角聲劃破寂靜的長空。

在山谷裡的慕沙，聽到號角聲，猛然一抬頭。只見山脊上，清軍號兵吹著號角現身。緊接著，戰鼓齊鳴。

鼓兵打著鼓，跟著現身。接著，山脊上，無數的清軍現身，一字排開，軍容壯大。

永琪的手一揮，清軍就從山脊上呼喊著，直衝而下。

『衝呀⋯⋯殺呀⋯⋯衝呀⋯⋯』

無數清軍，衝下山谷，緬甸軍營中，緬軍奔出迎戰。

爾康騎著馬，手拿盾牌和長劍，一路廝殺過去，後面帶著一隊精銳馬隊。

慕沙抬頭凝視，眼看清軍奔馳而來，發出一聲清嘯。剎那間，緬軍從草屋裡，後面樹林中，蜂擁而出。

無數的利箭，不知從何處飛來，直射清軍。

永琪手裡的劍和盾牌舞得密不透風，利箭紛紛墜地。永琪大喊：

『不好！敵人有埋伏！趕快告訴爾康，撤退！』

簫劍緊跟在他身旁，左一劍，右一劍，殺得眼睛發紅。喊著說：

『來不及了！殺呀⋯⋯』

永琪顧不得這是不是陷阱了，只能奮不顧身，一路廝殺過去。簫劍亦步亦趨，一方面力戰緬軍，一方面保護永琪。他知道，永琪是大清的未來，也是小燕子的生命，他不能讓永琪有任何閃失。

爾康直奔慕沙，長劍直刺，連連刺倒敵軍，轉眼間奔到慕沙面前，大喊：

『慕沙！又見面了！我軍五萬人，已經包圍了你們！你還不投降？』

慕沙對爾康大笑：

『你們包圍了我們？還是我們包圍了你們？你回頭看看！』

『想騙我回頭？門都沒有！你們的象兵部隊，已經被我破解了！』

『象會認主人的，你這點常識都沒有嗎？』慕沙笑著喊：『象兵部隊是這麼容易破解的嗎？難道我們不能再送大象過來嗎？』

兩人和往常一樣，一面鬥嘴，一面交手。慕沙手中的長劍，虎虎生風的劍刺向爾康，招招凌厲，毫不留情。

『我早說過，不殺我，你會後悔！』慕沙嚷著。

爾康急忙迎戰，兩人就在馬背上大戰起來。戰著戰著，爾康聽到身後，那種雷聲又起，象鳴聲驚天動地。

『不好了！中計了！』清軍紛紛驚喊著：『敵人從後面打來了……象兵部隊又來了！大象……』

爾康大驚，猛一回頭，只見象兵部隊，從清軍身後追殺出來，象兵居高臨下，手舞各種有鐵鍊的武器，清軍中箭的中箭，中刀的中刀，中鐵鎚的中鐵鎚，紛紛倒地。

爾康正在錯愕中，慕沙身邊的一個武士，舉著戰斧，對著爾康當頭劈下。慕沙急喊：

『這個駙馬是我的，我要活捉他！』

武士的戰斧在爾康的盾牌上濺出火花，爾康力貫盾牌，戰斧竟然飛了出去。爾康就用盾牌當武器，一橫，把武士打落馬背。此時，慕沙飛身而起，落在他的馬背上，把他的身子一抱。慕沙在爾康耳邊

喊：

『你說過，好男不和女鬥！你別佔我便宜！』

爾康大驚，喊：

『那妳跑到我的馬背上來幹什麼？』

慕沙叫著：

『活捉你！』

爾康伸手，抓住慕沙的胳膊，想摔掉她。她大叫：

『你敢碰我！』又用緬甸話大喊：『拐馬腿！』

緬軍揮舞一根鐵鍊，絆住馬腿。馬兒長嘶倒地，爾康施展輕功，落地站穩，只見慕沙就地一滾，滾出戰圈，一抬手，一排小匕首打向他，他長劍飛舞，把暗器紛紛打落。才打掉暗器，覺得四周有異，猛一抬頭，看到無數的緬甸箭手包圍過來，無數的毒箭像雨點般從四面八方射來。

永琪在遠處，打倒了兩個緬軍，一抬頭看到爾康有難。大叫：

『爾康……小心毒箭……』

永琪一面喊，一面不顧一切的策馬飛奔向爾康。蕭劍急喊：

『五阿哥！讓我去……爾康……小心……』

蕭劍也策馬飛奔向爾康。

這時，帶領象兵部隊的猛白，舞著戰斧，連續殺了幾個清軍，追了過來。永琪首當其衝，就揮舞著長劍，力戰猛白的戰斧。

爾康眼看毒箭射到面前，只能拔地而起，落在一匹馬背上，策馬要殺出重圍。但是，一根象鼻一

掃，爾康被掃下馬背。一支利箭，就這樣直刺進他的胸口。雖然穿著盔甲，那利箭力道太強，仍然穿透了戰袍。爾康大叫，雙手握住箭柄，用力一拔，血花飛濺，他喘息著，大吼一聲，就用拔出的箭當武器，對緬軍橫掃過去，一排緬軍，被他這樣勇猛的一掃，紛紛倒地。他傷口劇痛，眼前模糊，身子搖搖欲墜。又一陣箭雨，對他急射而至，這次，他再也躲不掉，許多利箭，都射在他的身上。在這一剎那間，他的眼前，掠過無數紫薇的影像……紫薇的笑、紫薇的淚、紫薇的溫柔、紫薇的叮嚀、紫薇的聲音，在那兒喊著：『爾康，我等你！記著記著，要平安回來……』他眼前是千千萬萬個紫薇，再也沒有戰場，沒有向他當頭打下的各種武器。他軟腳一軟，跪下，再跌倒。

當時，永琪正和猛白纏鬥，聽到爾康的喊聲，抬頭一看，目睹這一幕，嚇得魂飛魄散，撕肝裂肺的大喊：

『爾康……爾康……』

永琪紅了眼睛，拋下猛白，就向爾康的方向直撲過去。猛白那裡會放他走？騎著大象，追殺過來。

永琪心急如焚，只想去救爾康，沒有心情戀戰，施展輕功，飛身上了象背，一劍直刺猛白，一腳踹掉了猛白的戰斧。猛白沒料到他如此神勇，象背上坐不穩，翻身落地。永琪也躍下地，再往爾康的方向跑。

豈料，猛白大喝一聲：『大象，挺！』大象竟然用牠那巨大的頭，頂向永琪的背，他站立不住，跌倒在地，一翻身，只見大象舉起巨蹄，像泰山壓頂般對他的臉孔踏下，他急忙用力一滑，身子穿過了大象的腹下，從象尾處溜了出來。他一把抓住象尾，正想借力站起身子，不料大象力大無窮，拖著他向前奔。

他急忙鬆手，卻驚見後面的大象，也抬著『巨靈之掌』，對著他的面門直踩過來。他倉皇躍起，緊張之中，就沒有看到猛白，抽出腰間的短刀，對著他的腦袋劈下。永琪只覺得眼前一黑，什麼都看不到了，

他悶哼一聲，倒在地上。

簫劍眼看爾康倒下，又見永琪倒下，他心魂俱碎，飛馳過來，舞著長劍，喊得力竭聲嘶……

『五……阿……哥……爾……康……五……阿……哥……爾……康……』

山谷中煙塵滾滾，簫劍的喊聲，穿山透雲而去。

同一時間，景陽宮正靜悄悄的躺在午後的冬陽裡。

紫薇摟著小燕子，倚在臥塌上睡著了。明月、彩霞和眾宮女們在悄無聲息的侍候著。添爐火的添爐火，點香爐的點香爐，蓋被子的蓋被子。彩霞抱著東兒，拍著哄著，東兒也睡著了。

忽然，紫薇從睡夢中驚醒，慘叫……

『爾……康……爾康……』

小燕子嚇得整個人驚跳起來，跟著大叫……

『永琪……永琪……』

明月彩霞急忙衝到床邊，喊著……

『兩位格格怎麼了？午覺睡得好好的，被什麼嚇醒了？』

紫薇瞪著一對驚惶的大眼睛，看著小燕子。害怕的說……

『小燕子……我夢到爾康……』

『我也夢到他們了……』小燕子顫抖的說……『不是爾康，是永琪……永琪……』

孩子被嚇醒了，伸手要紫薇抱……

『額娘……額娘……』

紫薇沒有注意孩子，只是瞪大眼睛，看著小燕子。小燕子也瞪大眼睛看著她，兩人互看，都在對方

眼中，看到自己的恐懼，不禁嚇得緊緊一抱。紫薇低低的，急促的說⋯

『不會的，不會的⋯⋯他有吉祥制錢保護著，他有同心護身符⋯⋯永琪更不會的，他有皇阿瑪的洪福罩著⋯⋯他是大清的命脈⋯⋯』

小燕子拍拍胸口，拚命鎮定自己：

『是的是的⋯⋯他答應過我，他會保護好他的腦袋，他們都會好好的⋯⋯』

紫薇和小燕子眼睛裡的恐懼越來越深，他們到底是不是好好的？誰能告訴她們呢？

41

永琪和爾康，並沒有『好好的』。

戰場上，一片悲慘景象。這一戰實在慘烈，雙方都損失慘重。猛白的大將，紛紛被殺，他無心戀戰，帶著軍隊急忙撤退，剩下清軍，還在戰場上收拾殘局。硝煙彌漫，兩軍的屍體，散佈各處。受傷的士兵，在呻吟求救。殘破的戰車冒著煙，餘火兀兀自燃燒。倒地的馬匹、散落各處的兵器、半毀的旗幟……在在顯示曾經有過多麼慘烈的戰爭。

劉德成帶著無數清軍，在找尋爾康。他到處尋覓，喊著：

『額駙……你在那裡？福將軍……你在那裡？』

永琪躺在一件軍氈上，簫劍和軍醫圍繞著他，給他治傷。他的額頭中了一刀，正在流血，人也昏迷著。軍醫幫他清理了傷口，再麻利的包紮起來，簫劍緊張的看著，著急的問：

『軍醫！五阿哥的傷勢怎樣？有沒有生命危險？』

『五阿哥鴻福齊天，應該不會有事，傷口不是很深，但是，流了太多血，又傷在頭部，就怕昏迷不醒，也怕醒來之後，意識不清楚，我們喊喊他，最好把他喊醒！』

『五阿哥！醒一醒！快醒來！五阿哥……』簫劍急喊。

軍醫和士兵，也圍在旁邊大喊……

『五阿哥！五阿哥！五阿哥……醒一醒！五阿哥……』

永琪在大家的呼喚聲中，呻吟一聲，眼睛驀的睜開了。簫劍驚喜的喊……

『醒了醒了！』就盯著永琪：『五阿哥！看到我了嗎？認識我嗎？』

永琪猛然坐起身子，哎喲一聲，用手搗住頭。

『哎喲！好痛！』

軍醫急忙把他的手拉下來。

『不要碰，那兒有傷口！』

簫劍看到永琪醒了，又聽到軍醫說沒有大礙，就拍拍他，一躍起身，著急的說……

『五阿哥……你醒來就好了！我還要去找爾康……』

永琪聽到爾康兩字，大大一震，整個人都醒了，一把抓住簫劍的衣服急問……

『爾康在那裡？』他掙扎著要站起來，大家趕緊扶住……『爾康呢？爾康怎樣？我看到他中箭……他在那裡？』

『爾康……』他醒來以後，刀、劍、戰斧都對他砍去……可是，就是找不到他的人，我再去找！』簫劍說著，轉身就跑。

『還沒有找到爾康……好像不止中箭，我看到他倒地以後，刀、劍、戰斧都對他砍去……可是，就是找不到他的人，我再去找！』簫劍說著，轉身就跑。

『五阿哥！趕快躺到擔架上去，我們送您回營地！』軍醫伸手去扶永琪。

永琪一把推開了軍醫。激動的喊……

『我沒事，不要管我！趕快去找額駙……』他跌跌撞撞的向四處找尋，瘋狂般的放聲大喊……『爾康……爾康……你在那裡？爾康……』

永琪一面喊著，一面腳步踉蹌的四處去看，身子搖搖晃晃。蕭劍回頭喊：

『我去找，你先回營地休息！』

『我不要休息！我不要！』永琪大叫：『爾康……爾康……』對士兵們大喊：『兄弟們，快找！救人如救火，說不定他受了重傷，無法答應我們……』

蕭劍趕緊吩咐：

『擴大搜尋的範圍！往緬甸軍撤退的方向去找！一路找過去！』

『我帶一隊快馬去找！』劉德成急忙答應。

劉德成上馬，馬隊迅速的奔去。

永琪著急的，腳步不穩的，悽然的到處尋找。軍醫一步一趨的扶持著。蕭劍也在整個戰場奔走，到處呼喚。士兵們翻開重疊的屍體，拉起倒翻的戰車，撿起鋪地的大旗……在各個角落搜尋爾康。發現有受傷未死的清兵，就發出喊聲。擔架上來，迅速抬走。這樣尋尋覓覓，幾乎把整個戰場都找遍了，還是不見爾康的蹤影。

黃昏來臨了，落日掛在天邊，暮色慢慢籠罩著大地。永琪已經筋疲力盡，傷口劇痛，心更痛，再也走不動了，坐在一塊石頭上休息。蕭劍越找越心急，奔向永琪。

『五阿哥，找不到人！爾康的戰袍那麼明顯，整個軍隊裡，只有幾件，遠遠的都看得到，我猜，他一定被猛白俘虜了！』

『如果他被猛白俘虜，就證明他還活著！』永琪跳起身子，心急如焚的說：『我要親自帶一隊人馬，一路追過去找！』回頭大喊：『我的馬！』

士兵牽來戰馬，永琪還沒上馬，身子一陣搖搖晃晃，幾乎暈倒。蕭劍趕緊扶住。

『你回營地，我去找！』簫劍說。

『我行，我沒事，我要去……』永琪說著，勉力躍上馬背。

『我行，我沒事，我要去……』永琪說著，勉力躍上馬背。

就在這時，劉德成喊著叫著，帶著騎兵，快馬奔來……

『五阿哥……找到額駙了！找到額駙了！』

永琪和簫劍震動著，急忙看過去。只見劉德成的馬背上，橫放著爾康的身體，轉眼奔到眼前。劉德成哽咽的說：

『額駙……額駙已經為國捐軀了！』

永琪和簫劍大震。兩人都瞪大眼睛，看著劉德成滾鞍下馬，幾個士兵手忙腳亂，把爾康的屍體抬下地。永琪再也坐不穩，從馬背上滾落地，軍醫和士兵趕緊扶住。簫劍早已撲到爾康身邊，一看，就把頭痛楚的轉開，臉色蒼白如死。啞聲的急呼……

『五阿哥！不要看！他已經面目全非，渾身是血……』

永琪看了一眼，看到那張血肉模糊的臉，心就崩裂了。他的臉色如死，抗拒的，不願承認的說：

『不是他！不是爾康……』

劉德成拿了爾康的劍，遞給簫劍。哀痛的說：

『這把劍，他還握在手裡！』

簫劍持劍的手，不禁顫抖，啞聲說：

『是他的劍，沒錯！』

永琪漲紅雙眼，堅持的說：

簫劍拿起那把劍，這是福倫在爾康出發時，給他的劍，劍柄的『福』字清晰，是他刻不離身的劍。

『不是他！他身上有紫薇的同心護身符，有皇阿瑪的吉祥制錢，盔甲領子裡，有紫薇親自繡的紫薇花，裡面藏著平安符⋯⋯這不是他⋯⋯』

永琪一邊說著，一邊撲過去，從屍體的衣領裡，拉出紅繩綁著的吉祥制錢。一看那吉祥制錢，永琪崩潰了，再也沒有懷疑了，頓感天旋地轉。爾康自從出發以來，就連沐浴更衣，也從來沒有讓這制錢離身過！

『紫薇的「同心護身符」！不行！這不是他，不可以是他！』永琪站起身子，跌跌撞撞奔開去，向空狂呼⋯⋯『爾⋯⋯康⋯⋯我們一起來，要一起回去！你不能這樣離開我們！爾康⋯⋯你要回去見紫薇⋯⋯』

紫薇在做什麼呢？她坐在燈下，縫製著東兒的小棉襖。東兒在床上熟睡著。等待中的時光儘管漫長，回憶裡依舊充滿了甜蜜，她嘴裡低低的吟唱著：

『山也迢迢，水也迢迢，山水迢迢路遙遙⋯⋯盼過昨宵，又盼今宵，盼來盼去魂也消⋯⋯』嗯，盼來盼去魂也消，現在才瞭解這句話的意思！

門外，有人敲敲門。

紫薇驚覺的抬頭，只見爾康穿著便服，從門口的光影中走向她。他笑著，喊著⋯

『紫薇！我回來了！』

紫薇大驚，跳起身子，身上的針線籃、小棉襖全部落地。她揉揉眼睛，喊⋯

『爾康！你回來了？怎麼可能？我沒有做夢吧？』她撲上前去⋯『你怎麼不聲不響的回來了？皇阿瑪也沒說，誰都沒有通知我⋯⋯我要去城外接你呀！』

爾康一把抱住了她，笑著說：

『我故意不讓大家告訴妳，我要給妳一個驚喜！』他深深看著她：『紫薇，妳好嗎？』她抓著他的手，看來看去，眼光上上下下的巡視著他：『我不好！整天想你想得快生病了，怎麼會好呢？』

『我好嗎？』紫薇又哭又笑的說：『我不好！整天想你想得快生病了，怎麼會好呢？』她抓著他的手，看來看去，眼光上上下下的巡視著他：『你呢？你沒有受傷吧？我天天擔心，每天都心驚膽戰！昨天，還做了一個惡夢……』

爾康凝視她，眼光裡是無盡的深情。

『噓！再也不要擔心了，我在妳的身邊，再也不會離開妳了！我知道，這些日子，妳是如何煎熬著過下去的！我不要妳為我再受這種苦！紫薇……我答應過妳，我會回來，所以，妳要相信我，無論發生了什麼事，我都在妳身邊，不會離開妳！』

紫薇熱烈的笑著，淚水滿盈在眼眶裡……

『是！是！是！我知道！我從來沒有懷疑過！你是我永遠的爾康，是東兒的阿瑪！謝謝你平安回來……』

爾康緊緊的擁著她，無限不捨的，在她耳邊低語：

『妳知道嗎？我走了之後，最不放心的就是妳！我知道，東兒會慢慢長大，額娘和阿瑪會在東兒身上找到安慰，可是，妳這樣痴情，怎麼辦呢？我心裡牽牽掛掛，都是妳！我捨不得妳……』

『我也是呀！』紫薇熱烈的喊：『你走了之後，我都分不清每天想你幾次，因為思想是連續不斷的，我都沒有辦法剖段，你填滿我所有的思想！爾康，請你再也不要離開我，你笑我好了，我承認我的軟弱和無助，我需要你，離不開你！』

『我知道，我知道，我知道……』

爾康一疊連聲的說，就俯頭吻住了她。

一個纏綿的長吻以後，爾康擁著她，在她耳邊一連串的說：

『好好愛東兒，好好愛東兒，好好愛東兒……』他放開了她，退向門邊。

『是是是！我會的，我明白了，我確實給東兒太多……以後，我更要好好愛你！』紫薇迫著爾康，惶恐的喊：『爾康，你要去那裡？』

爾康的身影，消失在門口的光影中。

紫薇忽然找不到爾康了，大驚，四面張望，室內一燈如豆，那兒有爾康的影子。她驚惶失措，大叫：

『爾康……爾康……你在那裡？爾康……爾康……爾康……』

忽然，有人搖著她，喊著：

『醒來醒來！紫薇，妳又做惡夢了！』

紫薇一驚而醒，發現她和小燕子睡在一張床上。小燕子正在拚命搖著她，喊著她。她從床上陡然坐起，睜大眼睛，茫然四顧。

『爾康……』她的聲音低了下去：『沒有爾康……我在那兒？』

『妳在景陽宮呀！妳進宮陪我，已經快十天了！』

紫薇坐在床上，神思恍惚。困惑的、茫然的說：

『我看到爾康了……他回來了……』

『那是夢！我也做了好多這樣的夢，夢到永琪回來了，醒來，才發現什麼都沒有！』小燕子拍著她說：『吸口氣，再慢慢吐出來……我就是這樣讓自己清醒。』

紫薇回憶著，尋思著。忽然打了一個冷戰。

『是夢嗎？夢裡的爾康，為什麼那麼真實？我似乎還感覺得到他的手臂，他的溫度。他說的每一句話，都在耳邊迴響……是夢嗎？』

紫薇眼前，突然閃過爾康臨走前的臉孔，聽到他臨走前說的話：

『我不在妳身邊的日子，我的魂魄也會飄到妳身邊來！』

紫薇顫抖著，抬眼看小燕子。低低的、小聲的說：

『我很害怕……我真的很害怕……』

小燕子抱住她，喊著：

『我們都不要怕！只是做夢而已！他們去了那麼久，我們除了夢到他們，還能怎樣呢？』

紫薇點頭，眼神裡，依舊盛滿疑懼。她茫然四顧，室內的桌子、椅子、宮燈、擺飾……一一在目，這是景陽宮，不是學士府，那兒有爾康？是夢！只是一個夢而已。她的爾康，會活著回來和她相會！一定的！

同一時間，清軍營地，營火熊熊。

帳篷一座座豎立著，士兵在各個帳篷間巡邏。

永琪披著一件軍氅，頭上包紮著，臉色慘白的坐在火邊。蕭劍遞了一杯熱茶給他，他就握住杯子，雙手無法控制的顫抖著。蕭劍在他身邊坐下，凝視營火，神情悲苦。半晌，兩人不言不語。然後，蕭劍掏出一支新做的簫，開始吹起〈你是風兒我是沙〉，簫聲悽涼的在營地縈繞。帶著他們，回到了以前的時光。一曲未終，蕭劍擲簫長嘆。

『這樣的犧牲，未免太慘重了！』

永琪捧著杯子，漲紅了眼圈，依舊一語不發。

『五阿哥，你頭上有傷，請早些休息，節哀順變吧！』

永琪動也不動。這時，劉德成奔來，肅立著報告：

『報告五阿哥，所有犧牲的弟兄，都已經挖好了墳墓，明天一早就用軍禮安葬！不知道額駙的遺體，是不是也葬在這兒，以後再來遷葬？』

劉德成這樣一問，永琪才感到徹骨徹心的劇痛，跳起身子，把手裡的杯子往石頭上一砸，他爆發般的喊著：

『怎麼可以葬在這裡？紫薇還在北京盼著他……誰也不許動他的遺體！不許下葬，不許火化，我要帶著他走！我到那兒，他到那兒！我要一路帶著他，帶回北京去！現在，你們去把他搬到這兒來，我看著他，我陪著他！』

劉德成大驚，結舌的說：

『五阿哥……這……這不大好吧！仗還沒打完，一路帶著，不知道要帶多久？最近氣候不好，天氣潮濕，雨水又多，遺體不馬上處理，只怕會……會……』

永琪大聲打斷：

『不要再說下去！把他搬過來，搬過來！』

簫劍給了劉德成一個眼色，劉德成這才囁嚅著說：

『是！我知道了！』

劉德成匆匆的走了。

簫劍和永琪彼此凝視。永琪一下子跌坐在地上，用手蒙住了臉。低語：

『我怎麼回去見紫薇？我怎麼告訴她？來的時候，那樣生龍活虎，回去的時候，會是一堆白骨嗎？紫薇怎麼忍受這個？』

簫劍也痛楚著，沒有力氣安慰永琪了，拿起簫，再度吹奏著〈你是風兒我是沙〉。幾個士兵捧著爾康的盔甲、長劍、吉祥制錢等過來。士兵肅立說：

『報告五阿哥，額駙的盔甲，已經洗乾淨了，血跡都清除了！額駙的遺體，換上了他的官服……這是額駙身上的遺物，劉總兵要我交給五阿哥！』

永琪接過爾康的遺物，大痛。

『我看著他中箭，我怎麼沒有衝過去？怎麼會讓它發生呢？我算什麼兄弟？我算什麼朋友？我們離開北京的時候，紫薇和小燕子追到城外來送行，紫薇再三叮嚀，要我和爾康彼此照應……』他拿起那個吉祥制錢，痛定思痛：『吉祥制錢，大吉大利，會逢凶化吉，遇難呈祥……』他的聲音哽住了，說不下去。

簫劍展開那件盔甲，翻開衣領，赫然看到染著血跡的紫薇花。

『染著血跡的紫薇花！這朵紫薇，總算伴著爾康，走到最後一程！』

這時，幾個士兵抬著軍旗蓋著的擔架過來。劉德成跟在旁邊……

『報告五阿哥！額駙的遺體在這兒！』

『放在這兒，放在火邊！』永琪啞聲吩咐。

擔架放在永琪和簫劍身邊，整個遺體從頭到腳都蓋著軍旗。永琪默默的看著，手裡，緊握著那個吉祥制錢。

『那個「同心護身符」是他從不離身的東西，我們最好再幫他戴上去！』蕭劍說。

永琪點點頭，兩人就把吉祥制錢，戴回遺體上。永琪看看擔架，看看爐火，哽咽的說：

『壯志未酬身先死，常使英雄淚滿襟！』

蕭劍無語，眼中充淚。兩人就這樣捧著爾康的盔甲長劍，伴著爾康的遺體，淚眼相對的坐在火邊，一直坐到天明。

第二天一早，永琪安葬了上百位犧牲的弟兄。在號角聲裡，軍旗冉冉升起。劉德成雙手捧著酒器，遞給他。他接過酒器，慢慢的把酒傾倒在地上。沉痛的唸著他自創的奠文：

『永琪路遠迢迢，帶著各位，來到前方，卻不能把各位英雄，帶回北京！只能讓你們留在這兒，遙望故國河山。永琪愧對各位在天之靈！你們身經百戰，英勇無比！馬革裹屍，名留千古！永琪將帶著你們的英魂回去，希望你們神遊不遠，魂兮歸來！』

永琪祭完，士兵們開始劃土，一劃一劃的劃進坑裡。永琪和蕭劍悽然而立。

就在此時，煙塵大作，傅恆帶著一隊人馬，舉著旗幟，快速奔來。

眾人一驚抬頭，劉德成大喊：

『傅將軍來到了！傅將軍來到了……』

『五阿哥！我們勝利了！緬甸大軍已經撤退！我們勝利了！』

永琪驚愕著，蕭劍震動著。傅恆已來到墓地前，一躍下馬，興奮的說：

『這次普騰之戰，我方雖然損失慘重，緬甸也損失慘重，再加上我們收復了九龍江，猛白不打了！

帶著象兵部隊，連夜退進虎踞關！所以，我們的戰事結束，我們勝利了！」

頓時間，士兵歡聲雷動。大喊大叫…

「勝利！勝利！傅將軍勝利！五阿哥勝利！皇上萬歲萬歲萬萬歲！我們勝利了！勝利了！我們要回家了！大清萬歲萬歲萬萬歲……」

士兵們拋掉鏟子，彼此拍打擊掌，歡喜如狂。

永琪看著狂喜的清軍，再看向傅恆。這才有了一點反應…

「勝利了？我們打贏了？」

「是！打贏了！所有的失地都已經收復，我們可以回京見皇上了！」傅恆說。

「打贏了……打贏了……」永琪喃喃的說著，忽然悲切的大笑…『哈哈哈哈！打贏了！為了「打贏」，我們付出多麼慘重的代價，多少人從京城到這兒，行軍幾千里，離家別子，死在這個遙遠的地方，變成這一堆堆的黃土！我們失去了爾康，這是無法挽回的悲劇！對所有犧牲的弟兄來說，都是無法挽回的悲劇！多少家庭破碎了，多少人要面對死別，多少妻子等不到丈夫……贏了！是的，我們贏了，可是……勝利對於我，已經沒有意義了！」

蕭劍走過去，拍了拍永琪的肩。安慰的說…

「你心裡的痛，我也難過得不得了，痛不欲生！但是，勝利總比失敗好，這樣，爾康在天之靈，也會安慰許多！最起碼，不是「壯志未酬身先死」了！」

傅恆也上前，收起笑容，誠懇的說…

「額駙的殉職，我已經得到消息了！我想，額駙為國捐軀，死得光榮，死得其所！到了戰場，生死就在一線之間！請五阿哥節哀順變吧！」

永琪點點頭，知道自己還有責任，不能深陷在這樣的悲哀裡，他勉強的振作了一下，說：

『傅六叔！找一口好棺木，我們把爾康的遺體帶回北京去！讓他能夠葬在福家祖墳裡！』

『是！』傅恆恭敬的回答。

緊接著，清軍拔營回北京。

永琪、傅恆、簫劍騎馬在前，帶著浩大的隊伍，迤邐前進。騎兵隊伍後面，幾匹駿馬，拉著一輛靈車，車上，是爾康的棺木。棺木上，蓋著軍旗。靈車四周，兩列士兵全身縞素，舉著白幡，一路撒著紙錢，呼喚著『額駙』，扶棺前進。清軍們雖然個個滿面風霜，但是，畢竟打了勝仗，要回家了，個個也都是精神抖擻的。只有永琪、簫劍、傅恆等人，因為失去了爾康，面容悲切。

走著走著，傅恆勒馬說：

『前面就是大理！我們繞過大理，不進城了，早些回北京比較好！』

『大理！』永琪震動的看簫劍：『前面就是大理？』

『是！前面就是大理！』簫劍回答。

永琪思前想後，想到當初在南陽，大理就是大家的『夢』。如今，他帶著爾康的靈柩到了城外……

爾康這一生，終究沒有走進大理，真是情何以堪！

『我和爾康，終於到了大理，卻是過門不入！』

『大理沒有腳，它不會走！讓它繼續等吧！我有預感，有一天，我們會在大理相聚！』簫劍忽然一拱手說：『傅將軍，五阿哥！百夷人在這兒和兩位將軍告辭，雲南是我的家鄉，恕我不再遠送了！』

永琪這才想起，簫劍不能回北京。傅恆看著簫劍，讚賞的說：

『軍師！這次平緬甸，你身先士卒，勇不可當！是一個不可多得的人才！請和我們一起回北京，我會面奏皇上，論功行賞，一定讓你封官進爵！』

『傅將軍！好意心領！我來的時候，就沒有想過封官的事，只想幫助五阿哥打這一仗，現在功成身退！我來自蒼山腳下，回到蒼山腳下！你們大軍不想進大理，我在大理還有未完之事！原諒我不陪了！』

傅恆深深的凝視簫劍，忽然問：

『傅明白了！軍師和五阿哥，應該是舊識吧？』

簫劍一驚，永琪一震，傅恆一笑。

『每當危急時，常常聽到你們直呼姓名！百夷人好工夫，傅某佩服之至！放心，軍師不想以真面目示人，傅恆也絕不多嘴！就此別過，後會有期！』傅恆誠懇的說。

傅恆對簫劍一拱手，兩人眼中都有折服。簫劍轉過目光，看著永琪。

『我們去那邊談談！』

永琪會意，一拉馬韁，向前奔去，簫劍急忙跟去。兩人兩騎，就一直奔到山頭上，才勒住馬。永琪看著簫劍，問：

『你不去北京了嗎？決定了嗎？』

『是！請你轉告晴兒，我對她的心不變！已經到了大理，我無論如何，也要去看一看我的義父！你這次回去，大概要面對很多問題，爾康的事，我知道你至今無法接受，其實，我也無法接受！總以為我們早就把生死置之度外，原來並不是，我們可以看淡自己的生死，卻無法接受好友的死，永琪，你要振作一點！』

『我明白！』永琪凝視他：『什麼時候會再見到你？』

『說不定很快！晴兒在北京，我的心也留在北京！何況小燕子也在那兒……』蕭劍說著，眼光變得深刻而懇切：『永琪，小燕子是很重感情的人，所有重感情的人，在感情面前，都會變得很脆弱！小燕子不是天不怕地不怕的，她愛你，更怕失去你，你千萬不要負了她！』

『你放心！』永琪嘆著氣：『經過這次的離別，我對自己看得很清楚，自從離開了北京，我心裡想的，都是小燕子，不是知畫！再經過了爾康的事，我體會得更深，感觸更多，人事無常，我會珍惜和小燕子在一起的時光，別的，都不重要了！』

兩人深深互視。

『那麼，暫時告別，下次見面的時候，就是我帶走晴兒的時候了！告訴晴兒，這是我不變的決心！請她和我一樣堅定！』

永琪點頭，蕭劍一勒馬韁，轉身疾馳而去。永琪也一勒馬韁，追上大隊。

大隊人馬，繼續向前移動。

永琪回首，蕭劍一人一騎，沒入雲深不知處。

當快馬傳書傳到宮裡那天，乾隆正在景陽宮，帶著知畫練字。自從發現知畫可以寫好幾家的字，還精通乾隆的書法，乾隆對這個兒媳婦，就刮目相看了。閒暇的時候，常常來到景陽宮。何況，這兒還有他的『開心果』，還有他心愛的紫薇和外孫東兒。雖然，小燕子變得脾氣古怪，笑容也越來越少，乾隆都把它看成是思念永琪所致，也不曾和她計較，在他內心深處，依然十分寵愛著小燕子的。

這天，乾隆在書桌上寫字，小燕子、知畫、紫薇、太后、晴兒都在圍觀。明月、彩霞、珍兒、翠兒在一邊侍候，裁紙磨墨，奉茶奉水。乾隆寫完一張紙，眾人恭維不斷。知畫納悶的、佩服的說…

『皇阿瑪的字，下筆很輕鬆，但是筆筆有力，為什麼我寫起來，就軟弱無力呢？』

『妳也不是軟弱無力，以姑娘家來說，妳的字算是很有力了，怎麼能跟皇阿瑪比呢？朕是男人，提起筆來，就比妳有份量！』乾隆心情良好的說。

『是呀是呀！可是……我總想學個幾分！』知畫說。

『妳已經有幾分了！我看妳學得挺像的！』晴兒忍不住說，心想，這知畫還真懂得如何討好乾隆，這一點，小燕子是望塵莫及的。小燕子那一套，都是『歪打正著』的，絕對不像知畫那樣心有城府。而且，小燕子衝動起來，還常常『歪打』『正不著』，弄出一堆狀況。

果然，小燕子不服氣的接口了…

『比幾分還多幾分，寫字工夫有五分，做人工夫就有五分！加起來是滿分！』乾隆看了小燕子一眼，聽出她話裡的醋意，就微笑了一下。說…

『妳懂得這個道理就好了！不管做人還是寫字，妳都應該跟知畫學！』

『我其笨如牛，學不會的啦！』小燕子噘了噘嘴。

『不錯呀！「其笨如牛」都會用了！』乾隆忽然發現旁邊一疊寫好的字，面上一張，寫得非常工整，拿起來看…『好字！「誰寫的？』

紫薇看了一眼，趕緊應道…

『是我！隨便寫的，寫得不好！』

乾隆唸著字…

『故人入我夢，明我長相憶，恐非平生魂，路遠不可測……』不禁看紫薇…『字，寫得真好！我們宮裡有三個才女，紫薇、晴兒、知畫！只是……這首杜甫的「夢李白」，應該改名，是紫薇的「夢爾康」

吧?」

紫薇頓時面紅耳赤。急忙說：

「皇阿瑪！您不要取笑我了，不是不是啦⋯⋯是在抄《唐詩三百首》！」

「哈哈哈哈！」乾隆大笑⋯「是，也沒關係呀，想爾康，也是天經地義！小燕子前些日子，不是還鬧著要去雲南找永琪嗎？年輕夫妻，就是忍受不了別離！」

太后趁機說⋯

恩惠！」

「皇帝，你說我們宮裡，有三個才女！這紫薇和知畫，都有了很好的歸宿，只差晴兒，還沒有婆家。我再不給她找個婆家，別人一定以為我自私，要留著她侍候我！最近，我看上了兩個人，你幫我挑一個吧！」

太后這樣一說，晴兒、紫薇、小燕子全部嚇了一大跳。晴兒立刻情急起來，說⋯

「老佛爺！您說什麼？什麼婆家？我不要不要⋯⋯請您讓我留在您身邊，侍候您！這就是您對我的

「晴兒！難道妳還沒有忘記蕭劍？那種無情無義的人，妳就把他忘掉吧！」

小燕子聽到乾隆這樣罵蕭劍，忍不住哼了一聲，紫薇趕緊拉了拉她的衣服，示意她不要說話。乾隆也沒在意，問太后⋯

「晴兒的事，朕也一直放在心上，老佛爺看中的是誰呢？」

「一個是傅恆的姪兒，新上任的御前侍衛傅雲！還有一位，來頭就大了，那就是八阿哥永璇！前兩年，永璇還小，現在已經長大了！晴兒年長幾歲，也沒什麼關係！皇帝認為如何？」

『咦…忘了永璇！確實不錯……』乾隆沉吟著，就看晴兒…『晴兒，妳願意當朕的兒媳婦嗎？永璇，

總不會輸給簫劍吧？』

晴兒、小燕子、紫薇都變色了。晴兒急忙哀懇的說…

『皇上！老爺……晴兒真的不想嫁，請開恩……讓我跟著老佛爺，現在，老佛爺身邊，也缺一個

體己的人。晴兒自己願意這樣，不會有人說老佛爺自私，老佛爺就不要過慮了！八阿哥地位太高，晴兒

不敢高攀！』

『不是「不敢高攀」，是看不中吧？』太后皺皺眉。

『老佛爺！求求您了……』晴兒悽然的喊。

小燕子實在忍不住，往前一站，抬頭挺胸的說…

『老佛爺，皇阿瑪！你們心裡都明白，晴兒就是忘不掉我哥嘛，為什麼一定要強迫她忘掉呢？我哥

千不好，萬不好，可能是晴兒心裡的「最好」！她想著他過一生，也很美呀！皇阿瑪，您還不是心裡想

著人，在過日子嗎？我打賭皇阿瑪沒有忘記盈盈姑娘！』

乾隆一怔，還來不及說話，外面一陣喧鬧，小鄧子、小卓子衝進房來請安稟告…

『皇上吉祥！有前線的快馬傳書……』

『快馬傳書！』眾人全部驚呼出聲。不論大家各有各的心事，對於前線的消息，盼望的心情卻是完

全一致的。

『是誰？快傳他到景陽宮來！』乾隆喊。

『已經來了！傅雲大人把他帶來了，在大廳裡等著呢！』

乾隆一聽，撈起長袍，就快步衝進大廳。眾人身不由己，全部追了上去。

到了大廳，傅雲已經帶著風塵僕僕的官兵在等候。見到乾隆，急忙行禮。

『臣傅雲叩見皇上！有前線的快馬傳書！』

兩個官兵跟著一跪，喊『皇上萬歲萬歲萬萬歲』。乾隆急急的一伸手：

『起來！趕快拿給朕看！』

傅雲和官兵起身，傅雲就從官兵手中，接過傳書，雙手呈上。大廳門外，紫薇、小燕子、知畫、晴兒、太后都擠在那兒，伸長了頭聽著，看著。乾隆一面看，一面驚呼：

乾隆拿著信，急急的拆開信封，拿出信箋來看。

『雲南大捷！十三個地區全部收復！緬甸王猛白帶著象兵部隊，已經撤回了緬甸……』他再看下去，臉色大變：『但是……』

乾隆愕然回頭，看著站在門口的女眷。大家見乾隆臉色如此慘淡，全部心驚肉跳，一齊衝進門。太后顫聲問：

『大捷？那是打了勝仗！是好消息呀……皇帝臉色怎麼不對？難道……』

知畫用手一把蒙住嘴，呻吟般的說：

『是誰出了事？』小燕子衝口而出：『是不是永琪？他……怎樣了？』

『皇……阿瑪？到底是什麼？』晴兒追問著。

『皇上，沒有壞消息，是不是？他們馬上就要回來了，是不是？』

『不要……不要……』

乾隆一直不語，紫薇睜大眼睛，一瞬也不瞬的看著他。小小聲的，害怕的問：

乾隆終於抬眼，看著紫薇。紫薇接觸到乾隆悽慘的眼光，就開始渾身歡歡發抖。她搖頭，臉色越來

越白：

『不會……不會……他答應過我，會平安回來……他說，他是最負責任的人，他會對我和東兒負責

任……』

紫薇的聲音頓住了，哀懇的看著乾隆。

眾人全部瞪著乾隆，房內鴉雀無聲。半晌，乾隆啞聲的開口了：

『紫薇，爾康殉職了！他，英勇犧牲了！』

紫薇睜大眼睛看著乾隆，咕咚一聲倒下地。晴兒和小燕子撲上去抱住她，哭著急喊：

『紫薇！紫薇！紫薇……』

42

其實，爾康還沒有斷氣。

緬甸大軍，因為久戰不勝，兵困馬乏，大象在清軍的火攻下，也損失了好多。以前攻下的土地，又被清軍一一收復。而普騰這一戰，損兵折將，元氣大傷。猛白知道再戰下去，一定更佔不到好處，識時務者為俊傑，當機立斷，收拾殘局，帶著大軍撤回緬甸。

旗隊、馬隊、車隊、象兵隊、步兵隊……一行人走在煙塵滾滾中。

在一輛馬車內，躺著遍體鱗傷的爾康。他穿著緬甸人的白色長袍，胸前敞開，裡面纏滿了裹傷的白布巾，頭上也密密層層的包紮著，左手臂和雙腿都包紮著，白布上血跡殷殷，看起來像一個木乃伊一樣。他在層層包裹下，露出昏迷著的臉龐，臉色蒼白如紙，看來毫無生氣。

慕沙帶著一個緬甸大夫，守在爾康病床前。大夫拿著藥碗，正用藥水和藥粉混在一起調藥。猛白坐在一邊看著，臉色十分不耐。

大夫把藥拿到慕沙面前。說：

『八公主！藥水可以喝了！這次一定有效！』

慕沙就急忙端起藥碗，一匙一匙的把藥水餵進爾康嘴裡。用漢語喊著：

『趕快喝下去！喝下去你這匹馬才能活！快喝！』

爾康的魂魄，正在縹縹緲緲，找尋著回家的路。躺在這兒的他，完全沒有知覺，沒有意識，昏迷不醒。

藥水灌進去，全部從嘴角溢出來。

『喝呀！喝呀……當了死馬，就沒有意思了！』慕沙著急的喊。

爾康動也不動。慕沙對大夫一凶……

『大夫，他喝不進去呀，你們治的什麼病？』

大夫和侍衛上前去，拉起爾康，灌藥的灌藥，掐人中的掐人中。

猛白忍無可忍，跳起身子，命令的說……

『慕沙，把這個死人丟到馬車外面去！妳看，他這個樣子還能活嗎？就算他活了，渾身都是傷口，說不定腳也跛了，手也斷了，絕對不是在戰場上，那個威風凜凜的駙馬！妳還救他幹什麼？』

慕沙回頭，對著猛白一陣大喊……

『我要救他！我就是要救他！我一定要救他！除非他斷了氣，我不會丟掉他！』

猛白大怒……

『這樣嗎？那還不簡單！』

猛白一面說，從腰間拔出七首，撥開眾人，飛撲到爾康面前，一七首刺了下去。

慕沙眼看情況不對，飛身一攔，七首劃過了慕沙的衣袖，衣袖『唰』的一聲破了，血濺了出來。猛

白大駭，瞪著慕沙喊……

『妳瘋了？』

『你讓我救嘛！』慕沙任性的說……『如果大夫治不好，我們還有巫師呢！一個用巫術治，一個用醫

術治，總有一個能治好他！真的治不好，我再放棄也不遲呀！」

猛白收起匕首，不可思議的搖搖頭。

「這小子有什麼本領，讓妳這樣迷戀？」他瞪著慕沙，見她一臉堅決，投降了……「妳救！妳救！救得活才怪！」

爾康被一陣折騰後，氣若游絲的躺下去了。嘴裡，發出一陣喃喃的囈語：

「恐非平生魂，路遠不可測……」

慕沙驚喜的喊：

「瞧！還沒死，還在說話！」

大夫趕快去給慕沙包紮手臂上的傷口。慕沙才不在乎自己身上這點傷口，匆匆包紮完畢，又撲到爾康床前去。大夫說：

「八公主，要救這位駙馬，除非趕快回到三江城，用『銀硃粉』來治，銀硃粉需要用罌粟花的種子，龍鬚草的根，火雲石的粉，番紅花的莖……一共九味藥來調製，現在已經用完了，有了銀硃粉，他就不會這麼痛，說不定可以起死回生！」

「那就快馬奔回去！告訴車夫，快！快！」

馬車驀的加快，向前飛奔。

爾康躺著，正一步步走向死亡。他什麼意識都沒有，唯一還佔據著思想的，是紫薇！他的紫薇，他答應過她，他會活著回去！他要回去，要回去……要回去告訴紫薇，他不會離開她，不捨得離開她……如果他即將死去，他的魂魄也要飛回她的身邊去！這唯一的思想，強烈的控制著他的靈魂，他覺得自己會飛，他可以擺脫那個遍體鱗傷的軀殼，他要飛回學士府，飛到紫薇身邊

去……

他確實飛了起來，他的魂魄，像一片羽毛，比羽毛還輕，隨著風，飄過了緬甸的土地，飄過了雲南的邊境，飄過了遙遠的山山水水，飄到了北京，飄到了從小長大的家，再飄進了他熟悉無比的大廳。紫薇，東兒，我來了！阿瑪，額娘，我來了！然後，他震懾住了，為什麼家裡一片愁雲慘霧？

他看到了紫薇，她呆呆的坐在一張椅子裡，眼睛大大的睜著，一動也不動，像是一座化石。他也看到了廳裡其他的人，小燕子、晴兒、福晉、福倫都哭成一團。福晉哭得上氣不接下氣，完全無法置信的說：

『為什麼發生這樣的事？爾康……他是我的命根呀！他是這個家的重心呀，他走了，要東兒怎麼辦？我年紀大了，遲早也是一伸腿，跟著去了！但是，東兒還小，他需要阿瑪，需要爾康陪著他長大，教他學問，教他騎馬射箭呀……』

福倫老淚縱橫的對福晉吼著：

『不要再說了！我的孫兒，再也不許練武！練好了武功，成了武將，生生死死，就再也不是自己能夠控制的！』說著，就自責起來：『我應該自告奮勇，堅持由我去打仗，我死不足惜，爾康還這麼年輕……』他搥胸頓足：『我為什麼要讓他去？』

小燕子哭著，在紫薇、福晉、福倫之間跑來跑去，試圖安慰每一個人，但是，自己哭得比任何人都慘，幾乎語不成聲：

『紫薇，妳怎麼不說話，也不哭呢？妳抱著我哭，大哭一場，妳就會心裡舒服一點……妳哭，我陪妳哭……嗚嗚……我們的爾康，他總是帶頭的一個，他最會出主意，他永遠有信心，有活力……他怎麼

可以死？嗚嗚……」她撲到福晉身邊去，安慰人的她，也需要人安慰，她痛哭著喊：『伯母，伯母……』

福晉就摟著小燕子，兩人抱頭痛哭。

爾康驚怵的看著，什麼？難道他已經死了？為什麼會這樣？他不太明白發生了什麼，不太明白自己怎會回家？看到這樣悽慘的情況，他的『心』，如果魂魄也有『心』的話，這顆心跟著碎了。現在的他，只是一個『魂魄』而已！他愴然的走到房間正中，看了看那無生氣的紫薇，看看哭成一團的福晉、小燕子、晴兒、和福倫，一急之下，顧不得自己是鬼是魂，只想安慰每一個人，他上前急促的說：

『你們不要這麼傷心，好嗎？我雖然走了，我的魂魄還在這兒，我和你們都緊密的生活在一起！阿瑪，額娘，不要哭！』

沒有任何人看到他，也沒有人注意他，房裡依舊愁雲慘霧。

紫薇不動，不哭，也不說話，整個人好像進入一種全然麻木的狀態。晴兒守在她身邊，搖著她，喊著她，自己也是淚如雨下：

『紫薇！紫薇……妳不要嚇我，妳說話呀！妳已經一整天，一句話都沒有說過……紫薇……沒有了爾康，妳還有我，有小燕子，有永琪，有妳的阿瑪額娘，還有妳的皇阿瑪……我們都會陪著妳，跟妳一起度過以後的日子，妳有我們每一個啊！還有……還有……妳的東兒啊！』

紫薇依舊不動不哭，眼神空洞。忍不住喊：

爾康看著這一切，越聽越悽慘。

『紫薇！妳沒有失去我，我還在！妳看妳看，我還在，我會陪著妳一起面對任何事情，妳不要難過，不要傷心！我記得我的諾言，我會遵守承諾……』

爾康說著，就情急的去扶紫薇的肩，誰知，竟扶了一個空，自己的身子，穿過紫薇，掉到後面去了。他大驚之下，這才真正瞭解，他只有魂魄，沒有軀體。頓時，一陣茫然和無助把他打倒了，他不知道，一個『魂魄』還有什麼用？他還沒適應當魂魄的日子，只能呆呆的站在那兒，悽悽惶惶的看著紫薇。

這時，福晉注意到紫薇的失常了，哭著奔過來，把她一把抱住，痛哭著說：

『紫薇啊！在這人世間，只有妳對爾康的感情，可以和我的愛相提並論，我知道妳有多痛，因為我也一樣的痛啊！上蒼對我們婆媳二人，實在太殘忍了！祂怎麼忍心剝奪我們的爾康？紫薇……和額娘一起哭吧！』

紫薇被眾人搖得東倒西歪，卻依然不動也不說話，臉色慘白如死，直到聽到福晉的話，眼角才掛下一滴淚，身子仍然僵著。

小燕子和晴兒，一邊一個，搖著她，小燕子哭著喊：

『紫薇！大聲哭出來吧！我知道妳想哭，我知道妳想大叫，我知道妳恨不得把老天給殺了……妳要做什麼就做什麼，不要讓自己這樣憋著……求求妳呀……』

晴兒抓著紫薇的手，哭著哀求：

『紫薇，我們大家雖然微不足道，但是，妳還有東兒！他是爾康生命的延續，為了他，妳一定要勇敢，要振作！』她回頭喊：『奶娘！趕快把東兒抱過來！讓他跟額娘說話！』現在，恐怕只有東兒，才能讓紫薇稍減哀痛吧！

奶娘抱著東兒走了過來。落淚喊：

『東兒來了！東兒……趕快跟額娘說，額娘，東兒要妳！東兒愛妳！』

東兒看著哭成一團的眾人，早就嚇傻了，這時，伸出小手，去摸著紫薇的淚。

『額娘哭哭……』東兒又去摸福晉的淚：『奶奶也哭哭……』東兒再去摸小燕子的淚：『姨姨也哭

哭……』小嘴一癟：『東兒也哭哭……』說著，就『哇』的一聲，痛哭起來。

爾康看得熱淚盈眶。

晴兒把東兒塞進紫薇懷裡。悲切的說：

『看看東兒！他長得跟爾康一模一樣，他是妳和爾康這場感情的見證，他是妳未來的希望，抱著他，

抱緊他！』

福晉更是淚落如雨了，啜泣著喊：

『紫薇，讓我們祖孫三代，同聲一哭吧！』

紫薇終於被東兒驚動了，她看著東兒，忽然從椅子裡跳了起來，大喊：

『抱走他！抱走他！我不要見到他……沒有爾康，什麼都沒有了！我不要在孩子身上，去找爾康的

影子！我不要爾康生命的延續！我不要在東兒身上找希望，沒有爾康，哪有希望？我沒有希望！爾康答

應過我，他會對我和東兒負責任，他怎麼可以不守信用？他這樣走了，我不會原諒他！我今生今世都不

原諒他，我來生來世也不原諒他！我恨他恨他恨他恨他……』

爾康一直站在那兒，聽到紫薇這樣強烈的呼喊，越聽越慘，越聽越驚。這時，再也忍不住，痛喊出

聲：

『紫薇！不要恨我，我不能帶著妳的恨離開，妳不能恨我，更不能趕走東兒！妳愛東兒，他是我們

兩個的骨肉，妳怎麼可以趕走東兒！抱住他！抱住他……』

爾康一面喊，一面激動的把東兒往紫薇懷裡推。但是，他那裡推得到東兒，他的身子，穿越了東

兒，穿越了紫薇，又掠到後面去了。他傻傻的站在那兒，整個人都驚怔著。『我只有魂魄，我沒有形體，他們都感覺不到我，我要怎麼辦？』他忽然明白，他的生命已將結束，或者，正在結束。但是，他的愛，不會結束，永遠不會結束。可是，他如何讓紫薇明白，他的愛不會結束呢？

只見奶娘趕緊把東兒抱走。

福晉張著手，把紫薇一把抱住，擁在懷裡，痛哭著說：

『紫薇啊！如果恨能夠把他叫回來，我們就一起恨他吧！他丟下的，不止妳和東兒，還有我們兩老呀！』

福倫看到這兒，老淚更是瘋狂的掉下，拭淚長嘆：

『人間，還有比這個更慘的事嗎？爾康，這麼多人愛你，需要你……你怎麼可以走呢？』

一屋子的人，這個也哭，那個也哭，真是慘絕人寰。紫薇仆在福晉肩上，依然無淚，一臉的淒絕。

爾康看著這一切，心底在強烈的吶喊：

『我不走我不走……這麼多人愛我，牽掛我，需要我……我沒有資格走！我不走……紫薇，不要恨我……不要恨我……』

爾康忽然覺得，自己的身子，在被一個很大的力量拉扯著，他身不由己的飛出了那間房間，看不到他的紫薇，他的額娘，他的阿瑪，他的東兒……他大急，喊著：

『紫薇……我不走……我不能走……紫薇……不要恨我……不要恨我……』

爾康斷斷續續的喊著，感到自己像是從雲端往下墜落、墜落、墜落、墜落……墜落到一間完全陌生的房間裡，墜落到一堆綾羅錦緞的床上，墜落到一個殘破的軀殼裡去了。

這個軀殼，正躺在緬甸皇宮裡。這是一間充滿異國情調的臥室，房裡金碧輝煌，到處都是燈火，香煙繚繞。他身上穿著緬甸人的服裝，頭上的包紮換成了緬甸的頭巾，額上有一道傷痕，手腳仍然密密麻麻的包紮著……這個軀殼很痛，到處都痛，他忍不住痛楚的呻吟，他的魂魄和他的軀殼，分別在呼喚……

『紫薇……不……要……恨我……痛……痛……好痛……』

慕沙帶著宮女蘭花、桂花正在搗藥，巫師和大夫都圍在旁邊觀察，配藥。聽到爾康的呻吟，慕沙著急的問：

『大夫，你們兩個怎麼治的？不是九味藥都配全了嗎？怎麼還是一點起色都沒有？他很痛，你們給他止痛呀！』

大夫把搗好的藥拿了過來……

『這個銀硃粉裡有罌粟花的種子，對止痛很有效，不過，如果將來治好了，他一輩子都離不開這種藥！』

爾康在枕上掙扎著，好像被烈火烤著一樣。他要回去，他要去跟紫薇說清楚……

『紫……紫……薇……薇……薇……』他的軀殼，發出顫抖的聲音。

慕沙搶過藥來……

『怎麼吃？？就這樣吃嗎？我不管他將來怎樣，現在，先得把他的命救過來，才談得到將來！只要能救命，你們把所有的藥都拿來……反正已經這樣了，試一樣算一樣，最壞就是死！』

『是是是！不能這樣吃，我還得調配！』

大夫配藥，慕沙就走到床邊，坐在床沿上，對爾康堅決的說：

『駙馬！我這樣大費工夫，佈置你的死亡，騙過清軍，把你帶到緬甸來！又這樣拚了命救你，你爭

點氣，不要你死掉！只要你活過來，你的生命就重新開始，沒有過去，沒有大清，沒有你口口聲聲喊的紫薇薇！你會活得很快樂，不過，你一定要先活過來！」

爾康昏迷著，掙扎在生死邊緣。他的魂魄拚命想掙脫他的軀殼，飛回紫薇身邊去。他嘴裡喃喃不清的低喊：

「紫……紫……薇……薇……不……不……要……要……恨……恨……我……我來了！我來找妳……我來了！」

紫薇不在房裡，她在幽幽谷裡。說：

她坐在水邊哭，身上堆著許多花瓣，手裡也握著許多花瓣。她一邊哭，一邊把花一瓣一瓣的撒進水裡。

「爾康，在家裡我沒辦法哭，這兒，是我們兩個的天地，只有在這兒，我才能好好的哭一場！還記得以前，我在這裡撒花瓣的情形嗎？我又在這兒撒花瓣了，我讓這些花瓣，變成一條條的小船，它們會飄到你的身邊，告訴你，我有多麼想你！」

水面的花瓣，一片一片，順水而下，如詩如夢。紫薇看著那些花瓣，繼續說：

「爾康，大家要我節哀順變，我怎能節哀順變呢？失去了你，那不是一個「哀」字，那是徹底的「絕望」呀！失去你，那也不是一個「變」字，而是徹底的「空虛」呀！我不知道沒有你的日子，我這個人，還有什麼意義？爾康，不管你在那兒，我的小船會飄向你，看到了小船，請你記得回家的路……我在等你！我還要等多久呢？」她抬眼看著四周……『這是我們的幽幽谷，你記得嗎？』

紫薇這樣的呼喚，這樣的低語，這樣的淚……爾康怎麼能夠抗拒這樣的呼喚？他終於掙脫了那個討

厭的軀殼，向著紫薇飛去！紫薇，我向妳飛，儘管旅途中，有著痛和淚，我向妳飛！他飛到了幽幽谷，他拚命的喊著：

『紫薇……紫薇……紫薇！』

紫薇一凜，隱隱約約中，爾康的喊聲隨風而至，她不禁凝神細聽。忽然，她聽到馬蹄答答，好像看到爾康騎著馬，正向幽幽谷疾馳。好像聽到他的聲音在喊：

『紫薇……紫薇……紫薇……我來了！我回來了！』

紫薇驚愕著，不相信的循聲看去。驀然間，他看到爾康了，他騎著馬出現。

『紫薇！我是爾康啊！我回來了！』

紫薇目瞪口呆，看著爾康騎馬奔來的身影。爾康也看到她了，大喊：

『紫薇！』他滾鞍下馬，拚命的喊：『紫薇……』

紫薇狂喜的跳起身子，手裡的花瓣一撒，隨風四散，她就向著他飛奔。他張開雙臂，也向著她飛奔。兩人終於奔到了一起，緊緊的擁抱。這次，爾康沒有抱一個空，他的手臂裡，確確實實抱著紫薇！

紫薇又哭又笑的喊：

『我不相信，我真的不相信，這樣的情形，以前曾經發生過，在我最絕望的時候，你出現了！現在，你又出現了……這是真實的你，還是我幻想中的你呢？這是真的幽幽谷，還是我夢裡的幽幽谷呢？是真？是幻？是夢？爾康也不知道。他緊擁著她，生怕轉眼間，又會抱一個空。生怕轉眼間，自己又會墜落到別的地方去。魂兮夢兮？真兮幻兮？唯一可以確定的，是他愛她，他要她，不論生或死！他急切的含淚說：

『我答應過妳，我會守著妳！紫薇，不管天上人間，我都會守著妳！妳哭，我跟妳一起哭，妳笑，

我跟妳一起笑！我是妳永遠的爾康！穿越了時間空間，穿越了生和死，我永遠在妳身邊！』

紫薇害怕的，顫聲說：

『你說得好奇怪啊！什麼穿越時間空間，什麼穿越生和死，我不要你穿越，我要你真真實實的在我身邊，我要你牢牢的抱著我！』

『是！現在，我不是牢牢的抱住妳了嗎？』他加重了手臂的力量，心裡在哀號，讓我抱著她！讓我抱緊她！讓我不要消失！

紫薇又急忙推開他一些，去看他的臉孔。

『你有沒有受傷？你好好的嗎？你的手、你的腳，都好好的嗎？讓我看看你！』

『是！妳看妳看，都好好的！』

紫薇就含淚打量他，他也含淚看著她。她就慢慢的伸手，仔細的撫摸著他的額頭、面頰，鼻子，和嘴唇。他抓住她的手吻著，淚水落在她的手背上。

紫薇喜極而泣了…

『你真的回來了！我就知道你不會辜負我！你的承諾一直在我耳邊響著，儘管所有的人，都說你走了，我仍然相信你會回來！』

『相信妳所相信的！我不管身在何方，我的心和魂魄，一定守在你的身邊！紫薇……還記得我們面對東兒的生死關頭嗎？那個孩子，是我們兩個的生命，凝聚著我們兩個的愛！為了我，好好的愛東兒，好好的愛自己！要不然，我會心神不安，魂無所歸！生不能生，死不能死！』

紫薇大吃一驚，她的心抽痛起來…

『爾康……你為什麼這樣說？』

爾康覺得，那個『大力量』又在拉扯著自己，要把他從她身邊拉開。他惶急的，悽楚的叮嚀：

『記住我的話，我……要走了！』他抱不住她，身子往後退去。

『你要去那裡？你不是說，你回來了嗎……』紫薇感到他鬆了手，看到他的身子向後退，慘切的呼號：

『你不可以走……爾康……』

爾康一躍上馬，馬兒疾馳而去。紫薇跌跌撞撞，開始追馬。狂喊著：

『爾康……爾康……爾康……』

紫薇喊著喊著，覺得自己砰然一聲，摔落在地上。這一震，就把她震醒了，那兒有爾康？她正從椅子上跌到地上。

小燕子和晴兒，撲奔過去，趕快把她扶了起來。晴兒說：

『紫薇！妳怎麼摔到地上去了？不要一直坐在這張椅子裡，去床上躺著，好不好？』

『我和晴兒，都在這兒陪妳！我們擠一張床，我們兩個陪妳睡！』小燕子說。

紫薇茫然四顧，只見臥室裡一燈熒然。她顫抖著，神思恍惚的說：

『我不是在幽幽谷嗎？我怎麼會在房間裡？為什麼點著燈？現在是晚上？爾康呢？爾康在那裡？他不是回來了嗎？』

爾康的確在房裡，怎麼進的房，他也不知道。他滿臉憂懼的看著紫薇，走到了她的身邊，不管她聽得說還是聽不見，沉痛的說：

『紫薇，妳這麼強烈的呼喚，我走不了！妳的魂魄在幽幽谷，我跟著妳去幽幽谷，妳回了家，我也跟著妳回家……妳看到我了嗎？』他伸手去摸她的頭髮，摸了一個空。

沒有人看到爾康。

小燕子和晴兒，憂懼的互視了一眼。小燕子就再也忍受不了，抓著紫薇的雙肩，一陣猛烈的搖撼，喊著說：

『不要這個樣子……接受事實吧！爾康已經離開我們了，他死了，不會回來了！但是，紫薇，妳還活著呀！』

『死了？是的，死了！爾康悽然的佇立。

晴兒哀求的喊著紫薇：

『紫薇，如果爾康死而有知，一定會為妳這個樣子，心痛得不得了……妳讓他沒有牽掛的安息吧！把妳對爾康的思念，全部轉移給東兒吧！』

紫薇聽到小燕子和晴兒這樣的呼喊，眼前，浮起夢裡爾康的臉。耳邊，響起他的聲音：

『為了我，好好的愛東兒！要不然，我心神不安，魂無所歸！生不能生，死不能死！』

紫薇乍然劇痛，放聲狂叫：

『不！不！不要！爾康……不能這樣，我不接受，我絕對不能接受！你心神不安也好，你魂無所歸也好……什麼生不能生，死不能死……那不是你，那是我！你把我陷進這樣絕望的深淵裡，然後你就逃走了嗎？我不要！我恨你恨你恨你恨你恨你恨你……你這樣待我，我怎麼能夠不恨你？我恨你恨你恨你恨你……』

爾康痛楚無比的聽著，悲切的說：

『我不逃走……我不逃走，但是，我只剩下魂魄了，轉眼間，魂魄也會消失……我怎麼辦？妳這個樣子，我怎能安心的走？我不能代妳痛，不能代妳傷心，妳要我怎麼辦？』

沒有人聽到他的吶喊，也沒有人看到他。

小燕子和晴兒，趕緊摟著紫薇，兩人都淚落如雨。晴兒著急的說：

『妳在說些什麼？什麼魂無所歸？妳是不是生病了？讓大醫進來診治一下，開個方子吃點藥，妳需要睡覺，妳已經幾天沒睡了！如果妳再倒下，妳要伯父和伯母，怎麼承擔呢？』

紫薇看著四周，神思縹緲。作夢似的說：

『他聽得到我，他看得到我……』

『是！是！是！』爾康急忙站在紫薇身前：『我聽得到，我看得到！』他雙手去抓紫薇的手，又抓了一個空。

小燕子看到紫薇這個樣子，害怕極了，喊著：

『紫薇，妳不要這樣子，妳醒醒呀！』

『他說，不管他在那兒，天上人間，他都守著我！』她伸手對虛空中抓去，什麼都抓不到，大痛。喊著：『他騙我騙我騙我！他不在，他那兒都不在！我抓不到他……小燕子，晴兒……什麼天上人間，什麼都是騙人的鬼話！』

她一手握住小燕子，一手握住晴兒，痛定思痛，慘切的說：『小燕子，晴兒……沒有幽幽谷，沒有爾康，沒有花瓣和小船……原來，那都是我的幻想，是夢裡的爾康，夢裡的幽幽谷……』

爾康悽然的看著她，聽著她，無助已極。心裡在吶喊著，紫薇，夢也是真，真也是夢，我與妳共有一個夢啊！

這時，房門開了，福晉和奶娘，抱著東兒進房來。福晉含著淚，哽咽的說：

『紫薇，東兒一直哭著要娘，我和奶娘都沒辦法讓他安靜……這幾天，他也嚇壞了，在這種時候，

晴兒和小燕子，睜大眼睛看著紫薇，除了跟著心碎，簡直不知道要說什麼才好。

只有額娘的懷抱，才能安慰他⋯⋯』

福晉一邊說，一邊牽著東兒，把東兒的小手放進紫薇手中。東兒哭著喊：

『額娘⋯⋯額娘⋯⋯東兒要跟額娘一起睡⋯⋯』

紫薇一動也不動，瞅著東兒。當東兒的手，拉住了她的手，她忽然像觸電般跳了起來。激動的喊：

『帶走他！帶走他！他不能替代爾康，他不能擠走爾康的位置⋯⋯現在，我懂了，我把太多時間花在他身上，我疏忽了爾康！現在，沒有爾康，我不能面對這個孩子⋯⋯帶走他！帶走他！我不要看到他，我不要讓爾康覺得，有了東兒，我就有了一切⋯⋯東兒不是一切！爾康加東兒，才是一切⋯⋯只有東兒，那叫「破碎」，我不要「破碎」，我要爾康⋯⋯』

紫薇一面叫，一面推開東兒，東兒嚇得大哭起來。

爾康大震，撲上前來，把東兒拚命向紫薇推去。痛喊：

『不可以！不可以！妳不可以不要東兒，這太慘了！太慘太慘了！』

東兒穿過了爾康，跌落在地，放聲大哭。福晉又驚又痛，趕緊抱起東兒，和奶娘逃出門去。福晉一邊跑邊喊：『我怎麼辦？爾康死了，紫薇瘋了！那有母親不要親生的兒子呢？』

眼看福晉奶娘帶著東兒出奪門而去，晴兒和小燕子面面相覷，驚痛得無以復加。忍不住傍徨的吶喊⋯⋯

在一旁看著的爾康，也驚痛得無以復加。

『我的形體在那兒呢？我不要死，我不能死！這樣的我，還能做什麼？紫薇，我在、在、在！』

是的，他的形體依舊存在。一番痛楚的掙扎後，他再度從高高的天上，突然下墜，掉回到他的軀殼裡。他從床上一驚坐起，啞聲的嚷著⋯⋯『紫薇，我在！我在！』

慕沙看到爾康坐起身子，又驚又喜，大喊：『大夫！他坐起來了！他醒了！』

豈料，爾康『砰』的一聲，又跌回床上，躺著不動了。慕沙急喊：

『大夫！快救他，他又厥過去了！』

大夫衝到床前，招呼著兩個宮女：

『蘭花！桂花！趕快來幫忙！把「銀硃粉」拿來！』

蘭花桂花奔來，一個壓住爾康，一個強迫的捏住他的下巴，讓他張嘴。大夫就把一包藥粉倒進他嘴裡，再用藥汁灌進他嘴裡。躺在床上的爾康，身子顫抖著，藥汁進去一半，流掉一半，臉色慘白如死。

大夫搖搖頭，說：

『八公主，這個「銀硃粉」可能用得太多了，他的發抖和這味藥有關，這藥本身就有毒，用多了，他也活不成！再說，這一小包「銀硃粉」，要幾百棵罌粟才能做出來，很名貴的！他已經吃了好多，還是半死不活，要不要放棄了？』

『不放棄！我絕不放棄！要用多少「銀硃粉」我不管！你儘管配來！』慕沙堅決的喊，眼前，浮起的不是這個不死不活的爾康，而是在戰場捉住她，又放了她的爾康！那個英姿颯颯，風度翩翩，不許她自盡的爾康！那個駙馬，像天際雲端的一匹駿馬，馳騁在雲裡，馳騁在風裡，也馳騁在她情竇初開的夢裡！

床上的爾康，顫抖過去了，額上冷汗涔涔。神志不清的囈語著：

『生不能生，死不能死……心神不安，魂無所歸……』

慕沙撲在床前，閃亮的眸子，一瞬也不瞬的看著他。

『你在說什麼？我聽不懂！』她笑著，充滿信心的說：『但是，你可以說話了！只要你能說話，大

概就有希望了！」

這時，房門一開，猛白大步進房來。看了爾康一眼，就氣沖沖的喊：

「慕沙！妳還要浪費多少時間在這個駙馬身上？妳看看他，瘦得像個猴子，半死不活……我們緬甸英雄多得很，妳為什麼認定一匹「死馬」呢？」

「爹，我救了這麼久，你就讓我救嘛！好不容易，他已經會說話了，有希望了！」慕沙振奮的看著猛白。

「會說話了？」猛白一怔：「我從來沒有看過傷得那麼重，還能救活的人！他說什麼話？」

爾康確實在說話，他直著眼睛，低語著：

「紫薇，等我，我會找到路……我來了！」說完，他的眼睛一閉，頭一歪，動也不動了。

「什麼會說話了？」猛白驚喊：「那是迴光返照！死啦！」

「死了？」慕沙急撲到床前，大叫：「大夫！大夫……」

「我沒辦法了，讓巫師接手吧！」大夫投降了。

「巫師！巫師……」慕沙又大叫：「快想辦法！」

一直在旁邊觀望的巫師一步上前，說：「是！我來！」

巫師手裡拿著一根長管的煙管，點燃了煙，吸了一口，對著爾康噴去。然後，他就跑到窗前去，那兒有一個供桌，上面供著各色鮮果，他就用緬甸話，為爾康喊魂：

「駙馬的魂魄啊！你不要在外面飄飄蕩蕩了，外面太陽會曬你，大風會吹你，野狼會咬你……天黑的時候，夜貓子會吵你……你趕快回來吧……」

爾康就這樣一動也不動的，躺在煙霧騰騰中。

43

乾隆三十一年二月十一日。

乾隆一早，就帶著福倫和小燕子，還有文武百官，親自策馬到北京城外的郊道上，迎接凱旋歸來的永琪。早在三天前，快馬傳書就帶來永琪回京的確切時間，所以，大家已經期待很久了。乾隆在華蓋遮陽下，群臣簇擁下，佇立遠眺。小燕子騎著馬，站在一旁，伸長脖子看。即將看到永琪，她滿心期盼，但是失去了爾康，她滿懷悲慘。在這等待的一刻，心裡已經像滾燙的沸油，煎煎熬熬，熱血沸騰。福倫跟在乾隆身邊，也在佇立遠眺，眼裡，一直強忍著淚。

只見前面，煙塵滾滾，旗幟飄飄，大隊人馬，正浩浩蕩蕩而來。

小燕子一指，驚喜交集的喊：

『皇阿瑪！他們來了！』

是，永琪歸來了！他風塵僕僕的騎著馬，近鄉情怯，心裡悲苦而悽涼。傅恆也騎著馬，神情肅穆的走在他旁邊。後面，許多全身縞素的士兵，簇擁著爾康的靈車，一路的撒著紙錢，哀悽的跟著大軍出現了。

『回來了，』乾隆悲喜交集的喊：『總算回來了，這一去，足足大半年！』

福倫含著淚一語不發。

小燕子遠遠的看到永琪，再也忍不住了，喊：

『皇阿瑪！我可不可以「飛奔」上去，迎接他們？』

乾隆看了小燕子一眼，點點頭說：

『既然都把妳帶來了，也不在乎規矩了！去吧！「飛奔」過去吧！』

小燕子就一拉馬韁，向前飛奔。並且，放聲大叫：

『永琪……永琪！永琪……』

永琪聽到小燕子的喊聲，看到那疾馳而來的身影，心臟狂跳，悲喜交集。大喊：

『小燕子！』

永琪一拉馬韁，也向小燕子飛奔。兩匹快馬，就在眾目睽睽下，飛奔向彼此。兩人都情不自禁的喊著對方的名字。此情此景，早在夢中重複過幾千幾萬次！兩匹馬越奔越近，越奔越近，越奔越近……終於相遇。兩人勒住馬，喘息著，含淚彼此注視，恍如隔世。永琪終於開口了：

『小燕子，又見到妳了！好不容易！』

小燕子心頭一熱，淚水立刻濛住了視線，激動的喊：

『我完了！我準備了一肚子的話，都不見了！你知道嗎？三天前，我們就算準你今天要回來，我去求皇阿瑪，要他帶我來接你，皇阿瑪居然答應了。我一連三個晚上都沒睡，一直想一直想，見到了你，我要說一點特別的話，像是「山無稜，天地合」那種，讓你驚喜一下！我真的準備了，誰知道，現在全部忘了！』

重新聽到小燕子的嘰嘰喳喳，重新看到這張充滿活力的臉龐，再加上她眼中那閃亮的淚光……他忍

不住喉中梗塞，眼中，也被淚霧所迷糊了。

『這就是我聽到的，最有意義，最難忘的一篇話！』他伸手握住她的手，握得好緊好緊。『小燕子，我好想妳！』

『我也是，我也是！』她用袖子拭了拭淚：『我天天想你，有一次鬧著要上前線找你，還被皇阿瑪大罵過一場！』

他更緊的握著她，深深的凝視她。

『我猜妳有很多話要告訴我，我也有好多話要告訴妳！我們慢慢談！』他嚥了口氣：『能夠再度握住妳的手……我……』他的聲音顫抖著：『人生，還有什麼可求的？尤其經過爾康的死……』他四面看，顫聲問：『紫薇呢？來了沒有？』

『她不能來，她病了……她好慘，自從收到爾康去世的消息，她就像個死人一樣……我和晴兒想盡辦法，也叫不醒她。最慘的是，她居然不要東兒了，她完全失去理智了，我們不敢讓她來接，但是，福伯父來了！』她看了看爾康的棺木，指了指問：『那是……』

『是爾康，我把他從幾千里以外，帶回來了！』

兩人相對凝視，淚珠都在眼眶裡打轉。

這時，大隊人馬已經走近，兩人就騎馬奔向乾隆。永琪一見乾隆和福倫，就滾鞍下馬，一跪落地。

『我該去見皇阿瑪了！』永琪說。

『皇阿瑪！兒臣該死！』

乾隆身不由己，伸手扶起永琪。充滿感情的說：

『起來！永琪，我知道你已經盡力了！打了勝仗，收復失地，把緬甸人趕出了我們的國土，你建立

了大大的功勳，朕決定封你爲王！在朕現在的兒子中，你是第一個封王的！至於爾康，他英勇捐軀，朕要封他爲貝子！』

乾隆說話間，大隊人馬，已到眼前，全部停止。傅恆帶著眾武將，下馬行禮。

『臣傅恆叩見皇上，皇上萬歲萬歲萬萬歲！』

所有文武百官，和士兵們，就同聲高呼。聲震四野：

『征南將軍，凱旋歸來，五阿哥勝利！傅將軍勝利！皇上萬歲萬歲萬萬歲！』

『起來起來！傅恆免禮！』乾隆說。

眾人起身，福倫已經忍不住了，奔到爾康的靈柩前，撫棺痛哭。忘形的喊：

『爾康！爾康！……爾康！你的魂也跟著回來了吧？沒想到今天，要讓我白髮人送你黑髮人！』

是，爾康的魂魄，也跟著回來了，只是沒有任何人看得見這個『魂魄』。

乾隆眼中，驀然充淚，走上前去，伸手摸著靈柩。對靈柩說：

『爾康，你好好的安息吧！你的阿瑪額娘，你的紫薇東兒，朕都會幫你照顧！他們是朕和永琪的事了！』

永琪和小燕子，站在一邊掉淚，文武百官和士兵，個個拭淚了。

福倫勉強壓制了悲痛，一邊拭淚，一邊顫巍巍的起立，對乾隆說：

『皇上，請允許臣把爾康的靈柩，帶回學士府！』

乾隆含淚點頭。永琪就往前一邁步，說：

『皇阿瑪！請允許我送爾康回家！』

『還有我，我也要送爾康回家！』小燕子跟著說。

『好！』乾隆頷首拭淚：『你們兩個，就代替皇阿瑪，送他回家吧！』

於是，福倫、小燕子、永琪上馬，帶著靈車往前走。

乾隆帶著文武百官，肅立目送著。

學士府中，早已一片悲悽。渾身素服的家丁、丫頭都跪在院落裡，等待著爾康的靈柩。永琪、福倫、小燕子走進院子，福晉帶著披麻帶孝的東兒，站在那兒等候，福晉早就哭成了淚人。小東兒還不知道發生了什麼，見到人人都哭，也跟著掉淚。

兩個渾身素服的士兵，一個手捧爾康的盔甲，一個手捧爾康的寶劍，走在前面，後面緊跟著由士兵抬著的靈柩，在紙錢飛撒中，進了院子。眾家丁、丫頭看到靈柩，立刻放聲痛哭，喊著：

『大少爺！大少爺！大少爺……』

福晉一見靈柩，就撲奔過來，痛哭失聲。

『爾康！爾康！』福晉伏在靈柩上，搥著棺木：『你怎麼可以這樣一走了之？老的老，小的小，還有你最愛的紫薇，你都不要了嗎？爾康……狠心的爾康，不孝的爾康啊！』

這麼慘痛的呼喚，超越了時空，超越了生死，直達爾康的心魂。他飄飄蕩蕩的進門，默然佇立，悽悽惶惶的看著眾人。

福倫老淚縱橫，走過去扶起福晉。小燕子哭得唏哩嘩啦。

永琪含淚上前，對著福倫福晉一跪。啞聲說：

『伯父伯母！永琪向你們請罪！請原諒我，來不及救爾康！』

福晉淚眼看永琪，趕緊把他拉起來，泣不成聲。

『五阿哥……五阿哥……這不能怪你……我們都知道，你跟我們一樣痛心啊！』

奶娘牽著東兒，在旁邊掉淚。東兒很害怕，把小臉躲進奶娘懷裡。小燕子看到東兒，更加傷心，走過去拉東兒的手，蹲下身子說：

『東兒，來跟你阿瑪說兩句話！』

東兒拚命往奶娘懷裡鑽，抗拒的喊：

『沒有阿瑪！那裡有阿瑪？』

爾康哀傷的看著。東兒，我在！你雖然看不到我，但是，我在呀！

福晉、福倫聽到東兒這麼說，更是泣不成聲。

這時，紫薇渾身縞素，衝了出來，見到靈柩，她就整個呆住了。眾人全部鴉雀無聲的看著她。只見她一瞬也不瞬的瞪著靈柩，半晌，動也不動。爾康看到紫薇，就跟著她一起『心碎』了。紫薇，妳不要害怕，那裡面躺的不是我！他焦灼的，急切的想把自己的思想和意識，傳達到她心裡去。

永琪一見紫薇，整顆心都揪在一起，說不出來有多痛。他走到她面前，含淚看著她。　半晌，才鼓起勇氣，顫聲的說：

『紫薇，從前線到這裡，我們在路上走了一個多月，我每天都在想，我要怎麼跟妳說？現在，終於面對了妳，我……什麼話都說不出來，只有一句……』他掏自肺腑的，沉重的說了三個字…『對不起！』

紫薇抬起眼睛，直勾勾的看著永琪，再看看那具靈柩。問：

『那是什麼？』

永琪驚愕的說：

『是爾康啊！我不能把他留在雲南，我把他帶回來了！』

『打開它!』紫薇定定的說。

眾人全部一驚。

『什麼?』永琪問。

紫薇衝到靈柩前,推著棺蓋。大喊:

『打開它!我不相信爾康在裡面!這不是爾康!』

永琪追過來,著急的喊:

『紫薇,不要開棺,千萬不要!我們在路上就走了一個多月,裡面可能已經只有一堆白骨,妳要證明什麼呢?紫薇,對不起,對不起……我親眼看到爾康中箭,當他倒下的時候,緬甸軍隊的刀、劍、戰斧都對他砍過去……我們找到他的時候,他已經面目全非了,唯一安慰的,大概他走得很快,沒有痛苦太久……』

紫薇撲在靈柩上,開始瘋狂般的搥棺大喊:

『我要打開它!我不相信爾康在裡面!他一定不在裡面!我要親眼看到才能相信……爾康不會這樣對我,他不能這樣對我……打開打開它,如果是爾康的白骨,有什麼可怕?他化為白骨、化為灰塵、化為煙霧……都是我的爾康呀!打開打開打開……打開它!』

『好!』福倫含淚喊:『大家幫忙,我們打開它!紫薇說的對,爾康的白骨,我們怕什麼?開棺!』

眾士兵就上前,敲的敲,打的打,弄鬆了榫頭。

奶娘趕緊蒙住東兒的眼睛。福晉、福倫、紫薇、小燕子、永琪都站在棺木旁邊。家丁、丫頭、士兵等人圍繞。

永琪這篇話,更讓所有的人,聽得心驚膽戰,淚落如雨。

棺木赫然打開，棺蓋移開了。

大家都圍了過去，只見一堆白骨，穿著爾康的官服。在白骨胸前，醒目的放著紫薇做的『同心護身符』。那護身符的紅色同心結，顏色依舊鮮艷。永琪看著呆若木雞的紫薇，悲切的解釋：

『這個護身符，是我親自從他脖子上取下來，再放到他身上去的！還有他的盔甲，他的劍，都是我親手收拾的！』

紫薇並沒有看到爾康的臉，那張臉，蓋著爾康的官帽，根本看不到什麼。她一眼看到的，是這個『同心護身符』，以她對爾康的知心和瞭解，她深深明白，爾康和這個同心護身符，是『生死不離』的！她的祝福，她的愛，她的心……全在這同心結裡！爾康至死，也不會拋下她的同心結！所以，一看到這個『同心護身符』，紫薇就再也沒有懷疑，而且徹底崩潰了！她發出一聲撕裂般的狂叫：

『爾康……』

她撲上前去，一把抓起那個『同心護身符』。她看著上面的同心結，身子往後退去，一面退，一面對棺木一字一字的痛喊：

『你雖然言而無信，我依舊生死相隨！』

說完，她就握住護身符，一頭向棺木上撞去。眾人大驚，全部驚呼出聲：

『紫薇！格格……』大家喊得心魂俱裂。

站在一邊的爾康，情急的往前一撲，沒有形體的他，那兒阻止得了紫薇。幸好永琪和小燕子，早就膽戰心驚的防備著，這時，永琪身子一擋，紫薇就撞在永琪身上。小燕子更像箭一般的衝上前去，一把抱住她。但是，紫薇居然力大無比，掙脫了小燕子，再度對棺木撞去，小燕子哭著，喊著，撲在紫薇身上，兩人雙雙滾落在地。

『紫薇……』小燕子哭著喊：『我們大家守著妳！不要這樣，請妳，求妳，求求妳……求求妳……』

福晉哭倒在地，拉著紫薇的手。哭喊著：

『紫薇啊……可憐可憐我們兩老，可憐可憐東兒吧！』

東兒嚇得淚流滿面，躲在奶娘的懷裡。

永琪落淚，福倫落淚，丫頭家丁哭成一團。

爾康悽然的看著這一切。我，不走！我，要留在這兒！我，要照顧我的阿瑪額娘，我的東兒，我可憐的、可憐的、可憐的紫薇！但是，我，在那兒呢？

眼看著眾人，架著紫薇，把她拖進房裡去了。爾康悽悽慘慘的跟在後面，也進了房。我，不走！我跟著妳！無論天上，還是人間！

大家把紫薇拉進了臥室，她就筋疲力盡的坐在床緣，神情有如槁木死灰。手裡，緊緊的握著那個同心護身符。小燕子、永琪、福晉都圍繞著她。

爾康知道沒有人能夠看到他，就站在她身前，悲哀的凝視她。

小燕子仆在她身前，痛楚的，急切的說：

『紫薇，這個尋死的念頭，妳一定要打消！妳看看伯母，頭髮都白了，難道，妳要把東兒這個重擔，交給伯父伯母來承擔嗎？妳恨爾康不負責任，丟下你們一走了之！那麼，同樣的事，妳為什麼要做呢？妳教過我的格言，我都記住了！「己所不欲，勿施於人」！妳，也不要再把這麼大的悲痛，留給伯父伯母吧！』

小燕子一篇話，說得如此有情有理，眾人都感動得唏哩嘩啦。福晉一面哭，一面坐在紫薇身邊，伸

手抓住了她的手。說：

『紫薇，妳聽聽，小燕子這篇話，說進我的心坎裡了！我已經失去了爾康，再也沒有力量來承受失去妳……紫薇，自從七年前，妳進了學士府，我待妳就像自己的女兒一樣，等到妳嫁進我們家，再生下東兒，妳就支撐著三代的幸福，是家裡最重要的人！別人家有的婆媳問題，咱們家都沒有！是不是我們家太幸福了，上蒼才要給我們這麼巨大的不幸？奪走了我們的爾康！紫薇，我老了……我真的承受不了這麼多，妳如果再尋死，我看，不如我先死吧……』福晉越說越痛，說到這兒，不禁掩面痛哭著，站起身就往門外奔去。

爾康一看，大急，衝過去就從後面抱住福晉。忘了自己是魂魄，他痛喊著：

『額娘！爾康該死，給了你們這麼大的悲痛！我對不起你們兩老，我太不孝了！請額娘千萬不要激動……』

爾康一抱，抱了個空，福晉依然對門口奔去。

永琪趕緊一攔，驚喊：

『伯母，妳要幹什麼？』

福晉痛哭著喊：

『我也想撞棺啊！我也想死啊！我要到地下去，問問爾康，他怎麼忍心離開我們？讓我們全家這麼慘……』邊說邊想繞過永琪，要衝出門。

爾康無助的，慘切的看著這一幕。我，要怎麼辦？我怎樣才能讓你們不要這麼悲痛呢？

小燕子跳起身子，趕緊撲上前來，抱住福晉。喊……

能幫助你們，讓你們不要這麼悲痛呢？

小燕子跳起身子，趕緊撲上前來，抱住福晉。喊……

『伯母，不要這樣啊！一個還沒勸好，一個又這樣！』急切中，對門外大叫：『伯父，快來啊！』

福倫跌跌衝衝的跑了進來。含淚喊：

『幹什麼？我總要把爾康的靈堂佈置起來，趕緊挑個日子，讓他入土為安！你們看他那個樣子，怎麼能再耽擱呢？妳們不要再大呼小叫了，好不好？』他扶著福晉，沉痛至極的說：『別哭了，無論妳怎麼哭，也哭不回爾康了！』

福倫這話一出口，福晉更是淚不可止。永琪見這種慘狀，眼淚也忍不住落下來。走上前去，他含淚說：

『伯父伯母，以後，我是你們的兒子，爾康能做的，我都盡量去做！』他再走到紫薇面前，慘切的說：『紫薇……對不起，我沒有辦法取代爾康，我想，全天下，沒有任何人能夠取代妳心裡的爾康。我這個哥哥，實在該死！辜負了妳的託付，眼看爾康的死，卻無法救他！我也難過得快要死掉，自責得快要瘋掉！但是，紫薇，妳是皇阿瑪的骨肉，愛新覺羅家的人，都是勇敢的！請妳為了爾康，為了伯父伯母和東兒，勇敢一點吧！』

紫薇充耳不聞，一直像是泥塑木雕一樣。小燕子又撲了過來，搖著她說：

『紫薇，妳說說話！讓我們大家放心，好不好？』

紫薇終於抬眼看了看小燕子，看了看紛亂的眾人，拿起那個護身符，說：

『同心護身符！他走以前，我用絲線，左纏一道，右纏一道。我一根根纏上去，每纏一圈，說一句「平安」，每纏一根，說一句「保重」！纏好了，我對它說，你幫我保護他，陪著他，跟著他遠走天涯！我想，等到下次這個護身符回到我手裡，就是我和爾康團圓的日子！你們知道嗎？我一直等待重新握住這個護身符的一刻，現在，它回到我手裡了，我握住它了，卻再也沒有團圓的日子……』她說到這兒，

聲音小了下去，痴痴的看著護身符，不再說話了。

大家看著如此慘切的紫薇，人人都痛楚著，誰都沒有力氣再去安慰她了。

爾康也痴痴的站在那兒，他凝視紫薇，輕聲的說：

『紫薇，妳的「平安」，我都收著！妳千絲萬縷的深情，左纏一道，右纏一道，早已把我牢牢繫住，我沒辦法現身，沒辦法讓妳瞭解我的存在，可是，我看著妳，感覺著妳，陪著妳。死亡也沒有辦法，把我從妳身邊帶走！妳握住了護身符，妳也握住了我！』

爾康說得刻骨銘心，但是，沒有人聽得到他，感覺得到他。

大家依舊陷在巨大的悲傷裡。

（未完待續）

預行編目資料

還珠格格 天上人間第三部三之二 / 瓊瑤著·
—— 初版. ——臺北市：皇冠, 2003【民92】
面；　公分.——（皇冠叢書；第 3285 種）
（瓊瑤作品；63）

ISBN 957-33-1967-5（平裝）

857.7　　　　　　　　　　92008302

皇冠叢書第 3285 種

瓊瑤作品 **63**

還珠格格第三部

天上人間三之二

作　　　者—瓊瑤
發　行　人—平鑫濤
出 版 發 行—皇冠文化出版有限公司
　　　　　　台北市敦化北路 120 巷 50 號
　　　　　　電話◎ 2716-8888
　　　　　　郵撥帳號◎ 1526151~6 號
香 港 星 馬—皇冠出版社(香港)有限公司
總　代　理　香港灣仔告士打道 80 號 16 樓
　　　　　　電話◎ 2529-1778　　傳真◎ 2527-0904
出 版 統 籌—盧春旭
編 務 統 籌—金文蕙
美 術 設 計—李顯寧·陳韋宏
行 銷 企 劃—陳凝香
印　　　務—張芸嘉·林佳燕
校　　　對—鮑秀珍·金文蕙·陳惠玉

著作完成日期— 2003 年 4 月
初版一刷日期— 2003 年 7 月

皇冠文化集團 50 週年回饋大抽獎專用回函卡

皇冠邁向50週年，從2003年3月起至2004年2月的一年間，特別嚴選出版50本好書，您只要任選購買二本嚴選好書，剪下書封後摺口上的抽獎專用印花(影印無效)，貼在本專用回函卡上寄回本公司(免貼郵票)，即可參加回饋大抽獎，有機會獨得新台幣50萬元現金及其他數百項獎品！

回函有效期至2004年2月29日截止(郵戳為憑)，並將於2004年3月舉行公開抽獎。詳細辦法請密切注意皇冠雜誌和皇冠文化集團網站：www.crown.com.tw。

> 印花黏貼處　　　　　　　印花黏貼處

讀者資料

姓名：＿＿＿＿＿＿＿＿＿　身分證字號：＿＿＿＿＿＿＿＿＿＿＿

性別：　□男　　　□女　　生日：＿＿＿＿年＿＿＿月＿＿＿日

學歷：□國小或以下　□國中　□高中職　□大專　□研究所

通訊地址：□□□＿＿＿＿＿＿＿＿＿＿＿＿＿＿＿＿＿＿＿＿＿

＿＿＿＿＿＿＿＿＿＿＿＿＿＿＿＿＿＿＿＿＿＿＿＿＿＿＿＿＿

聯絡電話：(公)＿＿＿＿＿＿＿分機＿＿＿(宅)＿＿＿＿＿＿＿＿

e-mail：＿＿＿＿＿＿＿＿＿＿＿＿＿＿＿＿＿＿＿＿＿＿＿＿＿

《還珠格格第三部天上人間三之二》

1. 您從何處得知本書？（可複選）
　□書店　□宣傳活動　□報章雜誌　□郵購DM　□網站
　□書評或書介　□親友介紹　□其他：＿＿＿＿＿＿＿＿＿＿

2. 您購買本書的動機？（可複選，請以1. 2. 3……排優先序）
　□封面　□書名　□內容題材　□作者　□廣告
　□系列規劃　　□促銷活動　□其他：＿＿＿＿＿＿＿＿＿＿

3. 您通常透過哪些管道購書？（可複選）
　□書店　　　□便利商店　□量販店　　□網路　　□信用卡銀行郵購
　□郵購型錄　□劃撥郵購　□團體訂購　□其他：＿＿＿＿＿＿＿＿＿＿

4. 您對本書的意見：

＿＿＿＿＿＿＿＿＿＿＿＿＿＿＿＿＿＿＿＿＿＿＿＿＿＿＿＿＿＿＿＿

＿＿＿＿＿＿＿＿＿＿＿＿＿＿＿＿＿＿＿＿＿＿＿＿＿＿＿＿＿＿＿＿

＿＿＿＿＿＿＿＿＿＿＿＿＿＿＿＿＿＿＿＿＿＿＿＿＿＿＿＿＿＿＿＿

北區郵政管理局登
記證北台字1648號
免　貼　郵　票
〔限國內讀者使用〕

105
台北市敦化北路120巷50號
皇冠文化出版有限公司　收